DICTIONNAIRE
DE
L'AUDIO-VISUEL

GUITTA PESSIS-PASTERNAK

DICTIONNAIRE

DE

L'AUDIO-VISUEL

FRANÇAIS-ANGLAIS ET ANGLAIS-FRANÇAIS

Cinéma, photographie, presse,
radio, télévision, télédistribution, vidéo

Flammarion

© Flammarion, 1976.

ISBN 2-08-200654-9

Printed in France

Voulez-vous rafraîchir, en vous amusant, votre anglais de base ? Ce livre va vous le permettre. Vous y trouverez plus de cent jeux, variés, distrayants, groupés autour de dix centres d'intérêt : famille, nourriture, voyages, etc.
Vous découvrirez aussi des dizaines d'histoires drôles, des citations cocasses, des poèmes... sans oublier l'argot de Londres ou des USA.
L'anglais par le jeu, c'est une méthode nouvelle, où l'humour occupe la meilleure place. Une méthode attrayante et efficace qui vous donnera une connaissance active de l'anglais de tous les jours.
Ce petit jeu est le premier d'une longue série...

I - LA GRILLE DE LA FAMILLE

Complétez cette grille en n'utilisant que des mots se rapportant à la famille.

jean autret

l'anglais par le jeu

FLAMMARION

On est parfois tenté de se demander si les Frères Lumière sont bien nés en France, ou même s'ils ont existé. En effet, à entendre parler les hommes de cinéma, on pourrait croire qu'il s'agit d'un domaine où il n'est d'autre vocabulaire qu'anglo-saxon. Passe encore, à la rigueur, quand il s'agit de nommer des genres aussi américains que le « Thriller » ou le « Western »... Mais cette invasion linguistique est beaucoup plus générale, et gagne le vocabulaire professionnel le plus quotidien : ce ne sont que travellings, rushes, spots, claps, script-girls, cameramen, etc. pour ne rien dire des termes qui n'évitent le français que pour proposer des vocables n'ayant pas la moindre existence en anglais, à l'instar du fameux « tennisman » qui ne s'est jamais rencontré que chez nous, les Anglais lui préférant « tennis player ». Le grand mérite de l'ouvrage de Madame Guitta Pessis est de venir nous rappeler que ces emprunts maladroits à la langue anglaise sont d'abord sans objet et constituent des solutions de paresse. Presque toujours le terme équivalent existe dans notre langue et peut se traduire aisément. Mme Pessis en fournit la démonstration pour plus de six mille exemples, ce qui paraît à peine croyable, et on ne sait ce qu'il faut admirer le plus de son ingéniosité ou de sa rigueur scrupuleuse. Elle a su se jouer des expressions ou des termes techniques les plus rébarbatifs et proposer chaque fois la solution élégante. Ainsi dorénavant, nous n'aurons plus d'excuse. La preuve vient d'être faite qu'il est possible de parler du cinéma, sous tous ses aspects sans exception, en employant uniquement la langue natale des inventeurs du « cinématographe » — autrement dit, en version originale.

Pierre VIOT
Directeur du Centre National
de la Cinématographie

PRÉFACE

Jules et Dolly

Doublage et sous-titrage sont les deux mamelles du cinéma d'importation et des échanges télévisés. On peut préférer la version originale, mais on est sensible, quitte à ironiser, aux prouesses des comédiens qui doublent en coulisse le baiser anglo-saxon d'un murmure francophone, ou qui donnent à d'Artagnan l'accent d'un cowboy. On guette sur les lèvres du héros les à-peu-près du synchronisme et, sur la langue de la vamp, le toucher délicat du « th »... Finalement tout le monde s'y retrouve. La parole est volage, mais l'image est fidèle, et le scénario répond aux règles d'un sentimentalisme polyglotte.

Le grand public s'inquiète peu d'un autre dialogue, celui des artisans de la technique. Puisque les comédiens sont si habiles à joindre au geste la parole, les techniciens en font-ils autant ? Eh bien, non ! La langue internationale de la technique, issue de tours de main et de façons de faire, est la plus bancale qui soit, la plus mal ajustée. On y trouve non seulement les « faux amis » des lexiques traditionnels mais l'héritage des plus anciens malentendus professionnels. Ainsi, *éditeur*, vers l'anglais se traduit « publisher », tandis qu'*editor* vers le français signifie aussi bien — ô confusion — « rédacteur en chef » que « monteur ». De « vrais amis » eussent pu être « annonceur », bon dans les deux langues, si nous ne nous étions avisés à annexer, inutilement, le mot speaker, au féminin si maniéré.

Les termes techniques sont mal appareillés : choisis au petit bonheur,
tombés au champ d'honneur, au prix d'affrontements rivaux ou bien
de querelles de spécialistes, au cours de petites guerres profession-
nelles, attisées par les styles locaux : gaulois ou saxon, slave ou
latin.

Une telle langue vit dangereusement, au prix de ses mots réformés,
de ses expressions infirmes, de ses prisonniers sur parole, de ses
transfuges. Ainsi les mots annexés paient une nouvelle rançon à
leur langue d'origine : en français, on a beau adopter « rushes »,
on doit retraduire « dailies » en anglais ! Jusqu'au « western »
— bien de chez nous — qui se refait une virginité en Amérique sous
le nom de « horse opera ».

Plutôt que de vitupérer ce franglais en gésine, mieux vaut s'intéresser
à sa genèse. Rien ne servirait aux Académies de mobiliser leurs
douaniers : autant vouloir verbaliser le bas-breton ou l'argot de
Brooklyn ! Boileau lui-même eût conseillé d'appeler un shunt un
shunt, un spot un spot.

On peut donc être reconnaissant à Guitta Pessis d'avoir tenté l'aven-
ture et réalisé une grande première. Il n'est pas si facile de marier
six mille couples de termes. Un tel lexique ne peut qu'inciter à la
controverse : que les mécontents proposent alors, avec une galan-
terie toute « franglaise », les rectifications d'usage. L'auteur en
bénéficiera et pourra ainsi noter, dans une prochaine édition, les
caprices de l'usage, précisément, les nouveautés des patois d'outre-
Manche et d'outre-Atlantique.

Et félicitons la courageuse exploratrice, armée du seul filet à papil-
lons, essoufflée de saisir dans les jungles du film et les coulisses
de la télévision les impromptus du parler technicien.

Grâce à ce dialecte, et parfois cet argot, la performance des stars
se double, à l'ombre des sunlights, de la modeste et indispensable
prouesse du *perchman*, ce *boom operator*, et du *travelling man*,
le Jules à *Dolly*.

                                                          Pierre SCHAEFFER

Je dois une reconnaissance toute particulière à Georges Pessis, cinéaste ayant étudié et travaillé en France et aux Etats-Unis, qui m'a inlassablement guidée au travers du labyrinthe des expressions trop techniques.

Ma gratitude va également à M. Claude Soulé, directeur de la Commission Supérieure Technique du Cinéma Français, et à M. James Blue, directeur du Media Center de l'Université de Rice, Houston, qui ont eu la patience de vérifier scrupuleusement les termes de ce lexique.

Enfin, je remercie mes nombreux amis dans les professions audio-visuelles des deux côtés de l'Atlantique, pour leur contribution à cet ouvrage.

ABRÉVIATIONS

	Français	*Anglais*
Adj	Adjectif	Adjective
Cab	Câble	Cable
Ciné	Cinématographie	Cinematography
Diap	Diapositive	Slide
Ecl	Eclairage	Lighting
Edit	Edition	Publishing
Elect	Electricité	Electricity
Imp	Imprimerie	Printing
Inf	Informatique	Data-processing
Lab	Laboratoire	Laboratory
Mont	Montage	Editing
Mus	Musique	Music
Opt	Optique	Optics
Photo	Photographie	Photography
Pres	Presse	Press
Proj	Projection	Projection
Pub	Publicité	Publicity
Radio	Radio	Radio
Son	Son	Sound
Subst	Substantif	Substantive
Théât	Théâtre	Theatre
TV	Télévision	Television
Vid	Vidéo	Video

Ce lexique technique s'adresse plus particulièrement à un public professionnel : c'est la raison pour laquelle les abréviations ne sont utilisées que lorsqu'un mot peut avoir plusieurs significations. Par exemple, le mot « prise » peut être compris dans le sens d'une *prise électrique* (élect.) ou d'une *prise de vues* (ciné) ; dans ce cas, l'abréviation « ciné » n'exclut nullement les domaines de la *photographie* ou de la *télévision*, mais nous avons jugé que le cinéma pouvait englober les autres métiers du visuel.

Lorsqu'il s'agit d'une série de termes composés (filtre, écran, etc.), l'abréviation est notée à titre indicatif au premier mot.

Français-Anglais

Aberration	Aberration
Aberration chromatique	Chromatic aberration
Aberration optique	Optical aberration
Aberration sphérique	Spherical aberration
Abonné	Subscriber
Abrasion	Abrasion
Abrégé	Abstract, summary
Abréger	To abstract, to summarize
Absorption acoustique	Acoustical absorption, sound absorption
Accélération	Acceleration
Accéléré	Quick motion, speeded-up action, time-lapse
Accélérer	To speed up
Accès libre (tv)	Open shop
Accès public (tv)	Public access
Accès restreint (tv)	Closed shop
Accessoire (d'un appareil)	Accessory, attachment
Accessoires (de studio)	Properties, props
Accessoiriste	Prop man
Accord d'antenne	Antenna tuning
Accord visuel	Visual tuning
Accordé	In tune, resonant, tuned
Accorder	To attune, to match, to syntonize, to tune, to tune-in
Accouplement	Coupling, interlocking, pairing

Accrochage	Hooking, locking, synchronization
Accrochage de phase	Phase locking
Accumulateur	Accumulator, storage battery
Accumulateur sec	Dry-storage battery
Accumulation	Accumulation, storage
Achat d'espace (pub)	Space buying
Acheteur d'espace	Space buyer
Achromatique	Achromatic
Acide	Acid
Acoustique	Acoustics (subst) ; acoustical, audio, sonic (adj)
Acoustique radiophonique	Radio-acoustics
Acteur	Actor, player
« Action ! »	« Action ! »
Action correctrice	Corrective action
Action différée (à)	Delayed-action, time-delay
Action rapide (à)	High-speed action, quick-acting
Activateur	Stimulator
Actualités	News (pres), newsreels (ciné), news broadcast, newscast
Actualités télévisées	Television news
Actuel	Topical
Adaptateur	Adapter, converter
Adaptation	Adaptation, treatment
Adapter	To adapt, to match
Additif	Additive
Addition	Addition
Additionnel	Additional
Adoucissement	Softening, tempering
Affaiblissement	Attenuation, fading, reduction
Affaiblissement de l'image (tv)	Picture fading
Affaiblissement de la lumière	Light dimming
Affaiblissement de signal	Signal sagging
Affecter	To allocate, to assign
Affichage	Placarding, posting (of posters)
Affiche	Poster
Agence	Agency
Agence photographique	Picture agency

Agence de presse	Wire service, news agency, press agency
Agence de publicité	Advertising agency
Agencement	Fixture
Agent	Agent
Agent mouillant (lab)	Wetting agent
Agent de publicité	Advertising agent
Agrafe	Clip, staple
Agrandi	Blown-up, enlarged
Agrandissement	Blow-up, enlargement
Agrandisseur	Enlarger
Aide-mémoire	Memorandum, memorizer
Aigu (son)	High, high-pitched, sharp, treble
Aiguille	Needle, pointer
Aiguille aimantée	Magnetic needle, magnetic pointer
Aiguille (frottement d') (son)	Needle drag
Aimant	Magnet
Aimant permanent	Permanent magnet
Aimantation	Magnetism, magnetization
Aimantation par impulsions	Flash magnetization
Air musical	Tune
Ajustement	Adjusting, adjustment
Alignement	Alignment, lining up
Alignement à l'oscilloscope	Visual alignment
Aligner	To line up, to line
Alimentation	Feed, feeding, power, power supply
Alimentation accélérée	High-speed feed
Alimentation alternative	A.C. supply
Alimentation continue	D.C. supply
Alimentation manuelle	Hand feed
Alimentation en parallèle	Parallel feed
Alimentation propre	Self-powered
Alimenté par batterie	Battery-powered
Alimenté par secteur	A.C.-D.C. powered, mains powered
Alimenter	To feed, to supply
Alimenteur	Feeder
Alinéa (pres)	Paragraph

Allumer	To switch on
Alternateur	Alternator
Alternatif	Alternating, alternative
Ambiance	Atmosphère
Ambiance (écl)	Flood light
Ambiances focalisables (écl)	Variable beam floodlights
Ambiophonie (son)	Ambiophony
Aménagement des lieux (ciné)	Site preparation
Amorçage acoustique	Acoustic feedback, larsen effect
Amorce d'arrêt (ciné)	Stop leader
Amorce de bande	Tape leader
Amorce blanche	Protective white leader
Amorce cadrée	Frame-line leader
Amorce de début	Head leader
Amorce de départ	Start leader, Academy leader (U.S.)
Amorce de fin	Tail leader
Amorce noire	Black leader
Amorce transparente	Clear leader
Amorce voilée	Light-struck leader, fogged leader
Amorcer un arc	To strike an arc
Amortir	To dampen, to deaden
Amortissement	Damping, deadening
Amortisseur	Damping-device, damper, shock absorber
Amovible	Detachable
Ampère	Amp, ampere
Ampère-heure	Ampere-hour
Ampèremètre	Ammeter, ampmeter
Ampexage (tv)	Video-recording
Amplificateur	Amplifier, booster
Amplificateur d'antenne	Antenna booster
Amplificateur basse fréquence	Audio amplifier
Amplificateur compensé	Balanced amplifier
Amplificateur à déclenchement périodique	Gated amplifier
Amplificateur d'enregistrement	Recording amplifier
Amplificateur à impédance	Impedance amplifier
Amplificateur intermédiaire	Buffer amplifier

Amplificateur à large bande	Broad-band amplifier
Amplificateur de lecture	Reproducing amplifier
Amplificateur magnétique	Magnetic amplifier
Amplificateur de mélange	Mixer amplifier
Amplificateur de modulation	Modulation amplifier
Amplificateur principal	Main amplifier
Amplificateur de puissance	Power amplifier
Amplificateur à réaction	Feedback amplifier
Amplificateur de tension	Booster amplifier
Amplificateur vidéo	Video amplifier
Amplification	Amplification, intensifying gain
Amplification de basses fréquences	Bass boost
Amplitude	Amplitude
Ampli-tuner	Amplifier-tuner
Ampoule	Bulb, globe, lamp
Ampoule-éclair	Flashbulb, photoflash lamp
Ampoule-flash	Flashbulb
Analyse	Analysis, scanning (tv)
Analyse de contenu	Content analysis
Analyse de couleurs	Colour analysis
Analyse de l'image (tv)	Raster
Analyse par ligne (tv)	Rectilinear scanning
Analyse par lignes contiguës (tv)	Progressive scanning
Analyse de marché	Market research
Analyse des médias	Media analysis
Analyse par points successifs (tv)	Dot interlacing
Analyse par réflexion (tv)	Indirect scanning
Analyser	To analyse, to scan (tv)
Analyseur	Analyzer, scanner (tv)
Analyseur de diapositives	Slide scanner
Analyseur de films	Film scanner
Analyseur d'harmoniques	Harmonic analyzer
Analyseur optique (tv)	Optical scanner
Analyseur panoramique (tv)	Sweeper
Analyseur de sons	Sound analyzer
Analyseur à spot mobile (tv)	Flying spot scanner
Anamorphose	Anamorphosis

Anamorphosé	Anamorphic, anamorphotic
Anamorphoseur	Anamorphic lens
Ancrage (d'un cliché)	Anchoring
Angle	Angle, corner
Angle de champ	Field angle
Angle de déviation	Angle of deflection
Angle de diffusion	Stray angle
Angle de faisceau	Beam angle
Angle d'incidence	Angle of incidence
Angle mort	Dead zone
Angle d'obturation	Angle of shutter opening
Angle opposé	Reverse angle
Angle d'ouverture	Corner angle
Angle de prise de vues	Camera angle, shooting angle
Angle de projection	Projection angle, screen angle
Angle de réflexion	Reflection angle
Angle de visée	Viewing angle
Angle de vision	Viewing angle
Angulaire	Angular
Animateur (tv)	Anchorman (news) ; moderator
Animateur (dessin animé)	Animator, cartoonist
Animateur (de groupe)	Group leader
Animateur (de programme de disques)	Disc jockey
Animation	Animation
Animation par ordinateur	Computer animation
Animation par ordinateur en continu	Dynamic computer imaging
Animation par ordinateur image-par-image	Static computer imaging
Animer	To animate
Anneau	Ring
Anneau de blocage	Locking ring
Anneau de câble	Cable ring
Anneau dioptrique	Refracting prism
Anneau de réglage de focale	Focal-length adjusting ring
Anneau de voile	Net ring
Annonce	Announcement
Annonce classée	Classified advertisement
Annonce double-page (pres)	Spread

Annonce publicitaire	Advertisement, ad (pres), commercial, spot (radio, tv)
Annonceur	Advertiser (pub), announcer, telecaster (tv)
Annoncier (pub)	Publicity editor
Annuaire	Directory
Annulation	Cancellation
Annuler	To cancel, to delete
Anode	Anode
Anode d'amorçage	Exciter anode
Anode de focalisation	Focus anode
Anormal	Abnormal, odd
Antenne	Aerial, antenna, wave collector
Antenne accordée	Tuned antenna
Antenne bi-directionnelle	Bidirectional antenna
Antenne collective	Community antenna
Antenne compensée	Balanced antenna
Antenne directionnelle	Beam antenna
Antenne directionnelle à grande ouverture	Broadside directionnal antenna
Antenne directrice	Aerial director
Antenne en éventail	Fan antenna
Antenne extérieure	Elevated antenna
Antenne orientable	Mobile antenna
Antenne de réception	Receiving antenna
Antenne de toit	Roof antenna
Antenne unidirectionnelle	Unidirectional antenna
Anti-bourrage	Antiblocking
Anti-brouillage	Antijamming
Anti-bruit	Noise rejection
Anticalorique (filtre)	Heat-absorption (filter), heat-absorber
Anti-choc	Shock proof
Antifading	Automatic gain control
Anti-halo (couche) (ciné)	Anti-halation, anti-halo (backing)
Antiparasites	Anti-interference, suppressor
Anti-reflet (couche)	Blooming, anti-flare (coating)
Anti-skating (tv)	Antiskating

Appareil	Apparatus, deck, device, instrument
Appareil asservi	Slave deck
Appareil d'éclairage	Lamp
Appareil enregistreur	Recording instrument, recorder
Appareil de mesure	Measuring instrument, meter
Appareil multiplexeur	Multiplexer
Appareil photographique	Still camera
Appareil pliant (photo)	Folding camera
Appareil de prise de vues	Camera, still camera, motion picture camera
Appareil de prise de vues à tourelle	Turret-front camera
Appareil de prise de vues ultra-rapide	High-speed camera
Appareil de projection	Projector
Appareil téléphonique	Telephone
Appareillage	Device, equipment, gear, apparatus
Apprenti typographe (imp)	Printer's devil
Approvisionnement	Supply
Arc (lampe à)	Arc light
Arc à amorçage automatique	Automatic striking arc
Arc à charbon	Carbon arc
Arc à haute intensité	High intensity arc
Archives cinématographiques	Film archives, stock shots library
Ardoise	Slate
Armoire pour boucles (ciné)	Loop cabinet
Armoire de séchage	Drying cabinet
Arraché (mouvement de caméra)	Swish-pan, whip-pan, zip-pan
Arrêt	Stop, shut-off
Arrêt automatique (à)	Self-stopping
Arrêt brutal	Dead stop
Arrêt facultatif	Optional stop
Arrêt sur l'image	Freeze-frame, pause, still frame, stop frame
Arrêt programmé	Controlled stop
Arrêter	To block, to stop

Arrière	Back, rear
Arrière (en)	Backwards
Arrière-plan	Background
Arrivée (élect)	Supply
Art vidéographique	Video art
Article	Article, story
Article de fond (pres)	Editorial, leading article
Article style magazine (pres)	Feature story, cover story
Article de tête (pres)	Lead story
Artiste de complément	Bit player (sing), supporting cast (plural)
Arts graphiques	Graphic arts
A.S.A.	A.S.A., American Standards Association
Aspect	Appearance, aspect
Asphérique	Aspherical
Assemblage	Assembly, assemblage
Assembler	To assemble
Assembleur	Assembler
Asservi	Slave
Asservissement	Servo-control
Assigner	To assign
Assistant de caméra (ciné)	Focus puller
Assistant metteur en scène (ciné)	Assistant director
Assistant monteur (ciné)	Assistant editor
Assistant opérateur (ciné)	Assistant cameraman
Assistant de plateau (ciné)	Stage hand
Assistant de production	Production assistant
Assistant réalisateur (ciné)	Assistant director
Assistant de rédaction (pres)	Assistant editor
Assourdissement (son)	Muffling
Asymétrique	Asymetrical
Asynchrone	Asynchronous, non-sync
Atelier de composition (imp)	Composition room
Atelier de créativité	Creativity workshop
Atonal	Atonal
Attache	Clamp
Attaché de presse	Press-agent

Attacher	To grip, to tie, to fix
Attente (en)	Stand-by, waiting
Atténuateur	Damper, equalizer, fader
Atténuation	Fading, reduction
Atténuation d'audition	Hearing loss
Atténuer	To deaden, to reduce, to weaken
Audibilité	Audibility
Audible	Audible, tonal
Audience	Audience, public
Audio-cassette	Sound cassette
Audiodramatique (subst) (radio)	Audiodrama, radio-play
Audiofréquence	Audiofrequency
Audiomètre	Audiometer
Audio-scripto-visuel	Audio-scripto-visual
Audio-visuel (subst)	Sound slide show
Audio-visuel (adj)	Audio-visual
Auditeur	Listener
Auditif	Aural
Audition	Audition, trial hearing
Auditorium	Sound studio
Au hasard	At random
Augmentation	Increase, rise
Augmenter	To increase, to raise, to rise
Auteur	Author, novelist, playwright
Auteur de film	Film maker
Auteur de scénario	Author of the script, scriptwriter, screenplay-writer
Autodéclencheur	Self-trigging
Autodémarrage	Self-starting
Autodiffusion	Self-scattering
Auto-focus	Automatic focusing
Autographique	Autographic
Automatique	Automatic
Automatisation	Automation
Autorama (ciné)	Drive-in cinema
Auto-réglable	Self-aligning
Auto-régulateur	Booster
Autorisation	Authorization
Autorisation définitive	Full licence

Autorisation de distribution (ciné)	Distribution release
Autorisation limitée	Restricted permit
Autorisation de projection (ciné, tv).	Projection release
Autorisation provisoire	Conditional grant
Auxiliaire (adj)	Auxiliary, secondary, subsidiary
Avance rapide	Fast forward
Avancement de la pellicule	Film transport
Avant/après heure de pointe (radio, tv)	Fringe time
Avant-papier (pres)	Advance story
Avant-plan	Foreground
Avant-première	Press show, preview
Avertissement	Alarm, warning
Avertisseur sonore	Buzzer
Axe	Axis, shaft, spindle
Axe optique	Optical axis
Axe de projection	Projection axis
Axial	Axial
Azimut	Azimuth
Azimuter	To check for azimuth

Bac	Tank, tray, bin
Bague d'arrêt	Adjusting ring
Bague de blocage	Locking ring
Bague collectrice (vid)	Slip ring
Bague de diaphragme	Setting ring
Bague intermédiaire	Adapter ring
Bague de mise au point (d'objectif)	(Lens) focusing ring
Bague porte-objectif	Lens adapter
Bague rallonge	Extension tube
Bague de réglage	Setting ring
Baie	Bay, frame, rack
Baie de repiquage	Rerecording deck
Baie de synchronisation	Synchronization bay
Bain	Bath
Bain accélérateur	Acceleration bath
Bain d'arrêt	Short-stop bath, stop bath
Bain en cuve verticale	Dipping bath
Bain de dépolissage	Frosting mixture
Bain de fixage	Fixing bath
Bain stabilisateur	Stabilizing bath
Bain tannant	Hardening bath
Baïonnette	Bayonet
Baisse	Drop, fall
Baladeuse (lampe)	Inspection lamp
Balai	Brush

Balai frotteur	Head brush
Balai de lecture	Read brush
Balance	Balance, scale
Balance de courant	Current balance
Balancer	To balance, to match
Balayage (tv)	Exploration, scan, scanning, sweep
Balayage entrelacé (tv)	Interlace scanning
Balayage défectueux (tv)	Abortive sweep
Balayage par fente (tv)	Slit scanning
Balayage hélicoïdal (tv)	Helical scan
Balayage horizontal (ligne) (tv)	Linear scanning, horizontal sweep
Balayage linéaire (tv)	Linear scanning, line scan
Balayage à tête rotative (tv)	Rotary head scanning
Balayage de trame (tv)	Pattern scanning
Balayage vertical (trame) (tv)	Vertical synchronization
Balayer	To scan, to sweep
Banc	Bench, stand
Banc d'animation	Animation stand
Banc d'essai	Testing bench
Banc d'étalonnage	Grading bench, timing bench
Banc de lampes (ciné, tv)	Broad
Banc optique	Optical bench
Banc de reproduction	Duplication bench, process camera
Banc-titre	Animation stand, caption stand
Bande	Band, strip, tape, track, stripe
Bande d'absorption	Absorption band
Bande amorce	(Head) leader
Bande amorce d'identification	Identification leader
Bande amorce de synchronisme	Sync leader
Bande annonce (ciné)	Film trailer, preview trailer
Bande annonce de programme	Promotion trailer
Bande de base	Baseband
Bande de bruits	Effects track
Bande cache	Masking tape, mask band
Bande de compensation	Balance stripe
Bande courte couleur	Colour pilot
Bande dessinée	Comic strip, comics

Bande de dialogues	Dialogue track
Bande d'effets sonores	Effects track
Bande d'émission autorisée (tv, radio)	Standard broadcast band
Bande d'essai (ciné)	Test film, test tape
Bande étalon	Reference strip, reference tape
Bande d'étalonnage	Grading band, timing strip
Bande de film fixe	Film strip
Bande de fréquence	Frequency band
Bande gamme	Printing tape
Bande image	Image print
Bande internationale	Music-and-effects track, M-&-E track
Bande de lancement (ciné)	Trailer
Bande large	Wide band
Bande latérale	Side band
Bande lisse	Magnetic tape
Bande magnétique	Magnetic tape
Bande magnétique perforée	Magnetic film
Bande magnétique pré-couchée sur film	Pre-striped magnetic track, single system stripe
Bande magnétique pré-enregistrée	Pre-recorded magnetic tape
Bande magnétoscopique	Video-tape
Bande mère	Master tape, composite master
Bande de musique	Music track
Bande passante	Band-pass, bandwidth, transmission band
Bande perforée	Perforated film
Bande pilote	Control tape, master tape
Bande de première génération	First generation tape
Bande publicitaire	Commercial, publicity spot
Bande de réglage (couleur)	(Colour cinex) test strip
Bande de retardement (vid)	Tape delays
Bande rythmo (ciné)	Lip-sync band
Bande de sécurité	Protective tape
Bande son	Sound track, audio tape
Bande son internationale (ciné)	Music-and-effects track
Bande témoin	Control strip
Bande test	Test tape

Bande titre (ciné)	Title negative
Bande vidéo	Video tape
Bande vierge	Blank tape, raw tape
Bandelette	Strip
Banque de données (inf)	Data bank
Barre de cadrage (ciné)	Frame line
Barre microphonique	Microphonic bar
Barre omnibus	Busbar
Barre de retournement (imp)	Drop bar
Barre à volet	Shutter bar
Bas bruit	Low noise
Bas niveau	Low level
Basculant	Tilting
Basculer (projection)	To change over, to rack over
Basculeur	Rocking lever
Base	Basis, base
Base de temps	Time base, time code, edit code
Basse fréquence	Audio-frequency, low frequency
Basse tension	Low voltage
Battement	Beat
Batterie	Accumulator, battery, storage battery
Batterie en ceinture	Battery belt
Batterie de projecteurs	Bank of lights
Batterie sèche	Dry cell
Baver (encre)	To spread
Berceau	Cradle
Biais (vid)	Skewing
Bibliothèque	Library
Bibliothèque électronique	Electronical library
Bichromie	Two-colour system
Biconcave	Double-concave
Biconvexe	Double-convex
Bidirectionnel	Bidirectional, full duplex
Bifurcation	Branching
Bi-hebdomadaire (pres)	Bi-weekly
Bi-mensuel (pres)	Bi-monthly
Binaire (inf)	Binary

Bioxyde	Dioxide
Bioxyde de chrome	Chromium dioxide
Biphasé	Biphase, two-phase
Bit	Bit
Blanc	Achromatic, blank, white ; highlight (tv)
Blanchiment	Bleaching
Blimp d'objectif (ciné)	Insulated lens housing
Blindage	Shielding
Blindé	Armoured
Bloc	Block, head, pack, unit
Bloc d'alimentation	Power pack
Bloc azimutable	Azimuth adjustable head
Bloc de batteries	Battery-pack
Bloc de bobinage	Coil-pack
Bloc de commande	Control unit
Bloc enfichable	Plug-in block
Bloc d'entrée	Input block
Bloc de lecture sonore	Sound playback unit
Bloc-notes	Memo pad
Bloc optique de projection	Projection head
Bloc de sortie	Output block
Bloc de tête	Head assembly, head block
Bloc de têtes vidéo	Video head assembly
Blocage de phase	Phase lock
Bloquer	To block, to jam, to lock
Bobinage	To coil ; winding
Bobine	Reel, roll, spool
Bobine (de film négatif)	Roll
Bobine (de film positif standard)	Reel
Bobine de chargement « plein jour »	Daylight loading reel
Bobine débitrice	Feed reel, supply spool, take-off spool
Bobine de déviation (tv)	Yoke
Bobine mobile	Voice-coil, moving coil
Bobine réceptrice	Take-up reel, take-up spool
Bobineuse	Winder, winding machine
Boîte	Box

Boîte de branchement (élect)	H.I. box, lead box
Boîte de contrôle de caméra	Camera control unit
Boîte de film	Film can
Boîte de jonction	Junction box
Boîte à outil	Tool kit
Boîte de raccordement	Connection box
Boîte de transmission	Gear box
Boîtier	Case, box
Boîtier d'appareil de photo	Body
Boîtier de haut-parleur	Loudspeaker housing
Bol (lumière d'ambiance)	Scoop (light)
Bon marché	Low cost
Bon à tirer (imp)	Ready for print
Bonnet	Cap
Bonnette dioptrique	Auxiliary close-up lens, dioptric lens
Bonnette de protection (micro)	Wind shield
Bord	Edge
Bord guide (du film)	Guide edge
Bord de référence (de bande)	Reference edge (of tape)
Bouchon d'objectif	Lens cap
Boucle sans fin	Endless loop
Boucle	Buckle (camera or projector), loop
Boucler le journal (pres)	To put the paper to bed
Bougie	Candle, candle power
« Bouillon » (pres)	Unsold copies, returns
Boulon	Bolt
Bourdonnement	Hum, rumble
Bourrage (ciné)	Buckling, film jam
Bout à bout (ciné)	First assembly, rough cut
Bout d'essai	Test shot, test film
Bouton	Button, knob
Bouton d'arrêt	Stop button
Bouton de commande	Key, switch
Bouton de contrôle	Monitor switch
Bouton de déclenchement	Release button
Bouton de mise au point	Focusing knob
Bouton molleté	Knurled knob
Bouton-poussoir	Push button

Bouton de réglage	Adjustment knob, control knob
Bouton de réglage de biais (tv)	Skew-control knob
Bouton de réglage de volume (son)	Sound control, volume control knob
Bouton de remise à zéro (compteur)	Zero re-set knob
Branche	Branch
Branchement	Branching, branchpoint, connection, hooking, junction
Brancher	To connect, to plug, to tune in, to switch on, to turn on
Bras	Arm
Bras à force d'appui réglable	Adjustable pressure (pick-up) arm
Bras articulé	Toggle
Bras automatique	Automatic arm
Bras de lecture	Pick-up arm, tone-arm
Bras de levier	Lever-arm
Bras mobile	Swinging arm
Bras de pick-up	Tone-arm
Bras tangentiel	Tangential arm
Bras téléscopique	Telescopic arm
Breffer	To brief
Brève (subst) (pres)	Short
Brillance (de l'image)	Brightness (of the image)
Brillance-mètre	Brightness meter
Brillant	Bright, glossy
Brochage (imp)	Soft binding
Broche (élect)	Plug
Broché (imp)	Stitch-copy
Brochure	Booklet, brochure, leaflet
Brosse	Brush
Brouillage	Interference, jamming
Brouillard	Fog, haze, mist
Brouiller	To interfere, to jam, to scramble
Broutage	Chatter effect
Broyage	Grinding
Bruit	Noise
Bruit d'aiguille	Scratch

Bruit d'ambiance	Atmosphere noise, room noise
Bruit de collure au son	Bloop
Bruit de fond	Ground noise, hum, random noise
Bruit irrégulier	Random noise
Bruit de ligne	Circuit noise
Bruit de modulation	Modulation noise
Bruit de souffle	Ground noise
Bruit de système (cab)	System noise
Bruitage (ciné, tv)	Sound effects
Bruiteur	Effects man
Bruits pré-enregistrés	Library sound effects, pre-recorded sound
Brunissage	Burnishing
Brut	Raw, rough
Budget	Cost estimate
Budget du client (pub)	Account
Bulletin d'informations	News bulletin
Bulletin météorologique	Weather report
Buvard	Blotter, blotting paper

Cabestan	Capstan
Cabestan asservi	Servo-capstan
Cabine	Booth
Cabine de contrôle (tv)	Monitor room
Cabine d'enregistrement	Recording room
Cabine principale de contrôle	Master control room
Cabine de projection (ciné, tv)	Projection booth
Câblage	Cabling, wiring
Câblage coaxial	Concentric wiring system
Câble	Cable, conductor, feeder
Câble d'alimentation	Feed wire
Câble de batterie	Battery cable, battery lead
Câble blindé	Armoured cable
Câble coaxial	Coaxial cable
Câble de connexion	Connecting cable
Câbles groupés	Bunched cables
Câble de haute fréquence	Radio guide
Câble de jonction	Junction cable
Câble principal	Main trunk
Câble rallonge principal	Head extension
Câble souple	Flexible cable
Câble souterrain	Grounded cable
Câble sous-marin	Submarine cable
Câble de synchronisme	Sync cable
Câbler une information (pres)	To file a story
Câbleur (élect)	Cableman

Câbliste (tv)	Camera cableman
Câblo-diffuseur (cab)	Cablecaster
Câblo-diffusion (cab)	Cablecast, cablecasting, C.A.T.V.
Câblovision (cab)	Cablecasting, C.A.T.V.
Cache (ciné)	Mask, matte
Cache animé (ciné)	Travelling matte
Cache contre-cache	Matte shot (ciné), matteing (tv)
Cache contre-cache couleur	Colour matte
Cache d'écran	Screen mask
Cache électronique (tv)	Inlay
Cache image	Frame mask
Cache de lumière	Light gate
Cache mobile (ciné)	Flipper
Cachet	Fee
Cadence	Rhythm, speed (of shooting)
Cadrage (ciné, tv)	Framing
Cadran	Dial
Cadre	Film rack (laboratory), frame
Cadre d'écran	Screen frame
Cadre presseur	Pressure gate, pressure plate
Cadrer (ciné, tv)	To frame
Cadreur	Cameraman, camera operator
Caisse	Box, case
Caisse (de cinéma)	Box office
Caisson insonore	Blimp
Calandre (imp)	Calender, glazing machine
Calculateur	Calculator
Calculatrice électronique (inf)	Electronic computer
Calculatrice numérique	Digital computer
Calculer	To calculate, to compute
Cale	Wedge
Calibre	Gauge
Calibrage (imp)	Casting off
Calque	Tracing paper
Caméra	Camera
Caméra d'animation	Animation camera
Caméra autosilencieuse	Noiseless camera, self-blimped camera
Caméra à chargeurs	Magazine camera

Caméra commandée par ordinateur	Computer controlled camera
Caméra d'effets spéciaux (tv)	Insert camera
Caméra électronique	Electron camera
Caméra à faisceau divisé (tv)	Split-beam camera
Caméra à grande vitesse	High-speed camera
Caméra d'insertion (tv)	Insert camera
Caméra à main	Hand-held camera, portable camera
Caméra portative	Portable camera
Caméra pour prises de vues aériennes	Aerial camera
Caméra pour prises de vues cinématographiques	Motion picture camera
Caméra pour prises de vues image par image	Stop motion camera
Caméra pour prises de vues sous-marines	Underwater camera
Caméra de reportage	Reporter camera, news camera
Caméra à ressort	Spring-wound camera
Caméra sonore	Sound camera
Caméra sonore à piste couchée synchrone	Single-system sound camera
Caméra de studio, de plateau	Studio camera
Caméra de télévision	Television camera
Caméra ultra-rapide	Ultra high-speed camera
Caméra verticale	Rostrum camera
Caméra à visée reflex	Reflex camera
Camion d'enregistrement	Sound truck
Camion-laboratoire	Mobile laboratory van
Campagne de lancement	Initial campaign
Campagne publicitaire	Advertising campaign
Canal	Track, channel
Canal commun	Co-channel
Canal pilote	Cue-channel
Canal son	Tone channel, sound channel
Candela-pied (10,76 lux)	Foot-candle
Canevas	Outline
Canon à électrons	Electron gun
Capacité	Capacitance, capacity

Capacité de production	Output
Capitale (imp)	Capital letter
Capot	Hood
Captage éloigné	Remote pick-up
Capteur	Pick-up
Capteur acoustique	Acoustic pick-up
Capteur électroacoustique	Electroacoustical pick-up
Capteur phonographique	Sound pick-up
Capteur de vibrations	Vibration pick-up
Capuchon conique	Snoot cone
Car de reportage (tv)	Mobile recording unit, newscar
Car vidéo	Video-bus
Caractère (imp)	Block type, type
Caractéristique d'enregistrement	Recording curve
Caractéristique de fréquence	Frequency response
Caractéristiques (inf)	Data, features
Carbone	Carbon
Cardioïde	Cardioid
Carrousel (de diapositives)	Round slide tray
Carte	Card
Carte de presse	Press card
Carter	Housing
Carton	Cardboard
Carton d'étalonnage	Grading card, timing card
Carton de fin (ciné)	End title card
Carton de générique (ciné)	Main title card
Carton de titre (ciné)	Title card
Cartouche	Cartridge
Cascadeur	Stunt man
Casque (d'écouteurs)	Headset, headphone
Casque stéréo	Stereo headphone
Cassette	Cassette
Cassette stéréo pré-enregistrée	Pre-recorded stereo cassette
Cassure	Break, failure
Catalogue de films	Film catalogue
Catalyseur	Catalyst
Catégorie	Category
Cathode	Cathode, emitter
Cellule	Cell, lightmeter

Cellule incorporée	Built-in cell (or) meter
Cellule de lecture de disques stéréo	Stereo pick-up cartridge
Cellule magnétique	Magnetic cell
Cellule photo-conductrice	Photo-conductive cell
Cellule photo-électrique	Photo-electric cell, photocell
Cellule au sélénium	Selenium cell
Cellule T.T.L.	Through-the-lens meter
Cellulo (d'animation)	Cel
Cémentation	Cementation, case hardening
Censure	Censorship
Censure (commission de contrôle)	Board of Censors
Centrage	Centering
Centrage de piste	Tracking
Central	Central
Central téléphonique	Telephone exchange
Centrale électrique	Power-station
Centre	Center (U.S.A.), centre (G.B.`
Centre de calcul (inf)	Computing center
Centre de communication	Communication center
Centre d'essais	Test center
Cerclage	Ringing
Cercle de confusion (opt)	Circle of confusion, apertur; effect
Cerveau électronique	Electronic brain
Chaîne (tv)	Channel
Chaîne à accès public (tv)	Public access channel
Chaîne de brochage (imp)	Binder line
Chaîne d'enregistrement	Recording system
Chaîne haute fidélité	Hi-fi unit, high-fidelity system
Chaîne de lecture	Playback system, reproducing system
Chaîne de réseau vidéo	Video network channel
Chaleur	Heat
Chambre (appareil)	Body
Chambre de compression	Compression chamber
Chambre d'échos	Echo chamber
Chambre d'écho synthétique	Synthetic reverberation chamber

Chambre noire	Darkroom
Chambre sourde	Dead room
Champ	Field
Champ acoustique	Acoustical field
Champ alternatif	Alternating field
Champ d'audibilité	Range of audibility
Champ/contre-champ (ciné)	Angle/reverse angle
Champ effectif	Effective field
Champ électrique	Electric field
Champ électrostatique	Electrostatic field
Champ d'ensemble	Field of view
Champ d'exploration (tv)	Scanning field
Champ fixe	Fixed angle
Champ focal	Focal field
Champ de l'image	Picture area
Champ de lecture	Reproducing area
Champ magnétique	Magnetic field
Champ de netteté	Field of sharpness, focal field
Champ de prise de vues	Camera coverage, shooting field
Champ variable	Variable angle
Champ de visée	Viewing angle
Champ visuel	Field of vision, visual field
Changement	Alteration
Changement automatique	Automatic change-over
Changer	To alter, to change, to modify
Changeur	Changer, converter
Changeur automatique	Automatic changer
Changeur de disques	Record changer
Changeur de fréquence	Frequency changer
Chapeau (pres)	Heading
Charbon (d'arc)	Carbon (arc)
Charbon à haute intensité	High intensity carbon
Charbon à mèche	Cored carbon
Charge	Load
Charge de batterie	Battery load
Charge cathodique	Cathode load
Chargé	Charged, loaded
Chargement (d'une caméra)	Threading
Chargement (d'un magasin)	Loading

Chargement automatique (ca-
méra)   Automatic film threading

Chargement de bande   Tape loading, tape threading
Chargement de film   Film threading, film loading
Charger   To load, to thread
Chargeur (de batterie)   Charger
Chargeur (de caméra)   Magazine
Chargeur de rouleau (imp)   Rider, riding roller
Charnière   Hinge
Chariot (ciné, tv)   Dolly
Chariot-grue   Crab-dolly
Chariot motorisé   Motorized dolly
Chariot de travelling   Dolly
Charte de couleurs   Colour chart
Châssis   Frame, mounting frame
Châssis double   Bi-pack
Châssis passe-vues (diap)   Slide carrier
Chatterton   Insulating tape
Chaud   Hot, warm
Chef décorateur   Art director
Chef éclairagiste (ou) électri-   Chief electrician, head gaffer
cien
Chef des informations (pres, tv)   Desk editor, news editor
Chef machiniste   Head grip, head rigger
Chef monteur (ciné, tv)   Editor
Chef opérateur (ciné)   Chief cameraman, director of
                                             photography, lighting came-
                                             raman
Chef opérateur (tv)   Chief cameraman, lighting-
                                             man
Chef opérateur de cabine (ciné)   First projectionist
Chef d'orchestre (mus)   Conductor
Chef de plateau   Stage coordinator
Chef de publicité (pub)   Advertising manager
Chef de publicité (d'agence)   Account executive
Chef de rubrique locale (pres)   City editor
Chef du secrétariat de rédac-   Copy-editor
tion (pres)
Chef de section   Department head
Chef de vente du journal (pres)   Circulation manager

Chevauchement	Lap, overlapping
Chevaucher	To overlap
Chicane	Light trap
Chiffre	Digit, figure, numeral
Chiffre de bruit	Noise figure
Chiffrer (un message)	To code
Chimique	Chemical
Choisir	To select
Choix	Selection
Chroma	Chroma
Chromatique	Chromatic
Chrome	Chrome
Chrominance	Chrominance
Chrominance directrice (tv)	Leading chrominance
Chrominance de retard (tv)	Lagging chrominance
Chromiste	Colour etcher
Chromogène	Chromogenic, colour forming
Chromolithographie (imp)	Process offset
Chronique (pres, tv)	Chronicle, column
Chroniqueur (pres, tv)	Broadcaster, columnist, commentator
Chronologique	Chronological
Chronométrage	Timing
Chronomètre	Stop watch
Chronophotographie	Chronophotography
Chute	Drop
Chute d'intensité sonore	Fading of sound
Chute de tension	Power drop
Chutes (ciné, tv)	Cuts, trims
Chutier (ciné, tv)	Editing rack
Cinéaste	Film-maker
Cinéaste amateur	Amateur film-maker
Ciné-club	Film society
Ciné-journal	Cinemagazine
Cinéma (le)	Motion pictures, movies
Cinéma (salle de)	Cinema, movie theatre
Cinéma d'art et d'essai	Art house, art theatre, repertory cinema
Cinémacrographie	Macrocinematography
Cinéma permanent	Continuous performance

Cinéma scientifique	Scientific cinematography
Cinémathèque	Film library
Cinématographie	Cinematography
Cinéma vérité	Direct cinema
Cinémicrographie	Microcinematography
Ciné-roman	Cine-novel
Cinescope	Kinescope, cinescope, telerecording
Cinétique	Kinetic
Cintrage de clichés	Plate curving
Cintré	Curved
Cintres (théât)	Flies
Circuit	Circuit
Circuit (en)	On-circuit, turned-on
Circuit bouclé	Loop circuit
Circuit de commande	Control circuit
Circuit compensateur	Balancing network
Circuit conducteur	Driving circuit
Circuit de contrôle	Monitor circuit
Circuit de distribution (élect)	Branch circuit
Circuit double	Dual network
Circuit élémentaire	Block circuit
Circuit fermé	Closed circuit
Circuit fermé de réglage	Closed control loop
Circuit (hors)	Off-circuit, turned-off
Circuit imprimé	Printed circuit
Circuit intégré	Integrated circuit
Circuit intermédiaire	Transfer circuit
Circuit ouvert	Open circuit
Circuit réciproque	Dual network
Circuit de réglage	Automatic control system
Circuit retardateur	Time-delay circuit
Circuit de retour vidéo	Video feedback circuitry
Circuit de sélection des couleurs	Colour separation circuitry
Circuit transistorisé	Solid-state circuit
Circulaire	Circular
Ciseaux antimagnétiques	Anti-magnetic scissors
Citation	Quotation
Clap	Slate, clapper board

Clapman (ciné, tv)	Clapper-boy
Claquette (ciné, tv)	Clapper board, slate
Claquette automatique	Automatic start mark (or) slate
Claquette de fin	End slate
Classement	Classification
Classer	To file, to rank
Classification	Classification
Classique	Conventional
Clavier	Keyboard
Clef	Key
Clef de contact	Switch key
Clef d'écoute	Listening key
Clichage	Plate-making, block-making
Cliché	Block, negative, photo, plate
Cliché d'impression couleur	Process plate
Clicher	To impress, to plate
Clicheur	Block maker, process engraver
Clignotant	Blinker light
Coaxial	Coaxial
Codage	Encoding, coding
Codage couleur	Colour coding, colour system
Code	Code
Code d'appel	Calling code
Code télégraphique	Morse code
Codeur incorporé	Built-in coder
Codification	Codification
Codifier	To codify
Coefficient	Coefficient, factor
Coefficient d'absorption	Absorption factor
Coefficient d'affaiblissement	Attenuation factor
Coefficient d'aimantation	Magnetization factor
Coefficient d'anamorphose	Anamorphic squeeze, squeeze ratio
Coefficient de directivité	Directivity factor
Coefficient de distorsion	Distorsion factor
Coefficient d'efficacité	Overall efficiency
Coefficient de filtre	Filter exposure factor
Coefficient de sécurité	Safety factor
Coefficient de tirage	Printer density factor
Coffret à fusibles	Fuse box

Coin	Wedge
Coin optique	Optical wedge
Coin sensitométrique	Step-wedge, sensitometric strip
Coincé	Stuck
Collaborateur	Collaborator
Collage	Splicing, sticking
Collationner	To check, to compare
Colle	Adhesive, glue
Colle à film	Film cement
Collé	Cemented, glued, stuck
Collecteur d'ondes	Wave collector
Collectivité locale	Local community
Colleur (mont)	Assistant editor, joiner
Colleuse	Mounting press (photo), pasting-machine (imp), splicer (ciné)
Collier de blocage	Locking grip
Collimateur	Collimator
Colloïdal	Colloidal
Collure (mont)	Splice
Collure diagonale (mont)	Diagonal splice
Colonne (pres)	Column
Colonne acoustique (son)	Sound column
Colorant	Dye
Coloration	Stain, tinting
Colorisateur (tv)	Image colorizer
Colorisateur vidéo	Video colorizer
Combinateur de chaîne	Channel combiner
Combiné (image et son)	Composite
Combustible (adj)	Inflammable
Comédie musicale	Musical comedy
Comité des programmes	Program committee
Commande	Control, switch
Commande automatique	Automatic control
Commande de balayage (tv)	Hold control
Commande de diaphragme	Diaphragm drive, iris control
Commande à distance	Remote control
Commande image par image	Single frame switch
Commande d'inversion	Reversible drive
Commande de largeur d'image	Width control

Commande de netteté	Focusing control
Commande numérique	Digital control
Commande de sensibilité de lumière	Light sensitivity control
Commande de synchronisme horizontal (tv)	Horizontal hold
Commande de synchronisme vertical (tv)	Vertical hold
Commandé	Controlled, driven, piloted
Commander	To control, to regulate, to pilot
Commanditaire	Sponsor
Commentaire	Commentary, narration
Commentaire sur image (tv, radio)	Running commentary
Commentateur	Commentator, narrator, anchorman (news)
Commun	Common, mutual
Communication	Call (telephone), communication
Communication de masse	Mass communication
Communiqué	Bulletin, report
Communiqué publicitaire (pub)	Commercial announcement
Communiqué de presse	Press-release
Communiquer	To communicate
Commutateur	Switch, selector-switch
Commutateur de contrôle	Monitor switch
Commutateur de direction	Channelling switch
Commutateur émission-réception	Send-receive switch
Commutateur de programmes	Band (or) channel selector
Commutateur de synchronisme	Sync switch
Commutateur à touches	Piano-key switch
Commutation	Circuit switching, switching
Commutation automatique	Automatic switching
Commutation de bande	Tape switching
Commutation des couleurs	Colour switching
Commutation vidéo	Video switching
Commutatrice	(Rotary) converter
Commuter	To change over, to switch

Comparaison	Comparison, match
Comparer	To check, to compare, to match
Compensateur	Equalizer
Compensateur de vitesse	Velocity compensator
Compensation	Compensation
Compensation d'inclinaison	Tilt compensation
Compenser	To balance, to match
Compilateur	Compiler
Compiler	To compile
Complément	Complement, extension
Complément (film de)	Second feature
Complément (de programme)	Fill-up, filler
Complémentaire	Complementary
Composant	Component
Composé	Composite, compound
Composer	To compose, to set
Composite	Composite, multicomponent
Compositeur (mus)	Composer
Compositeur (imp)	Type-setter
Composition	Composing, setting, type-setting
Compression	Compression
Comptable de production	Production accountant
Compte-fils	Thread counter
Compte-pose (photo)	Time exposure control
Compte-pose automatique (photo)	Automatic time exposure control
Compte à rebours	Count down
Compteur	Counter, film counter
Compteur de force de champ	Field strength meter
Compteur d'images (ciné)	Frame counter
Compteur image par image (ciné)	Single frame counter
Compteur à mémoire (inf)	Memory counter, storage counter
Compteur de métrage	Footage counter
Compteur de vitesse	Speedometer, tachometer
Concentration	Beaming, concentration, focusing
Concentrer	To concentrate, to focus
Concepteur (pub)	Idea-man

Concurrence	Competition
Condensateur	Capacitor, condensor
Condensateur multiple	Multi-element capacitor
Condensation	Condensation
Condensé	Condensed
Condenseur	Condenser
Condenseur optique	Optical condenser
Condition	Condition, requirement
Conducteur (élect)	Feeder cable
Conducteur (d'émission)	Continuity log, continuity script
Conducteur (visuel)	Story board
Conducteur de retour	Return feeder
Conducteur de terre	Ground electrode
Conductibilité	Conductibility, conductivity
Conduire (élect)	To conduct
Conduite d'émission	Cue sheet, log sheet
Conduite (de machine)	Operating
Cône	Cone
Cône de haut-parleur	Loudspeaker cone
Conférence de presse	News conference, press conference
Conférence de programme (tv)	Script conference
Conférence de rédaction	Editorial conference
Conformation (du négatif) (mont)	Conforming, matching (the negative)
Conformation d'un original (inversible)	Matching the master
Conjoncteur	Circuit closer, contactor
Conjoncteur-disjoncteur	Line breaker
Connecté	On line
Connecter	To branch, to connect, to wire
Connecteur	Connector, coupler, link, plug
Connecteur magnétoscope	V.T.R. connector
Connexion	Branching, connection, hooking
Connexion de base	Basic wiring
Connexion croisée	Cross connection
Connexion desserrée	Loose connection
Conque acoustique	Elliptical horn
Conseiller	Adviser, consultant
Conseiller pédagogique	Educational adviser

Conseiller de rédaction (pres)	Contributing editor
Conseiller technique	Technical adviser
Conservation	Storage
Conservation de films	Film storage
Conserver	To store
Consistance	Consistancy
Console	Console, table
Console de mélange	Audio (or) sound mixer, mixing desk (or) console
Consommation	Consumption, drain
Consommer	To consume
Constant	Constant, continuous
Constante de temps	Time constant
Constante de transmission	Transfer constant
Construction	Construction
Contact	Contact
Contacteur	Contactor switch
Contenu	Contents
Continu	Continuous
Continuité	Continuity
Continuité dialoguée (ciné)	Dialogue continuity
Continuité montée (ciné)	Rough cut
Contour	Contour
Contraction	Shrinking
Contradiction	Discrepancy
Contrainte	Constraint
Contraste	Contrast
Contraste des couleurs	Colour contrast
Contraste des luminances	Brightness ratio
Constrastée (image)	Hard (or) contrasty picture
Contrasteur	Contrastor
Contrat	Contract
Contrat d'exploitation (ciné)	Distribution contract
Contrat de participation (ciné)	Sharing contract
Contrat de production (ciné, tv)	Production contract
Contre-cache	Counter-mask
Contre-champ	Reverse angle, counter-shot, reverse shot
Contre-courant	Reverse direction flow
Contre-épreuve (pres)	Counter proof

Contre-griffe	Register pin, registration pin
Contre-jour	Backlighting
Contremaître	Foreman, overseer
Contre-miroir	Reverse mirror
Contre-plaque	Back plate
Contre-plaqué	Ply-wood
Contre-plongée (ciné, tv)	Low angle shot, tilt-up
Contrepoint	Counterpoint
Contretypage	Duplication, duping
Contretype	Duplicate, dupe
Contretype négatif (ciné)	Dupe negative, internegative
Contretype négatif combiné	Combined dupe negative
Contretype positif	Dupe positive
Contretyper	To duplicate
Contrôle	Check, control
Contrôlé	Checked, controlled
Contrôle des aiguës (son)	High check
Contrôle automatique	Automatic check
Contrôle automatique de gain	Automatic gain control
Contrôle automatique de luminance	Automatic brightness control
Contrôle automatique de sensibilité de lumière	Automatic sensitivity control of lighting
Contrôle automatique de volume	Automatic gain control
Contrôle des basses	Low check
Contrôle continu	Monitoring
Contrôle des couleurs	Colour control
Contrôle du défilement (tv)	Vertical lock
Contrôle direct	On-line control
Contrôle à distance	Remote control
Contrôle d'écoute	Audio monitoring
Contrôle indirect	Off-line control
Contrôle interne	Built-in check
Contrôle de pistage	Tracking control
Contrôle de profondeur de champ	Depth of field control
Contrôle de réponse de fréquence	Frequency response control
Contrôler	To check, to control, to test

Contrôleur	Controller, supervisor
Contrôleur de modulation	Modulation monitor
Contrôleur universel	All-purpose controller
Convergence	Convergence
Convergent	Converging
Conversion	Conversion
Convertibilité	Convertibility
Convertir	To convert, to translate, to transform
Convertisseur	Converter
Convertisseur amplitude-temps	Height-to-time converter
Convertisseur de définition	Line converter
Convexe	Convex
Coordinateur (subst)	Coordinator
Coordonnateur (adj)	Coordinating
Coordonnées numériques	Numerical coordinates
Copie	Copy, duplicate, print, transcription
Copie antenne (tv)	Broadcasting print, master tape, show print
Copie par A et B (ciné)	A and B print
Copie anamorphosée	Anamorphic print
Copie de bande magnétique	Video tape duplication
Copie par contact	Contact print
Copie de contrôle	Check print
Copie désanamorphosée	Unsqueezed print
Copie pour doublage	Dubbing print
Copie douce	Soft print
Copie d'essai	Check print
Copie d'étalonnage	Timing print, grading print, answer print
Copie d'exploitation	Release print
Copie à faible contraste	Soft print
Copie fraîche	Green print
Copie grain fin	Fine grain print
Copie image seule	Mute print
Copie par imbibition	Imbibition print
Copie par inversion	Reversal print
Copie lavande	Lavender print
Copie magnéto-optique	Magoptical print

Copie marron	Duplicating positive, master positive
Copie master	Colour intermediate positive, interpositive
Copie muette	Mute print
Copie neuve	Green film, new print
Copie originale	Master print, master copy
Copie originale de sécurité	Protection master
Copie à piste magnétique couchée	Combined magnetic sound print
Copie à piste optique (standard)	Combined optical sound print
Copie de présentation	First release print, show print
Copie rectifiée	Corrected print
Copie par réduction optique	Optically-reduced print, reduction printing
Copie de référence	Master print, reference print
Copie de série	Release print
Copie de son optique	Optical sound print
Copie standard	Composite print, release print, combined print, married print
Copie standard sous-titrée	Subtitled release print
Copie télévision	Television print
Copie par tirage optique	Optical printing
Copie de travail (image)	Work print
Copie de travail son	Work track
Copie version étrangère	Foreign version release print
Copie zéro	First trial composite print, first release print
Copier	To copy, to print
Coproduction (ciné, tv)	Co-production
Copulant	Coupler, coupling agent
Coquille (imp)	Misprint
Corps	Body
Corps noir	Black body
Correcteur	Rectifying device, equalizer
Correcteur de base de temps	Time base corrector
Correcteur de biais	Skew corrector
Correcteur d'écho	Echo suppressor
Correcteur de phase	Delay equalizer

Correcteur de tonalité	Tone control
Correction	Correction
Correction de couleur	Colour correction
Correction sur épreuves	Proof reading
Correction des graves (son)	Bass control
Correspondant à l'étranger	Foreign correspondent
Correspondant de guerre (pres, tv)	War correspondent
Correspondant local	Local correspondent
Corrigé	Corrected
Corriger	To correct
Costumes	Wardrobe, costumes
Côté	Side, face, edge
Côté cour (vu du plateau)	Stage left
Cote d'écoute	Audience rating, rating
Côté émulsion	Emulsion side
Côté jardin (vu du plateau)	Stage right
Cote nominale	Nominal size
Côté support	Base side
Couchage	Coating, striping
Couchage de piste magnétique	Magnetic striping
Couche	Coating, layer, stripe
Couche antiréfléchissante	Blooming layer
Couche dorsale	Backing layer
Couche pleine	Full coat
Couché	Coated
Couches multiples (à)	Multi-layer
Coucheuse	Coating machine
Couleur	Colour
Couleur complémentaire	Complementary colour
Couleur fondamentale	Primary colour
Couleur pigmentaire	Pigment colour
Couleur primaire	Primary colour
Couleur secondaire	Complementary colour
Couleur sonore	Timbre, tone colour
Couleur stable (de)	Colourproof
Couloir de la caméra	Runner plate
Couloir du film	Film gate
Coupe	Cut
Coupe-circuit	Circuit-breaker

Coupe raccord (mont)	Match-cut
Coupe sèche (mont)	Jump cut, straight cut
Coupe flux	Lightshield
Couper	To cut, to disconnect, to edit, to switch off, to trim, to turn off
« Coupez » !	« Cut » !
Couplage	Binding, coupling, interlock
Coupler	To couple, to link, to lock
Coupleur	Coupler, link, multiplexer
Coupure	Break, cut off (elect), interruption
Coupure de presse	Clipping
Courant	Current
Courant alternatif	A.C. (Alternative current)
Courant biphasé	Two-phase current
Courant cathodique	Cathode current
Courant continu	D.C. (Direct current)
Courant de crête	Peak current
Courant de faisceau	Beam current
Courant magnétique	Magnetizing current
Courant monophasé	Single-phase current
Courant parasite	Stray current
Courant photoélectrique	Photocurrent
Courant porteur	Carrier current
Courant redressé	Rectified current
Courant triphasé	Three-phase current
Courant vagabond	Stray current
Courbe	Bend, curve, pattern (tv)
Courbe d'aimantation	Magnetizing curve
Courbe caractéristique	Characteristic curve
Courbe d'étalonnage	Calibrating (or) grading curve
Courbe de fréquence	Frequency response
Courbe d'intensité	Loudness contour
Courbe de lumière	Light curve
Courbe parabolique	Para-curve
Courbe de réponse	Amplitude characteristic, frequency response
Courbe sensitométrique	Characteristic curve

Courbure	Bending, curvature
Courbure de bande	Tape curvature
Courbure de champ (tv)	Image curvature
Courrier des lecteurs	Letters to the editor
Couronne	Ring
Courroie	Belt
Court-circuit	Short circuit
Court-métrage	Short film, short feature
Couvercle de magasin (ciné)	Magazine lid
Couverture	Cover page (imp), coverage (pres)
Couvrir (un son)	To drown
Couvrir (un sujet)	To cover
Crachement	Crackling
Crayon électrographique (vid)	Conductive pencil, lightpen
Crayon gras	Grease pencil
Créateur d'animation (ciné)	Animation designer
Créatif (pub)	Creative
Créneau (tv, radio)	Air time, on-air time
Crête	Apex, peak
Crête à crête	Peak-to-peak
Crête pondérée	Balanced peak
Creux	Recess
Cristal	Crystal
Critique	Critic
Critique d'art	Art critic
Critique de film	Film reviewer
Critique littéraire	Book reviewer
Croix de Malte	Cross wheel, Geneva movement, Maltese cross
Croix de Malte double	Double Maltese cross
Croquis	Rough sketch, sketch
Crosse d'épaule	Shoulder pod
Cube (d'opérateur) (ciné)	Apple box
Culbuter (projection)	To rack over, to switch over
Culot de lampe	Lamp base
Culturel	Cultural
Cuve	Apron tank
Cuve à développer	Developing tank
Cyan	Cyan

Cybernétique	Cybernetics
Cycle	Cycle
Cycle complet	Total cycle
Cyclique	Cyclic
Cyclorama	Back drop

Dactylographe	Typist
Date-limite	Deadline
Date de parution	Publication date
Dater	To date
Débit	Capacity, output
Débiteur denté	Feed sprocket
Débiteur de magasin (ciné)	Film feed sprocket, take-up sprocket
Débiteur de protection	Hold-back sprocket
Débobiné	Run-off
Débobiner	To uncoil, to unwind
Débrancher	To disconnect, to unlink, to switch off, to unplug
Débrayage	Disengaging, uncoupling
Début d'émission (signal de)	Sign-on
Décadrage	Misframe
Décalage	Displacement, lag, shift
Décalage angulaire	Angular displacement
Décalage de fréquence	Carrier deviation, frequency lag
Décalage de phase	Phase distorsion, phase difference
Décalage son-image (pour synchronisme de projection)	Pull-up sound advance, sound-to-image stagger (or) advance
Décalage son-image (prise de vues à piste couchée)	Frames (picture to sound) separation

Décalé	Displaced, out of step, shifted
Décaler	To dephase, to displace, to shift
Décalque	Transfering, tracing off
Décélération	Deceleration
Décentré	Out of center
Décharge (électrique)	Discharge
Déchargé	Discharged, run-down
Déchargement	Unloading
Décharger	To discharge, to unload
Déchiffrement	Decoding
Déchiffrer	To decipher, to decode
Déchirement horizontal (tv)	Line tear
Déchirure	Tear
Déchirure de l'image (tv)	Tearing
Décibel	Decibel, V.U.
Décibelmètre	Level (or) volume-unit indicator, V.U.-meter, decibelmeter
Déclenchement	Release, triggering, tripping
Déclenchement automatique	Automatic release
Déclencheur	Release button, releaser, switch, trigger
Déclencheur (photo)	Shutter-release
Déclencheur à distance	Remote control releaser
Déclencheur haute tension	Switch gear
Déclencheur à retardement (photo)	Delay shutter-release
Décodage	Decoding
Décoder	To decode
Décodeur	Decoder
Décollement du signal (tv)	Signal lift
Décoller (écl)	To backlight
Décoloration	Bleaching, fading
Décomposition de faisceau	Beam splitting
Déconnecter	To cut off, to disconnect
Décor	Set, setting, scenery
Décorateur	Art director, set designer
Découpage (ciné, tv)	Script, shooting script
Découpage définitif (ciné, tv)	Final shooting script, screen play

Découpage électronique (tv)	Pattern
Découpage technique (ciné, tv)	Final shooting script, shot list
Découpeuse (imp)	Cutter
Découplage	By-pass, uncoupling
Découverte (studio)	Background set
Décryptage	Deciphering, decoding
Défaut	Defect, flaw, failure
Défilement (film)	Run
Défilement horizontal (tv)	Horizontal line hold
Défilement des lignes (tv)	Line crawl
Défilement de l'image (tv)	Frame roll
Défilement saccadé	Jerky crawl, jerky unwinding
Défilement vertical (tv)	Vertical line hold
Défilement vidéo	Linehold, tape advance, tape speed
Défileur	Dubber, unwinder
Défileur de bande	Tape dubber
Définir	To define
Définition (tv)	Definition
Définition (défaut de)	Definition error
Définition (d'image)	Resolution, sharpness
Déflecteur	Baffle, deflector
Déflexion	Deflection
Défocalisation	Defocusing, out of focus
Déformation	Distorsion
Déformation de la pellicule	Film deterioration
Dégradé (filtre)	Graded, graduated (filter)
Degré d'acidité	Degree of acidity
Degré de précision	Degree of accuracy
Degré de vitesse	Rate of speed
Démagnétisation	Demagnetization
Démagnétiseur	Bulk eraser, degausser
Démarrage	Release, starting (of a motor)
Démarreur	Releasing device, starter
Démarreur automatique	Self-starter
Demi-gros plan	Close shot
Demi-piste	Half-track
Demi-teinte	Half-tone
Démodulateur	Demodulator, scrambler
Démodulation	Demodulation

Démoduler	To demodulate
Démontable	Detachable
Densité	Density
Densitométrie	Densitometry
Dent de tambour	Sprocket tooth
Départ	Start
Dépassé	Out of date
Dépassement (de tournage)	Overshoot
Dépêche	Wire, cable
Dépeindre	To depict
Déphasage	Phase shift
Déphasé	Out of phase, lagging
Déplacer	To shift
Déplacement de la bande	Tape displacement
Dépliant	Folder
Déplier	To spread out, to unfold
Dépoli	Ground glass
Dépoli monté sur ressort	Spring-back ground glass
Dépôt	Coating, deposit
Dépouillement	Breakdown
Déraillement (disque)	Groove jumping
Dérangement	Malfunction
Dérangement (en)	Out of order
Déraper	To slip off
Dérayage	Polishing
Dérayer	To polish out
Déréglé	Out of order
Dérégler	To upset
Dérivation	Deviation shift
Dernière édition (pres)	Late edition
Déroulant (générique) (ciné, tv)	Creeping title, rolling title
Déroulement (du film)	Unwinding
Dérouler	To unwind
Dérouleur	Unwinder
Désaccordé	Out of tune, untuned
Description	Outline
Desserrer	To loosen
Dessin	Cartoon, drawing
Dessin animé	Animated cartoon

Dessin principal (animation par ordinateur) (tv)	Key frame
Dessinateur (dessin animé)	Cartoonist
Destinataire	Receiver
Désuet	Out of date, outdated
Désynchronisé	Out of sync
Détection des lèvres (ciné)	Detection, lip synchronizing
Détente (gâchette)	Trigger
Détérioration	Damage, deterioration, wear
Détérioration du bord de film	Edge damage
Détourage	Blocking-out
Deux-en-deux	Colour pilot
Deuxième mouture (d'un film)	Remake
Deuxième prise (ciné, tv)	Retake
Développement	Developing, processing
Développement par pulvérisation	Spray processing
Développement poussé	Forced developing
Développer	To develop, to process
Déviation (tv)	Deflection, drift
Déviation de faisceau	Beam deflection
Déviation de la bande (vid)	Tape skew
Devis	Budget, cost estimate
Dévolteur	Step-down transformer
Diagramme de connexions	Plugging chart
Diagramme de radiation	Beam pattern
Dialogue	Dialogue
Dialoguiste	Dialogue writer
Diamant	Diamond
Diapason (son)	Pitch, tuning fork
Diaphonie multiple (son)	Multiple crosstalk
Diaphragme	Diaphragm, lens opening, f-stop, T-stop
Diaporama	Slide show
Diapositive	Slide, transparency
Diapositive de projection	Lantern slide, projection slide
Diascope	Slide projector
Diatonique (son)	Diatonic
Dichroïque	Dichroic

Différé (en) (tv, radio) — Recorded, pre-recorded, delayed broadcast (or) program, recorded transmission

Diffus — Diffuse, scattered

Diffusant — Diffusing, scattering

Diffuser — To broadcast, to diffuse, to scatter

Diffuseur (écl) — Diffuser scrim

Diffuseur (de programmes) — Broadcaster

Diffusion (opt, son) — Diffusion, scattering

Diffusion par câble — Cablecasting

Diffusion de l'information — Information flow

Digital — Digital

Dimension — Size

D.I.N. — D.I.N., Deutsche Industrie Normen

Diode-émetteur — Light-emitting diode

Dioptrique — Dioptric, dioptrical

Direct (en) — Live (radio, tv), on line

Directeur — Manager

Directeur de collection (édit) — Editor

Directeur musical — Musical director

Directeur de la photographie (ciné) — Director of photography, lighting cameraman, chief cameraman

Directeur de la photographie (tv) — Lighting man, chief cameraman

Directeur de production — Production manager

Directeur des programmes (tv) — Programming director

Directeur de rédaction (pres) — Managing editor

Directeur de salle (ciné) — Cinema manager

Directeur de studio — Studio manager

Directeur technique — Technical director

Direction — Direction, management

Direction de la rédaction — Editorial management

Directionnel — Directional, directive

Directivité — Directivity

Dirigé — Directed

Diriger — To control, to direct

Discontinuité — Discontinuity

Discothèque	Record library
Disjoncteur	Breaker, circuit breaker, switch
Dispersé	Dispersed
Dispersion	Dispersion, scattering
Dispersion acoustique	Acoustical scattering
Disponibilité	Availability
Dispositif	Apparatus, device, structure, system, unit
Dispositif d'accord	Tuning device
Dispositif d'alimentation (cab)	Feeding device
Dispositif de balayage d'image (tv)	Image scanning device
Dispositif de blocage	Clamping jaw, locking device
Dispositif d'intégration	Integration amplifier
Dispositif de vérification	Control device
Disque	Disc, disk
Disque (audio)	Disc, record
Disque analyseur	Scanning disc
Disque mère	Master record, mother record
Disque porte-têtes	Head wheel
Disque souple	Flexible record
Disque stroboscopique	Stroboscopic pattern wheel
Disque vidéo	Video disc
Disrupteur	Disrupter
Dissociation	Dissociation, split
Dissocier	To split
Dissolvant	Solvent
Dissoudre	To dissolve
Distance	Distance
Distance focale	Focal length
Distance hyperfocale	Hyperfocal distance
Distance de projection	Throw
Distorsion	Distortion
Distorsion d'amplitude	Intensity distortion
Distorsion chromatique	Colour contamination
Distorsion de contact (disque)	Tracing distortion
Distorsion harmonique	Harmonic distortion
Distorsion d'image (tv)	Picture distortion, skew, flagging
Distorsion sonore	Sound distortion

Distributeur (ciné)	Distributor, renter
Distribution (artistique)	Casting, cast
Distribution (commerciale)	Booking, distribution, release, renting
Distribution (sur onde)	Dispatching
Distribution non-commerciale (de films)	Non-theatrical distribution
Divergence	Divergence
Diversification	Diversification
Diversité	Diversity
Divertissement	Entertainment
Diviser	To divide, to split
Diviseur	Splitter
Diviseur de fréquence	Frequency divider
Diviseur optique	Beam splitter
Documentaire (film)	Documentary film, information film
Documentaliste	Research assistant
Documents d'accompagnement	Supporting materials
Dominante (de couleur)	Colour cast
Donnée	Datum, item
Données (inf)	Data
Données brutes	Raw data
Dos interchangeable (photo)	Exchangeable camera-back
Dossier d'émission (tv)	Program file
Doublage (ciné, tv)	Dubbing
Doublage (imp)	Double print
Doublage audio	Audio dubbing
Doublage de bande vidéo	Video tape duplication
Double	Copy, duplicate, double
Double bande (ciné, tv)	Double-band, double-headed, double-system, unmarried
Double feuille (imp)	Fly
Double impression (ciné)	Double exposure
Double page (imp)	Center spread
Double perforation	Double punch
Double piste (sonore)	Dual track
Doubler (un acteur)	To stand in
Doubler (un film)	To dub
Doubler (imp)	To line

Doubles (mont)	Outs
Doublure (imp)	Lining
Doublure (d'un acteur)	Stand-in, understudy
Douille	Bushing, socket
Douille de phonocapteur	Pick-up bush
Dramatique (tv)	Drama, play
Droit d'auteur	Copyright
Droits	Rights
Droits d'adaptation cinématographique	Film rights
Droits d'auteur	Royalties
Droits à la copie	Rights per print
Droits d'exclusivité	Exclusive rights
Droits d'exploitation	Distribution rights
Droits limités	Limited rights
Droits de projection	Exhibition rights
Droits de reproduction cinématographique	Film printing rights
Droits scolaires	Rights for projection in schools
Droits de télévision	Television rights
Droits en totalité	Full rights
Duplex	Duplex
Duplicata	Duplicate
Duplicateur	Duplicating device, mimeographic machine
Duplication	Duplication
Dur	Hard, harsh, rough
Durée	Duration, time, life
Durée d'enregistrement	Recording time
Durée d'exploitation	Run (of a film)
Durée de flottement	Floating time
Durée de fonctionnement	Operation time
Durée du programme (tv)	Running time
Durée de projection	Running time, screen time
Dynamique	Dynamics ; dynamic (adj)

Eblouissement	Glare
Ecart	Deviation, gap
Ecartement	Spacing
Echafaudage	Scaffolding
Echange de programmes	Program exchange
Echantillonnage	Sampling
Echéance	Deadline, expiration date
Echelle	Scale
Echelle de diaphragmes	Aperture scale, stop scale
Echelle de gris	Grey scale
Echelle de lumières	Printer scale
Echelle de mise au point	Focusing scale, focus index marking
Echelle de réduction	Reduction scale
Echelle de reproduction	Image scale
Echo	Echo, reverberation
Echo artificiel	Synthetic reverberation
Echo image (vid)	Ghost image
Echo visuel	Video feedback
Eclair	Flash
Eclairage	Lighting
Eclairage d'ambiance	Flood lighting
Eclairage à arc	Arc lighting
Eclairage concentré	Spot lighting
Eclairage en contre-jour	Back lighting
Eclairage de côté	Side lighting

Eclairage de cyclorama	Cyclorama lighting
Eclairage de découverte	Background lighting
Eclairage diffus	Diffuse lighting
Eclairage direct	Direct lighting
Eclairage dirigé	Directional lighting
Eclairage à effets	Effects lighting
Eclairage de fond	Background lighting
Eclairage frontal	Front lighting
Eclairage indirect	Indirect lighting
Eclairage multidirectionnel	Multidirectional lighting
Eclairage au néon	Neon lights
Eclairage des passerelles	Overhead lights
Eclairage de service	Courtesy lighting
Eclairage sur pied	Stand lights
Eclairage plat	Flat lighting
Eclairage principal	High light, keylight
Eclairage rasant	Edge lighting
Eclairage de sécurité	Emergency light
Eclairage de studio	Studio lights
Eclairage vertical	Overhead lighting
Eclairagiste	Lighting engineer
Eclaircir	To brighten
Eclairement	Illumination
Eclat	Flash
Eclat de lumière	Flash of light, glare
Eclater	To burst, to split
Ecoute	Monitoring, listening in
Ecoute collective	Group listening
Ecoute permanente (d'un réseau)	Monitoring
Ecouteur	Earphone
Ecran (prise de vues)	Filter
Ecran (projection)	Screen
Ecran acoustique	Baffle
Ecran argenté	Silver screen
Ecran cathodique	Cathod ray tube, cathode screen
Ecran de chaleur	Heat shield
Ecran coloré	Coloured screen
Ecran de contrôle	Monitor screen

Ecran dépoli	Ground glass screen
Ecran diffuseur (écl)	Diffusing screen, scrim (U.S.)
Ecran diffuseur extraplat (tv)	Superflat screen
Ecran gaufré	Lenticulated screen
Ecran gélatine	Jelly
Ecran gris-neutre	Neutral density filter
Ecran incorporé	Built-in filter
Ecran large	Wide screen
Ecran métallisé	Metal screen
Ecran mural (tv)	Wall-screen
Ecran opaque	Gobo
Ecran perforé	Perforated screen
Ecran perlé (ou) nacré	Beaded screen
Ecran plein jour	Daylight screen
Ecran polarisant	Polarizer, pola screen
Ecran de projection	Projection screen
Ecran réflecteur	Sun reflector
Ecran de régie (tv)	Control panel
Ecran de soie	Silk screen
Ecran sonore	Baffle
Ecran transparent	Transparent screen
Ecran du viseur (tv)	Viewfinder screen
Ecrans multiples (projection)	Multi-image projection
Ecrêteur de bruits	Noise limiter
Ecriture	Writing
Ecriture vidéo	Video style
Editeur	Publisher
Edition	Edition, publication, issue, publishing
Editorial (pres, tv)	Editorial, leading article
Editorialiste (pres, tv)	Leader-writer, editorial writer (pres), program editor (tv)
Effacement	Blanking, erasing, wiping
Effacer	To delete, to erase, to wipe
Effaceur	Eraser, wiper, degausser
Effaceur de bande	Tape eraser
Effaceur caméra vidéo	Video camera wiper
Effet	Effect
Effet de bord	Edge effect
Effet d'écho (magnétique)	Print through

Effet de flou	Soft-focus effect
Effet Larsen (son)	Acoustic feedback, larsen effect
Effet de lumière	Dramatic lighting, effect lighting
Effet de mouvement	Trucking effect
Effet de nuit	Day-for-night, night effect
Effet réciproque	Interplay
Effet de relief	Stereoscopic effect (opt), stereophonic effect (son)
Effet sonore	Sound effect
Effet stroboscopique	Stroboscopic effect
Effet de torsion de bande	Banding
Effets de couleurs	Colour effects
Effets spéciaux	Special effects, opticals
Effilochage	Bleeding
Effluves	Statics
Egale force sonore	Equivalent loudness
Egalisation	Equalization, leveling, matching
Egalisateur	Equalizer
Egalité	Evenness
Electricien	Electrician
Electricien (chef)	Head gaffer
Electricien (second)	Best boy
Electricité	Electricity
Electrique	Electric
Electroacoustique	Electroacoustic
Electro-aimant	Electromagnet
Electrocinétique	Electrokinetic
Electrode	Electrode
Electrodynamique	Electrodynamic
Electromagnétique	Electromagnetic
Electronique	Electronic
Electrophone	Record-player
Electrostatique	Electrostatic
Electrotype	Electrotype
Elément	Element, unit
Elément d'accumulateur	Wet cell
Elément enfichable	Plug-in unit
Elément de pile	Dry cell

Elimination	Elimination, suppression
Eliminateur de parasites	Noise suppressor
Eliminer	To eliminate, to filter out, to suppress
Embobinage	Threading
Embobineuse	Rewinder
Embranchement	Branchpoint, branching
Embrayage	Clutch
Embrayeur	Shifter
Emetteur	Transmitter, transmitting station
Emetteur dirigé	Directional-beam transmitter
Emetteur portatif	Portable transmitter
Emetteur-récepteur	Transceiver
Emetteur régional	District transmitter
Emetteur relais	Link transmitter, repeater station
Emetteur son	Aural transmitter
Emetteur de télécinéma	Film transmitter
Emetteur de télévision	Visual transmitter, television broadcasting station
Emettre	To broadcast, to emit
Emission	Broadcast, program, transmission
Emission en différé (tv, radio)	Recorded, pre-recorded, delayed broadcast (or) program, recorded transmission
Emission en direct (tv, radio)	Live broadcast, live transmission
Emission expérimentale	Experimental program
Emission littéraire	Literary program
Emission pilote	Pilot program, trial program
Emission pré-enregistrée (tv, radio)	Pre-recorded (or) recorded broadcast (or) program, recorded transmission
Emission relayée	Simultaneous broadcasting
Emission scolaire	Educational broadcasting
Emmagasinage	Storage
Emmagasíner	To store
Empirique	Empirical

Emplacement	Location, position
Empreinte (imp)	Mould
Emulation d'idées	Brainstorming
Emulsion	Emulsion
Emulsion inversible	Reversal emulsion
Emulsion monocouche	Single-layer emulsion
Emulsion orthochromatique	Orthochromatic emulsion
Emulsion panchromatique	Panchromatic emulsion
Emulsion photosensible	Light-sensitive layer
Emulsion vers l'intérieur	Emulsion in
Emulsion vers l'extérieur	Emulsion out
En avant	Forwards
Encadré (pres)	Box
Encadrement	Framing
Encart	Inset
Enceinte acoustique	Baffle
Enchaîné (ciné)	Dissolve
En champs	On camera
En circuit	" On ", switched on
Encoche	Notch, slot
Encoche de son	Blooping notch
Encocher	To notch
Encre	Ink
En direct (radio, tv)	Live, on line
Endroit (ciné, tv)	Location, spot
Enduit	Coating
Enduit anti-halo (ciné)	Anti-halation backing
Enduit magnétique	Magnetic coating
Energie	Energy, power
Energie accumulée	Stored energy
Energie cinétique	Kinetic energy
Energie d'entrée	Input
En extérieur (ciné)	On location
Enfichable	Plug-in
Engendrer	To generate
En différé	Recorded, pre-recorded, delayed braodcast (or) program, recorded transmission
En marche	Working, " on "
En mission	On assignment

En panne	Out of order
En reportage	On reporting assignment
Enregistrement	Recording
Enregistrement à densité fixe	Variable-area sound recording
Enregistrement à densité variable	Variable-density sound recording
Enregistrement de cassette	Cassette recording
Enregistrement du commentaire	Commentary recording
Enregistrement double-bande	Double-headed recording
Enregistrement électronique	Electronic recording
Enregistrement (sur film) par faisceau électronique (tv)	Electronic beam recording
Enregistrement fractionné	Multiplay recording
Enregistrement hélicoïdal	Helical recording
Enregistrement longitudinal	Longitudinal recording
Enregistrement magnétique	Magnetic recording, tape recording
Enregistrement magnétique image et son	Combined magnetic recording
Enregistrement magnétoscopique	Video-tape recording
Enregistrement de la musique	Music recording, music scoring
Enregistrement optique	Optical recording
Enregistrement original	First generation tape, mother recording
Enregistrement quadriphonique	Four-track recording
Enregistrement rapide de bande	High-speed tape recording
Enregistrement du son	Sound recording
Enregistrement stéréophonique	Stereophonic sound recording
Enregistrement symétrique en opposition	Push-pull recording
Enregistrement de texte	Voice recording
Enregistrement transversal	Transversal recording
Enregistrement vidéo	Video recording, video-taping
Enregistrement vidéo électronique	Electronic video recording
Enregistrement à vitesse constante	Constant-velocity recording
Enregistrer	To record, to tape
Enregistreur	Recorder

Enregistreur de cassette	Cassette recorder
Enregistreur/lecteur	Recorder player, recorder reproducer
Enregistreur/lecteur vidéocassette couleur	Colour cartridge video recorder reproducer
Enregistreur de pistes multiples	Multi-track recorder
En reportage	On reporting assignment
Enroulement	Winding
Enroulement et déroulement	Take-up and feeding
Enroulement extérieur (film)	Emulsion out
Enroulement intérieur (film)	Emulsion in
Enrouler	To rewind, to wind
Enrouleuse	Rewinder
Enseignement audio-visuel	Audio-visual teaching
Enseignement direct	Direct teaching
Enseignement télévisé	TV education
Ensemble	Assembly, package, unit
Ensemble des informations	News coverage
Ensemble multi-média	Multi-media package
Ensemble vidéo couleur	Video colour pack
Ensemblier (ciné, tv)	Property manager
Entasser	To pile
En-tête (pres)	Heading
Entracte	Intermission, interval
Entraction	Interplay
Entraînement	Drive, feed
Entraînement de la bande	Tape advance, tape transport
Entraînement par courroie	Belt drive
Entraînement du film	Film feed
Entraînement par griffe	Claw movement
Entraînement intermittent	Intermittent feed
Entraînement par tambour	Sprocket drive
Entraînement synchrone	Synchronous drive
Entrée	Input, inlet, lead-in
Entrée de pupitre	Console input
Entrée (du public)	Admission
Entrefer	Air-gap
Entrefilet (pres)	Short paragraph
Entretien (pres, tv)	Interview
Entretien (matériel)	Maintenance, servicing, upkeep

Envoyé spécial (pres, tv)	Special correspondent
Envoyer (les projecteurs)	To hit the lights
Epanouissement (tv)	Blooming
Epidiascope	Eipidiascope, overhead projector
Episcope	Episcope, overhead projector
Episode	Episode
Epreuve	Test print (photo) ; proof sheet (imp)
Epreuve en bon à tirer (pres, imp)	Press proof
Epreuve contact (ciné, photo)	Contact print
Epreuve corrigée (imp)	Revised proof
Epreuve de référence (ciné)	Reference print
Epreuve témoin	Pilot print
Epreuve typo (imp)	Impress copy
Epreuves (de tournage) (ciné, tv)	Dailies, rushes
Epuisé (édit)	Out of print
Epuisement	Exhaustion
Equilibrage	Balancing, matching
Equilibre chromatique	Chromatic balance
Equilibré	Balanced, matched
Equilibrer	To balance, to match
Equipe (ciné, tv)	Crew, team
Equipe légère	Small crew
Equipe de prises de vues	Camera crew
Equipe de production	Production unit
Equipe rédactionnelle (pres, tv)	Editorial staff
Equipe de son	Sound unit
Equipe de tournage	Film unit
Equipement	Equipment, hardware (inf), outfit
Equipement léger	Light-weight equipment, portable equipment
Equiper (un décor)	To rig, to set up
Eraflure	Slight scratch
Ergot de fixation	Clamping lug, clamping pin
Erreur	Mistake
Espace	Space

Espace libre	Clearance
Espace-temps	Space-time
Espacement	Space, spacing
Esquisse	Sketch
Essai	Experiment, test, trial run
Essai de contrastes (tv)	High-peaker control
Essai d'exposition	Exposure test
Essai filmé	Screen test
Essai de fréquence	Frequency run
Essai de laboratoire	Laboratory test
Essai de niveau de voix	Voice level test
Essai pratique	Field test
Essai de réception	Acceptance test
Essai sonore	Sound test
Essai de transmodulation	Cross-modulation test
Essai type	Test case
Essai de voix	Voice test
Essayer	To test
Essoreuse (lab)	Squeegee
Esthétique	Aesthetics
Estimation	Estimate
Etablir	To establish, to initialize
Etage d'entrée	Input stage
Etalement	Spread, spreading
Etalement de bande	Bandspread
Etaler	To spread, to stretch
Etalon	Standard
Etalonnage	Grading, timing, calibration
Etalonnage couleur	Colour grading (or) timing
Etalonnage couleur plan par plan	Scene-to-scene colour grading (or) timing
Etalonnage du négatif	Negative timing, negative grading
Etalonner	To grade, to time, to calibrate
Etalonneur	Grader, timer
Etalonneuse à lecture vidéo	Video analyzer
Etanche	Tight
Etape	Program step, step
Etat solide	Solid state
Etendue	Range, scope

Etendue du faisceau	Beam spread
Etincelle	Spark
Etiquette	Label, tag
Etirage	Stretching
Etirement	Stretch
Etouffement (son)	Dying-out
Etude	Study, survey
Etude de marché	Market research
Evanouissement (vid)	Dying out, fading
Evénement	Event
Exactitude	Accuracy
Examen	Inspection
Exciter	To pulse
Exclusivité	First release (ciné), scoop (pres)
Exécuter	To execute
Expédition	Shipment
Expert	Expert
Expertiser	To appraise
Exploitant (ciné)	Exhibitor
Exploitation (ciné)	Distribution, exhibition
Exploitation commerciale	Commercial distribution, theatrical exhibition
Exploitation non commerciale	Non-commercial distribution, parallel distribution
Exploiter	To exhibit
Explorateur (tv)	Analyzer
Exploration (tv)	Dissection, scan, scanning
Exploration par ligne verticale (tv)	Vertical dissection
Explorer (tv)	To scan
Exposé	Briefing
Exposition	Exposure
Extérieur (ciné)	Exterior shot, location
Extérieur (en) (ciné)	On location
Extraction (lab)	Colour separation
Extrait	Extract, excerpt
Extrémité	End

Fabricant	Manufacturer
Fabrication	Manufacture, production
Face (disque)	Side
Face à face (débat)	Face-to-face
Fac-similé	Facsimile
Facteur	Factor
Facteur d'affaiblissement	Attenuation factor, loss
Facteur d'amplification	Amplifying factor, gain
Facteur de bruit	Noise factor
Facteur de contraste	Contrast ratio
Facteur de crête	Amplitude factor
Facteur de déphasage	Phase difference factor
Facteur de luminosité	Luminosity factor
Facteur de modulation	Modulation factor
Facteur de réflexion	Reflectance factor
Facteur de sélectivité	Selectivity factor
Facture	Invoice
Faible	Weak
Faire le point (ciné, tv)	To focus, to pull focus
Faisceau	Beam
Faisceau analyseur	Scanning beam
Faisceau cathodique	Cathode beam
Faisceau concentré	Concentrated beam
Faisceau élargi	Flood, spread beam
Faisceau électronique	Electron beam
Faisceau étalé	Beavertail

Faisceau étroit	Pencil beam
Faisceau explorateur	Scanning beam
Faisceau lumineux	Light beam
Fenêtre	Gate
Fenêtre de caméra	Aperture plate
Fenêtre de projection	Projection gate
Fenêtre de sortie (tv)	Beam hole
Fente	Slit, slot, gate
Fente de lecture (son)	Sound gate, reproducing slit
Fente optique	Optical slit, scanning line (tv)
Fermer	To close, to shut, to switch off
Fermer le diaphragme	To stop down
Fermeture automatique	Self-locking device
Fermeture de couvercle	Lid lock
Fermeture en fondu (ciné)	Fade out
Fermeture en iris	Circle out, iris out
Fermeture par volet	Wipe
Ferrite	Ferrite
Festival de film	Film festival
Feuille	Leaf, sheet
Feuille d'étalonnage (ciné)	Grading sheet, timing sheet
Feuille de mixage	Cue sheet
Feuille de rapport image	Lab report, camera report
Feuille de rapport script	Log sheet
Feuille de rapport son	Sound report
Feuille de travail	Call sheet
Feuillet	Folded sheet, leaflet
Feuilleton (tv)	Serial
Feuilleton en images (pres)	Comic-strip
Feuilleton photos	Photo-drama
Fiabilité	Reliability
Fiche	Card, data sheet, sheet
Fiche (élect)	Jack, plug
Fiche banane	Banana pin, banana plug
Fiche de connecteur	Coupler plug
Fiche de contact	Contact plug
Fiche critique	Appreciation card
Fiche descriptive (ciné, tv)	Dope sheet
Fiche d'écoute (tv)	Rating card
Fiche d'étalonnage	Printing card, grading card

Fic   80

Fiche de raccordement	Connection plug
Fiche de tournage	Dope sheet, report sheet
Fichier	Card index
Fidélité	Fidelity, accuracy
Fidélité sonore	Sound fidelity
Figurant (ciné)	Extra
Fil	Cable, conductor, cord, thread, wire
Fil-à-fil (mont)	Paper to paper
Fil blindé	Screened wire
Fil de connexion	Connecting wire
Fil double	Split wire
Fil fusible	Fuse wire
Fil magnétique	Magnetic wire
Fil de phase	Phase conductor
Fil de terre	Earth wire, ground wire
Filage (ciné)	(Travel) ghost
Filage horizontal (tv)	Streaking
Filage d'image (ciné)	Picture ghost, ghost image
Filament	Filament
Filer	To flow
Filet (imp)	Line, rule
Film (de cinéma)	Film, motion picture, movie
Film (matière première)	Film, material, stock
Film acétate	Acetate film
Film d'actualité	Newsreel
Film pour adultes	Film for adults
Film-amorce	Leader
Film d'animation	Animated film, cartoon
Film annonce	Preview trailer, trailer
Film d'art	Art film
Film d'avant-garde	Avant-garde film
Film en boucles	Loops
Film commandité	Sponsored film
Film de complément	Second feature
Film en couleur	Colour film
Film de court-métrage	Short feature, short film
Film culturel	Cultural film
Film à deux couches	Bipack film
Film didactique	Teaching film

Film de divertissement	Entertainment film
Film documentaire	Documentary film
Film doublé	Dubbed film
Film double bande	Double-headed film, unmarried film
Film éducatif	Educational film
Film pour enfants	Children's film
Film d'enseignement	Educational film
Film d'essai	Test film
Film étalon	Reference film
Film exposé	Exposed film
Film de fiction	Fiction film
Film fixe	Film strip, slide film
Film de formation	Training film
Film gaufré	Lenticulated film
Film à grain fin	Fine grain film
Film historique	Costume film
Film impressionné	Exposed film
Film inflammable	Inflammable film
Film d'information	Information film
Film d'instruction	Instructional film
Film interdit	Banned film
Film inversible	Reversal film
Film de long métrage	Full-length film, feature film, feature
Film magnétique	Magnetic tape
Film de marionnettes	Puppet film
Film de moyen métrage	Short feature
Film muet	Silent film
Film nitrate	Nitrate film
Film noir et blanc	Black-and-white film
Film parlant	Talking picture
Film à petit budget	Low budget film, quickie
Film pilote	Pilot-film
Film à piste couchée	Striped film
Film policier	Detective film, mystery
Film de première génération	First generation film
Film de propagande	Propaganda film
Film publicitaire	Advertising film, publicity film

Film à deux rangées de perforations	Double-perforated film
Film à une rangée de perforations	Single-perforated film
Film à recette	Box-office success
Film récréatif	Entertainment film
Film en relief	Three-dimensional film
Film de reportage	Newsreel
Film de schémas	Diagram film
Film scientifique	Scientific film
Film scolaire	Educational film
Film de sécurité	Non-flam film, safety film
Film sonore	Sound film
Film de tourisme	Travelogue
Film pour transparence	Background film
Film vierge	Raw stock, unexposed film
Filmer	To film, to shoot
Filmique	Filmic
Filmologie	Filmology
Filmothèque	Film library
Filtrage	Filtering, selection
Filtre (voir « écran »)	Filter, mask, screen
Filtre acoustique	Acoustic clarifier
Filtre d'aiguille	Scratch filter
Filtre anticalorique	Heat-absorbing filter
Filtre antiparasites	Eliminator, noise-filter, suppressor
Filtre brouillard	Haze filter, fog filter
Filtre compensateur	Compensating filter
Filtre correcteur	Correction filter, equalizer
Filtre dégradé	Graduated filter
Filtre dichroïque	Dichroic filter
Filtre gris neutre	Neutral density filter
Filtre d'harmonique	Harmonic suppressor
Filtre d'impulsions	Impulse corrector
Filtre passe-bande	Band-pass filter
Filtre passe-bas	Low-pass filter
Filtre passe-haut	High-pass filter
Filtre piézoélectrique	Crystal filter

Filtre de sélection	Colour separation filter
Filtrer	To mask
Fin	End
Fin de bobine	Reel end
Fin d'émission (signal de)	Sign-off
Finesse	Detail, sharpness
Fish-eye	Fish-eye lens
Fixage	Fixing
Fixateur	Fixer, fixative, fixing agent
Fixateur acide	Acid fixing bath
Fixation par ancrage	Positive anchoring
Fixer	To fix
Flash	Flash
Flash d'information (radio, tv)	News flash
« Flashage » (solarisation) (ciné)	Flashing
Flasque	Flange
Flottement	Flutter
Flotter	To float
Flou (ciné, tv)	Blurred, out-of-focus, soft focus
Flou (d'image) (tv)	Blooming
Flou artistique (ciné, tv)	Soft focus
Fluctuation de la lumière	Fluttering of brightness
Fluctuation de vitesse	Speed flutter
Fluorescence	Fluorescence
Flux	Flux
Flux lumineux	Light flux, luminous flux
Flux magnétique	Magnetic current
Focal	Focus, focal
Focale fixe	Fixed-focus lens
Focale variable	Variable focus, zoom lens
Focalisation	Focusing
Focaliser	To focus
Folio (imp)	Folio
Fonctionnement	Operating, working
Fond	Background
Fond de générique (ciné)	Title background
Fond musical	Background music

Fond neutre pour titre (ciné)	Textless (or) neutral background
Fond sonore	Background sound
Fondu (image)	Dissolve, fade
Fondu (son, vid)	Shunt
Fondu automatique	Automatic dissolve
Fondu au blanc	Fade to white
Fondu chimique	Laboratory fade
Fondu enchaîné (ciné, tv)	Cross fade, dissolve, lap dissolve, fade over
Fondu fermé	Fade out
Fondu au noir	Fade out
Fondu ouvert	Fade in
Fondu à la prise de vue	Shutter dissolve
Fondu sonore	Sound fade
Force d'appui vertical (pick-up)	(Pick-up) vertical pressure
Force magnétique	Magnetic force, intensity force, power force
Force sonore	Loudness
Format	Gauge, size, format
Format cinématographique	Film dimensions
Format de l'image	Aspect ratio, frame size, picture size
Format réduit	Substandard size
Format standard	Standard size
Format sub-standard	Substandard size
Formation	Training
Formation permanente	Adult training
Forme	Form, shape
Forme d'onde	Waveform
Forme tri-dimensionnelle	Three-dimensional shape
Formule	Formula
Fou	Idle
Fournisseur	Supplier
Foyer lumineux	Light source, lighting source
Foyer (optique)	Focal point, focus
Foyer raccordé (cab)	Cabled home
Fragment	Extract, fragment
Frais	Charges, costs

Frais d'exploitation	Operating expenses, running costs
Frais généraux	Overhead
Frais de gestion	Management expenses
Frais de location	Booking charges, rental costs
Frais permanents	Standing charges
Frais de production	Production costs
Frais de transport	Transport costs
Franchise de droits	Exemption of duties
Frange	Bleeding, fringe, fringing
Frangeage de couleur	Colour fringing
Frappe (imp)	Set of matrices
Fréquence (cf. onde)	Frequency, periodicity
Fréquence HF	High frequency
Fréquence VHF	Very high frequency
Fréquence UHF	Ultra high frequency
Fréquence SHF	Super high frequency
Fréquence EHF	Extremely high frequency
Fréquence acoustique	Audio frequency
Fréquence d'analyse (tv)	Dot frequency
Fréquence basse	Low frequency
Fréquence de champ	Field frequency
Fréquence couleur sous-porteuse	Colour sub-carrier frequency
Fréquence horizontale	Horizontal frequency
Fréquence d'image	Frame rate (U.S.A.), picture frequency (G.B.)
Fréquence d'impulsions	Impulse frequency, pulse frequency
Fréquence de ligne (tv)	Line frequency
Fréquence nominale	Nominal frequency
Fréquence d'onde porteuse visuelle	Visual carrier frequency
Fréquence d'ondulation	Ripple frequency
Fréquence pilote	Control frequency, pilot tone
Fréquence porteuse	Carrier frequency
Fréquence de raccordement	Crossover frequency
Fréquence de réponse	Response frequency
Fréquence de résonance	Resonant frequency
Fréquence de scintillement	Flicker frequency

Fréquence de trame (tv)	Line frequency
Fréquence très basse	Very low frequency
Fréquence verticale	Vertical frequency
Fréquence vocale	Voice frequency
Fréquencemètre	Frequency meter
Frétillement	Jitter
Friction	Friction
Front d'onde	Wavefront, leading edge
Fuite	Leak, leakage
Fuite à la terre	Earth leak
Fusible	Fuse
Fusible principal	Main fuse
Fusionner	To merge

Gâchette	Trigger
Gain	Amplification, gain
Gaine	Lining, shielding
Galet	Roller, sprocket, wheel
Galet denté	Sprocket wheel
Galet guide	Guide roller
Galet libre	Idle roller
Galet presseur du cabestan	Capstan pressure roller
Galette (de film)	Roll (of film)
Galvanomètre	Galvanometer
Gamma	Gamma
Gamma infini	Gamma infinity
Gamme	Band, range, scale
Gamme audible	Audible range
Gamme de densités	Colour wedge (colour), step continuous wedge (B & W)
Gamme de fréquence	Frequency range
Gamme grise	Grey scale
Gamme d'ondes	Waveband
Gamme de puissance sonore	Volume range
Gamme de réception	Receiving range
Gamme de sensibilité	Sensitivity range
Garde-robe	Wardrobe
Gaufrage	Buckling, embossing
Gaufré	Lenticulated
Gaze	Gauze

Gazouiller	To tweet
Gélatine	Gelatine, jelly
Gélatine dépolie	Frosted gelatine
Générale (théât)	Dress rehearsal
Générateur	Generator
Générateur asynchrone	Asynchronous generator
Générateur de balayage	Scanning generator
Générateur à basse fréquence	Audio oscillator
Générateur électronique d'effets spéciaux (tv)	Matteing amplifier
Générateur d'effets spéciaux (ciné)	Special effects generator
Générateur de fréquence pilote	Sync pulse generator, sync signal generator
Générateur d'impulsions	Impulse generator, pulse generator
Générateur d'impulsions codées	Pulse coder
Générateur de pointage	Marker generator
Générateur-régulateur	Reversible booster
Générateur de régulation à quartz	Crystal-sync motor control
Générateur de signaux	Colour encoder
Générateur de synchronisation piloté par quartz	Crystal-controlled sync generator
Générateur synchroniseur	Synchronizing generator
Générateur de synchronisme	Sync signal generator, sync pulse generator
Générateur de tachymètre	Tachogenerator
Générique (ciné, tv)	Billing, cast credits, credit titles, screen credits
Générique déroulant	Rolling titles
Gestion	Administration, management
Girafe pour microphone (ciné, tv)	Mike boom
Glaçage	Highgloss drying, frosting
Glace optique	Plane glass
Glacé	Glazed, satined
Glacer	To glaze
Glaceuse	Glazing machine
Glissement	Shift, slip, slippage

Glissement de fréquence	Frequency drift, frequency shift
Gommage	Erasure
Gommer	To erase
Gondolage	Buckling
Gonflage (de l'image)	Blow-up process
Gonflement (de la gélatine)	Swelling
Gonfler	To blow-up
Gradation	Gradation
Graduation	Chart scale, scale
Graduer	To graduate, to grade
Grain	Grain
Grain fin (ciné, photo)	Fine grain
Grand angle	Wide-angle
Grand angulaire	Wide-angle lens
Grand écran	Large screen
Grand film (ciné)	Feature film, main feature
Grand public	General audience
Grand reporter (pres)	Star reporter
Grandes ondes	Long waves
Grandeur	Scale, magnitude, size
Grandeur naturelle	Full-scale
Grandeur réelle	Actual size
Grandissement	Magnification
Granulaire	Granular
Granularité	Granularity
Granulation	Graininess
Graphique	Graph ; graphic (adj)
Graphiste	Graphic artist
Graphite	Black lead
Gras (caractère) (imp)	(Extra) bold, heavy face
Grattement	Scratch
Gratter	To scrape, to scratch
Grattoir	Scraper
Gratuit	Free
Gravé	Engraved
Graver	To engrave, to record
Graves (son)	Deep notes, low pitched
Graveur	Engraver, etcher
Graveur à l'eau-forte	Etcher

Gravure	Engraving, etching, recording
Gravure transversale (son)	Lateral recording
Griffe	Claw, pin
Griffe de descente	Pull-down claw
Griffe d'entraînement	Driving pin, feeding claw, pilot pin, pull-down claw
Griffe d'escamotage	Shuttle pin
Griffe de fixité	Register pin, registration pin
Grille	Grid
Grille horaire	Program schedule
Grille de programmes (tv)	Programming grid, program schedule
Grincement	Rattle, scrape
Gris équivalent	Colour balance
Grognement (son)	Howl, rumble
Gros grain	Coarse grain
Gros plan (ciné, tv)	Close-up
Grossissement (opt)	Magnifying power
Groupe convertisseur	Motor-generator set
Groupe électrogène	Generator, power unit
Groupe mobile	Mobile unit
Groupe de presse	Chain of newspapers, press group
Groupiste (élect)	Groupman
Grue (ciné, tv)	Boom, camera crane, crane
Guide de bande	Tape guide
Guide de bord du film	Edge guide
Guide d'onde	Wave guide
Guide d'onde circulaire	Circular wave guide
Guillotine	Cutting machine (imp), splicer (ciné)
Gyroscope	Gyroscope

Habileté professionnelle	Skill
Habilleuse	Wardrobe mistress
Halo	Halation
Harmonie d'impédance	Impedance matching
Harmonique	Harmonic
Haut	High, top
Haut niveau	High level
Haut perché	High pitched
Haute définition	High definition
Haute fidélité (son)	Hi-Fi, high fidelity
Haute fréquence	High frequency
Haute résolution	High resolution
Hautes lumières	Highlights, high key
Hauteur	Height
Hauteur du son	Tone pitch
Haut-parleur	Loudspeaker, sound reproducer
Haut-parleur d'aiguës	Tweeter
Haut-parleur à aimant permanent	Permanent-magnet loudspeaker
Haut-parleur d'ambiance	Effect loudspeaker
Haut-parleur de contrôle	Monitoring loudspeaker
Haut-parleur électrodynamique	Dynamic loudspeaker
Haut-parleur électromagnétique	Induction loudspeaker
Haut-parleur électrostatique	Capacitor loudspeaker
Haut-parleur de grande puissance	Power loudspeaker

Haut-parleur de graves	Boomer, woofer, bass loudspeaker
Haut-parleur à membrane conique	Cone loudspeaker
Haut-parleur piézo-électrique	Crystal loudspeaker
Haut-parleur témoin	Monitor loudspeaker
Hebdomadaire (pres)	Weekly
Helicoïdal	Helical
Héliographie (imp)	Heliography
Héliogravure (imp)	Heliogravure, rotogravure
Hermétique	Tight
Herse (écl)	Bank of lights
Hertz	Cycle-per-second
Heure	Hour, time
Heure d'antenne (tv, radio)	Broadcasting time
Heure de grande écoute	Peak time, prime time
Heure H	Zero hour
Heure limite	Deadline
Heure de pointe	Peak time, prime time
Hologramme	Hologram
Holographie	Holography
Homéostatique	Homeostatic
Homogène	Homogeneous
Honoraires	Fees
Horaire	Schedule, time-table
Hors-champs	Out of frame, off screen
Hors-circuit	Off
Hors de l'écran	Off screen
Hors ligne	Off-line
Hors d'usage	Out of order, out of service
Housse de protection (caméra)	Barney
Hublot de cabine (projection)	Booth porthole
Humecteuse	Dampener, moistener
Humidificateur	Moistener
Humidité	Humidity, moisture
Hurlement	Howl, howling
Hyperfocale (distance)	Hyperfocal distance
Hyperfréquence	Very high frequency, microwave

Iconoscope	Iconoscope
Idée drôle	Gag
Identique	Identical
Identification	Identification
Ignifugé	Fire-resistant, slow-burning
Illumination	Illumination
Illustrateur sonore (ciné, tv)	Sound illustrator, sound effects supervisor
Image	Image, frame, picture
Image aérienne	Aerial image
Image anamorphosée	Anamorphic image
Image animée	Moving picture
Image arrêtée	Freeze frame, pause, still frame, stop frame
Image blanche	Ghost image, white frame, flash frame
Image composite	Photo-montage
Image composite animée	Travelling-matte
Image composite fixe (diap)	Split-screen
Image contrastée	Harsh picture, hard picture
Image désanamorphosée	Unsqueezed image
Image douce	Low contrast image
Image électronique	Electronical image
Image enveloppée	Soft-focus image
Image fantôme	Echo image, ghost image
Image fixe	Still picture

Image granuleuse	Coarse grain image
Image horizontale	Horizontal image
Image-par-image (ciné)	Single frame, stop-motion
Images insérées	Intercut shots
Image inversée	Reversed image
Image latente	Latent image
Images multiples (à)	Multi-image
Image négative	Negative image
Image orthicon	Orthicon image
Image piquée	Sharp image, sharply focused image
Image plate (peu contrastée)	Flat image
Image préenregistrée	Pre-recorded image
Image réelle	Real image
Image réfléchie	Reflected image
Image en relief	Three-dimensional picture
Image résiduelle	Residual image
Images-par-seconde	Frames-per-second
Image stockée	Stored image
Image télévisée	Televised image
Image télévisuelle	Televisual image
Image verticale	Vertical image
Image virtuelle	Virtual image
Imagerie	Imagery
Imaginaire	Imaginary
Immobile	Motionless
Impair	Odd
Impédance	Impedance
Impédance acoustique	Acoustical impedance
Impédance d'entrée	Input impedance
Impédance normale	Loaded impedance
Impédance de sortie	Output impedance
Impédancemètre	Impedometer
Imposition (imp)	Imposition, page imposing
Imprécis	Inacurrate
Imprégnation	Impregnation, soaking
Impression	Impression, printing
Imprimé	A print, printed matter ; printed (adj)
Imprimer	To print

Imprimerie	Printing plant
Imprimeur	Printer
Impulsion	Impulse, pulse, signal
Impulsion d'émetteur	Emitter pulse
Impulsion de montage (tv)	Edit pulse
Impulsion de suppression du faisceau	Blanking pulse
Impulsion de synchronisation	Burst (tv), sync pulse
Impulsion de synchronisation couleur (tv)	Colour burst
Inattaquable aux acides	Acid-proof
Inaudible	Inaudible
Incandescence	Incandescence
Incandescence (petit projecteur à)	Inky
Inclinaison	Tilt
Inclinaison magnétique	Magnetic dip
Incolore	Colourless
Incombustible	Fireproof
Incompatible	Non compatible
Incorporé	Built-in
Incorrect	Erroneous, wrong
Incrustation	Cut-in-scene (ciné), insertion, keying (tv)
Indépendant	Free-lance
Indéréglable	Full-proof
Indéterminé	Indeterminate
Index	Index, directory
Indexer	To index
Indicateur	Indicator
Indicateur d'accord	Tuning indicator
Indicateur d'accord visuel	Visual tuning indicator
Indicateur de cellule	Exposure needle
Indicateur de débit	Flow meter
Indicateur de défilement	Tape counter
Indicateur de métrage de film	Film supply indicator
Indicateur de vitesse	Speed indicator
Indicatif	Code, station identification
Indicatif musical	Music signal
Indicatif régional	Area code

Indicatif sonore	Sound code, sound identification
Indication	Cue, indication
Indice	Factor, index, rating
Indice d'affaiblissement sonore	Sound reduction factor
Indice de capacité auditive	Aural capability factor
Indice de directivité	Directional gain
Indice d'écoute	Audience rating
Indice de lumination	Exposure value
Indice de pose	Exposure index
Indice de réfraction	Refraction index
Indice de sensibilité (film)	Speed rating
Indirect	Indirect
Induction	Induction
Industrie du spectacle	Show business
Inédit	Unpublished
Ineffaçable	Non-erasable
Inégal	Uneven
Infini	Infinity
Inflammable	Inflammable
In-folio	Folio size, in-folio
Informateur	Communicator
Informaticien (inf)	Data processor
Information	Information
Information de contrôle	Check information
Informations	News, data
Information en retour	Feedback
Informatique (inf)	Data processing, information treatment
Infra-acoustique	Infrasonic
Infrarouge	Infra-red
Infrastructure	Substructure
Ingéniérie	Engineering
Ingénieur	Engineer
Ingénieur électricien	Electrical engineer
Ingénieur radio	Radio engineer
Ingénieur du son	Audio engineer, recording engineer, sound engineer
Ingénieur de la vision (ou) **de la vidéo**	Switchman, switcher, video engineer

Ininflammable	Non-flam, non-inflammable
Inoxydable	Rust-proof, stainless
Inscription	Registration
Insensible	Unsensitive
Insérer	To insert
Insert (ciné, tv)	Cut-in, insert, inlay
Insert filmé	Film insert
Insertion	Insertion, insert, intercut, incrust
Insonore	Sound-proof, noise-free
Insonorisation	Acoustic treatment, sound-proofing, sound insulation
Inspecter	To inspect, to survey
Instable	Inconstant, unbalanced, un-steady
Instabilité	Unsteadiness
Instabilité de phase	Jitter
Installation	Installation, set-up
Instant	Moment, instant
Instantané	Instantaneous ; snapshot
Instruction	Command, instruction, order
Instrument	Instrument
Intégrale	Integral
Intégrateur (tv)	Colour decoder
Intégration	Integration
Intégré	Built-in
Intégrer	To build in, to integrate
Intelligence	Intelligence
Intelligence artificielle	Artificial intelligence
Intense	Intense
Intensité	Intensity, current density
Intensité acoustique	Sound intensity
Intensité cathodique	Cathode current
Intensité du champ magnétique	Magnetic-field strength
Intensité d'image	Brilliancy (of the image)
Intensité d'impression	Print contrast ratio
Intensité de la lumière	Light intensity
Intensité de réception	Signal strength
Intensité de rupture	Interrupting capacity
Intensité du son	Sound volume

Intensité variable	Altering intensity
Interaction	Interaction
Intercaler	To cut in, to intercalate
Interchangeable	Interchangeable, replaceable
Intercommunication	Intercommunication
Interconnexion	Interconnection
Interface	Interface
Interférence	Disturbance, interference
Interférence (entre circuits)	Crosstalk
Interférence de couleur (tv)	Colour crosstalk
Interférence d'images (tv)	Contamination
Interférence sonore	Sound interference
Interférer	To interfere, to jam
Intérieur	Interior
Interlignage (imp)	Line spacing
Interligne (imp)	Lead, spacing
Interligner (imp)	To space out
Interlude	Interlude
Intermédiaire	Spacer (imp) ; intermediary (adj)
Intermédiaire (positif) (ciné)	Duplicating positive
Intermittent	Intermittent
Intermodulation	Intermodulation
Interne	Inner, internal
Internégatif (ciné)	Internegative, intermediate negative
Internégatif inversible couleurs (ciné)	Colour Reversal Internegative (C.R.I.)
Interphone	Intercommunication system, intercom
Interpositif N & B d'après négatif couleur	Pan master from colour
Interprétation	Acting, rendition (mus), interpretation
Interprète (comédien)	Actor, player
Interprète principal	Leading actor
Interpréter	To act, to pay, to interpret
Interrompre	To cut off, to disconnect, to interrupt

Interrupteur	Circuit breaker, on-off switch, switch
Interrupteur automatique	Automatic switch
Interrupteur à bascule	Tumbler switch
Interrupteur basculant	Toggle switch
Interrupteur de circuit	Circuit breaker
Interrupteur de commande	Control switch
Interrupteur général	Power switch
Interrupteur au pied	Foot switch
Interrupteur principal	Main switch
Interrupteur de sécurité	Safety switch
Interruption	Interruption, suspension
Interruption de programme (tv)	Program break
Intersecteur	Intersector
Intersection	Intersection
Intertitre	Insert title (ciné), subheading (pres)
Intertype (imp)	Intertype
Interurbain	Intercity
Intervalle	Gap, spacing, interval
Intervalle de fréquence	Frequency spacing
Intervalle de pose (photo)	Time-lapse
Interview (ou) **entrevue**	Interview
Intrinsèque	Specific
Intrigue	Plot
Inutilisé	Blank, unused
Invariable	Unchanging
Invendus (pres)	Returns, unsold copies
Inventer	To invent
Inverse	Opposed, reverse
Inversé	Inverted, reversed
Inverser	To invert, to reverse, to switch
Inverseur	Change-over switch, commutator, inverter, selector
Inverseur de sens	Direction inverter
Inversible (film)	Reversal film
Inversion (labo)	Reversal process
Inversion d'image	Frame reversal
Inversion de phase	Phase reversal
Inversion de pôles	Polarity reversal

Invisible	Invisible
Iris	Diaphragm, iris
Irisation	Irridescence
Irradiation	Irradiation
Irrégulier	Irregular
Irrétrécissable	Unshrinkable
Isolant	Insulator ; insulating (adj)
Isolation	Insulation
Isolation phonique	Sound insulation
Isolement	Isolation
Isolement acoustique	Acoustical isolation
Isolement par air	Air cushion
Isoler	To insulate (élect), to isolate
Italique (imp)	Italic
Itinéraire	Routing

Jack	Jack
Jaquette (pres)	Jacket
Jasper	To marble
Jauge	Gauge
Jaune	Yellow
Jaunir	To fade
Jaunissement	Yellowing
Jet d'air	Air blast
Jeu (mécanique)	Slack
Jeu d'acteur	Play
Jeu d'orgue (ciné)	Dimmer, lighting control, light dimmer
Joint	Gasket, joint
Joint à rotule	Ball-and-socket joint
Jonction	Interface, junction, linkage
Joue	Flange, jaw
Journal	Newspaper
Journal parlé (ou) télévisé	News broadcast, newscast, television news
Journaliste	Journalist, newspaperman, reporter
Journaliste indépendant	Stringer
Journaliste de télévision	Anchorman (news), broadcaster, newscaster, telecaster
Journalistique	Journalistic
Jumelage	Coupling
Jury	Jury
« Jus »	" Juice "
Justificatif	Voucher

Laboratoire	Laboratory
Laboratoire de tirage	Printing laboratory
Laçage	Lacing
Laine de verre	Spun-glass
Lame	Blade
Lame à faces parallèles	Optical flat
Lame d'obturation	Cutting blade
Lame vibrante	Vibrating reed
Laminoir	Plate glazing machine
Lampe	Bulb, globe, lamp, valve
Lampe d'amplification	Amplifier tube
Lampe à arc	Arc lamp
Lampe à atmosphère gazeuse	Gas-filled lamp
Lampe à basse tension	Glowlamp
Lampe à décharge	Discharge lamp
Lampe-éclair	Flash-bulb
Lampe d'enregistrement	Recording lamp
Lampe d'entrée	Input tube
Lampe-étalon	Comparison lamp, standard illuminant
Lampe excitatrice	Exciter lamp
Lampe fluorescente	Fluorescent tube
Lampe inactinique	Dark-room lamp
Lampe à incandescence	Inky, incandescent lamp, tungsten lamp
Lampe à lueurs	Glowlamp

Lampe phonique	Exciter lamp
Lampe de projection	Projection lamp
Lampe quartz-iode halogène	Tungsten halogen lamp
Lampe de signalisation	Control light, tally lamp, cue light
Lampe survoltée	Photoflood lamp
Lampe témoin	Control light, pilot lamp
Lampe torche	Flashlight
Lampe à vapeur de mercure	Mercury vapor lamp
Lampe à verre coloré	Coloured lamp
Lampe à vide	Vacuum tube
Lampe au Xénon	Xenon lamp
Lancement	Promotion
Langage	Language
Langage artificiel	Artificial language
Langage commun	Common language
Langage à machine (inf)	Machine-oriented language
Langage de programmation (inf)	Programming language
Lanterne	Lamp house, lantern
Lanterne additive (de tireuse)	Additive lamp house
Laquage	Lacquering
Laque	Lacquer
Large	Broad, wide
Largeur	Breadth, width
Largeur de bande	Bandwidth, tape width
Laser	Laser (Light amplification by stimulated energy of radiation)
Latensification	Flashing, latensification
Latitude d'exposition	Exposure latitude
Latitude de mise au point	Focusing range
La « une » (pres)	Title-page
Lavande (ciné)	Lavender print
Lanterne à arc	Arc lamphouse
Lanterne magique	Magic lantern
Lavage	Washing
Lecteur	Reader, scout
Lecteur (tv)	Scanner, reader
Lecteur de bande magnétique	Magnetic tape reader

Lecteur de bande programme	Program tape reader
Lecteur-enregistreur	Player-recorder, playback-recorder
Lecteur-enregistreur vidéo	Video playback-recorder
Lecteur-interpréteur (inf)	Reader-interpreter
Lecteur magnétique enfichable	Plug-in magnetic reader
Lecteur optique	Optical reader, visual scanner
Lecteur-scripteur	Read-write head
Lecteur de son	Sound head, sound reader, sound reproducer, tape reader
Lecture	Playback, reading
Lecture arrière	Backwards reading
Lecture à rebours	Backwards reading
Lecture du son	Aural reception, sound reproduction
Lecture magnétique	Magnetic reading
Lecture rapide de bande	High-speed tape reading
Lecture sans effacement	Non-destructive reading
Lecture à travers le viseur	Through-the-lens reading
Légende (pres)	Caption
Léger	Light, lightweight
Lent	Slow
Lenticulaire	Lens-shaped
Lentille	Lens
Lentille acoustique	Acoustic lens
Lentille additionnelle	Auxiliary lens
Lentille antérieure	Front lens
Lentille collectrice	Collecting lens
Lentille concave	Concave lens
Lentille condensatrice	Condensing lens
Lentille convergente	Focusing lens
Lentille convexe	Convex lens
Lentille correctrice	Correcting lens
Lentille déformante	Distorting lens
Lentille divergente	Diverging lens
Lentille électronique	Electron lens
Lentille à échelons	Florentine
Lentille de Fresnel	Fresnel lens
Lentille frontale	Front lens

Lentilles jumelées	Twin lenses
Lentille magnétique	Magnetic lens
Lentille martelée	Honeycomb lens
Lentille traitée	Coated lens
Lettre	Letter
Lève-bras	Arm-lifter
Levier	Lever-arm, jack
Levier de commande	Control lever, operating lever
Liaison	Link
Liaison par réseau	Communication link
Libérer	To disengage
Libre	Free, free-running, idle
Licence	Licence, permit
Lien	Bond, connector, link, linkage
Lieu	Location, spot
Lignage (imp)	Lineage
Lignage de trame (tv)	Screen ruling
Ligne	Cable, feeder, line
Ligne (en)	On line
Ligne accordée	Tuned line
Ligne d'alimentation	Feeder line
Ligne d'analyse (tv)	Scanning line
Ligne de balayage	Scanning line
Ligne bidirectionnelle	Duplex line
Ligne coaxiale	Coaxial line
Ligne directe	Tie-line
Ligne disponible	Available line
Ligne interurbaine	Trunk line
Ligne libre	Idle line
Ligne principale	Trunk line
Ligne principale du câble	Cable trunk line
Ligne privée	Tie line, tie trunk
Ligne réservée	Leased line
Ligne de séparation horizontale (tv)	Frame line
Ligne de séparation verticale (tv)	Barrier
Ligne de vision	Line of sight
Limite de champ	Shooting range
Limiter	To define, to limit, to restrict

Limiteur	Limiter
Limiteur de souffle (son)	Noise limiter
Linéaire	Linear
Linotype	Linotype
Linotypiste	Linotypist
Liquide	Fluid, liquid
Lisser	To glaze, to gloss
Liste d'adresses	Mailing list
Liste de contrôles	Check list
Liste des dialogues (ciné, tv)	Cutting continuity
Liste des interprètes	Cast list
Liste de sous-titres	Subtitle cue sheet, spotting list
Lithographie	Lithography
Livraison	Delivery
Livre	Book
Livre de bandes dessinées	Comics book
Livret	Booklet
Local	Local, zonal
Localisation	Concentration, localization
Localisé	Concentrated, located
Localiser	To concentrate, to locate
Location (de film)	Booking
Location d'un ensemble de films	Block booking
Location sans projection préalable	Blind booking
Loge	Dressing-room
Logitiel (inf)	Software
Loi	Law, rule
Longévité	Long life
Long-métrage (film de)	Feature, feature film, full-length feature
Longitude	Longitude
Longue durée (disque, bande)	Long-playing
Longueur	Length
Longueur d'onde	Wave length
Longueur de tirage	Printing length
Loupe	Magnifying glass, magnifier
Lubrifiant	Lubricant
Lubrifier	To lubricate

Lueur	Glare, glow
Lueur anodique	Anode glow
Lueur cathodique	Cathode glow
Luisant	Shining, glossy
Lumen	Lumen
Lumière	Light
Lumière d'ambiance	Ambient light, flood light
Lumière d'appoint	Booster light, fill light
Lumière artificielle	Artificial light, tungsten light
Lumière de base	Key light
Lumière cohérente	Coherent light
Lumière concentrée	Spot light
Lumière diffuse	Broad light, diffused light, spread light
Lumière à incandescence	Incandescent light
Lumière incidente	Incident light
Lumière du jour	Daylight
Lumière modulée	Modulated light
Lumière noire	Black light
Lumière parasite	Flare, stray light
Lumière principale	Key light
Lumière réfléchie	Reflected light
Lumière secondaire	Side light
Lumière de sécurité	Safety light
Lumière stroboscopique	Strobe light
Lumière tamisée	Subdued light
Lumière de tirage (lab)	Printer light, printer step, printing light
Luminance	Luminance
Luminance de l'écran	Screen luminance
Luminescence	Glow, luminescence
Lumineux	Luminous, bright
Luminosité	Brightness, luminosity
Luminosité apparente	Apparent brightness
Luminosité de l'écran	Screen brightness
Luminosité de l'image	Brightness of image
Lustré	Brilliant, glossy
Lux	Lux (equivalent to 0.093 foot candle)
Luxmètre	Luxmeter

Machine	Engine, machine
Machine à bruiter (ciné, tv)	Sound effects machine
Machine à calculer	Calculator
Machine à calibrer (imp)	Gauge grinder
Machine à développer	Processing machine, processor
Machine à faire le vent	Wind machine
Machine à gommer (imp)	Gumming machine
Machine à plat (imp)	Flat-bed machine
Machine à piéter	Edge-numbering machine
Machine-outil	Machine-tool
Machiniste de plateau (ciné, tv)	Dolly man, grip, rigger, stage-hand
Macrocinématographie	Macrocinematography
Macrophotographie	Macrophotography
Magasin	Magazine
Magasin d'accessoires	Property room
Magasin à chargement rapide	Quick-change magazine
Magasin coaxial double	Double compartment magazine
Magasin débiteur	Feed magazine
Magasin plein-jour	Daylight magazine
Magasin récepteur	Take-up magazine
Magasin de stockage	Vault
Magazine	News feature program (tv), magazine program (tv), magazine (pres)
Magenta	Magenta

Magnétique	Magnetic
Magnétisant	Magnetizing
Magnétisation	Magnetization
Magnétisme	Magnetism
Magnétophone	Tape-recorder, sound recorder
Magnétophone à cassette	Cartridge recorder, cassette recorder
Magnétophone à cassette stéréo	Stereo cassette tape recorder
Magnétoscope	Videotape recorder, TV recorder, VTR
Magnétoscope à enregistrement hélicoïdal	Helical video recorder
Magnétoscope de lecture	Videotape reproducer
Magnétoscopie	Videotape recording
Magnétothèque	Tape library
Maille d'écran (tv)	Grid wire
Maillon	Link, chain link
Maintenir	To hold, to maintain
Maison de distribution	Distribution company
Maison de production	Production company
Maître imprimeur (imp)	Master printer
Maître-oscillateur	Master oscillator
Majuscule (imp)	Capital letter
Manchette (pres)	Headline
Manchon de chargement (ciné)	Changing bag
Manette	Handle, lever
Manette de contrôle	Control lever
Manipulateur	Manipulator, operator
Manipulation	Handling
Manipuler	To handle, to manipulate
Manivelle	Crank, handle
Manque de contraste	Lack of contrast
Manque de fixité	Unsteadiness, flutter
Manque de netteté	Lack of sharpness
Manuel	Manual
Manuscrit	Manuscript
Manutention	Handling
Maquette	Miniature, model, scale model
Maquette typographique	Type lay-out
Maquettiste	Lay-out artist

Maquillage	Make up
Marbre (pres)	Imposing stone, press-stone
Marché	Trade
Marche arrière	Back-drive, back-motion, backwards, reverse action
Marche arrière rapide	Quick reverse action
Marche avant	Forward action, forwards
Marche avant rapide	Quick forward action
Marge	Border, margin
Marquage de marge	Edge marking
Marque	Cue, mark
Marque de bande	Tape mark
Marque de démarrage	Motor cue
Marque de départ	Starting cue, start mark
Marque d'enregistrement	Recording mark
Marque de fabrication	Trade mark
Marque de fin de bobine	Change-over cue
Marque de repère	Cue mark
Marque de synchronisation (à la prise de vues)	Clapper mark
Marque de synchronisme	Sync marking
Marque terminale	End mark
Marqueur	Marker
Marqueur électronique (vid)	Light pen
Marron (ciné)	B&W dupe positive, master positive
Masquage	Masking
Masquage électronique (tv)	Electronic masking
Masque (ciné, tv)	Mask, matte
Masque chromatique	Colour masking
Masque correcteur	Printing filter
Massicot	Cutting machine
Mass-médias	Mass-media
Master (ciné)	Colour intermediate positive, interpositive
Matériel	Equipment, hardware (inf)
Matériel d'éclairage	Lighting equipment
Matériel d'enregistrement	Recording equipment
Matériel de prise de vues	Camera equipment
Matériel de reportage	Outdoor shooting equipment

Matière	Matter, material
Matrice	Matrix, master form, mould, mother
Matrice de tirage	Printing matrix
Maximum	Maximum
Média	Media
Média créateur	Creative media
Média électronique	Electronical media
Médiateur	Mediator
Médiathèque	Media library
Médium	Medium
Mélange	Mixing
Mélange des sons	Sound mixing
Mélanger	To mix
Mélangeur	Mixer
Mélangeur de son	Audio (or) sound mixer, mixing desk (or) console
Mélangeur transistorisé	Transistorized mixer
Mélangeur-truqueur (ciné, tv)	Special effects mixer
Mélangeur vidéo	Video mixer
Membrane	Membrane, diaphragm
Membrane de microphone	Microphone diaphragm
Mémoire (inf)	Storage, memory
Mémoire active	Active storage
Mémoire à bande magnétique	Magnetic tape storage
Mémoire effaçable	Erasable storage
Mémoire électrostatique	Electrostatic storage
Mémoire éphémère	Temporary storage, volatile storage
Mémoire magnétique	Magnetic storage
Mémoire permanente	Non-erasable storage, permanent storage
Mémoire de travail	Work storage
Mémoire universelle	General storage
Mémoriser	To store, to memorize
Meneur de jeu (tv)	Animator
Mère (disques)	Mother (record)
Message	Message
Message publicitaire	Spot, commercial
Méthode	Procedure, method

Méthode audio-visuelle	Audio-visual method
Métrage	Footage, length
Métrage inséré	Insertion footage
Métreuse	Film counter
Metteur en ondes (radio)	Program director
Metteur en pages (imp)	Book designer, clicker, layout man
Metteur en scène (ciné, tv)	Director
Mettre en circuit	To plug in, to put in, to switch on, to turn on
Mettre à l'échelle	To scale
Mettre en pages (imp)	To lay out
Mettre hors circuit	To plug out, to switch off, to turn off
Mettre hors fonction	To switch off
Mettre à jour	To update
Mettre au point	To focus, to tune up
Mettre en scène (ciné, tv)	To direct
Microcinématographie	Microcinematography
Microcopie	Microcopy
Microcravate	Lavalier mike, neck microphone
Microfiche	Microcard
Microfilm	Microfilm
Micro-médias	Micro-media
Micrométrique	Micrometric
Micro-onde	Microwave
Microphone, micro	Microphone, mike
Microphone antibruits	Anti-noise microphone
Microphone bidirectionnel	Bidirectional microphone
Microphone boutonnière	Lapel microphone
Microphone canon	Shot-gun microphone, ultra directional microphone
Microphone cardioïde	Cardioid microphone
Microphone au charbon	Carbon microphone
Microphone de contact	Contact microphone
Microphone à décharge	Glow-discharge microphone
Microphone directionnel	Directional microphone
Microphone double	Push-pull microphone
Microphone électromagnétique	Magnetic microphone
Microphone électrostatique	Capacitor microphone

Microphone-émetteur	Transmitting microphone
Microphone à haute fréquence	High-frequency microphone
Microphone incorporé	Built-in microphone
Microphone ommidirectionnel	Omnidirectional microphone
Microphone d'ordres	Instructions microphone
Microphone piézoélectrique	Crystal microphone
Microphone de proximité	Close-talking microphone
Microphone à réflecteur parabolique	Parabolic-reflector microphone
Microphone à ruban	Moving-conductor microphone
Microphone de table	Desk microphone
Microphone ultra-directionnel	Ultra-directional microphone
Microphotographie	Microphotography
Microsillon	Microgroove
Mi-gras (imp)	Bold face
Milieu	Medium, middle
Mille périodes (signal sonore)	Beep sync tone
Miniaturisé	Miniaturized
Minimum	Minimum
Minuscule (imp)	Minuscule
Minutage	Timing
Mire	Test chart, test pattern
Mire de définition	Definition chart, resolution chart
Mire électronique (tv)	Electronical test chart
Mire d'enregistrement couleur (tv)	Colour registration test pattern
Mire d'essai	Test chart, check chart
Mire de netteté	Definition chart
Miroir	Mirror
Miroir amovible	Interchangeable mirror
Miroir cannelé	Corrugated mirror
Miroir dichroïque	Dichroic mirror
Miroir elliptique	Elliptical mirror
Miroir à facettes	Facet mirror
Miroir froid	Cold mirror
Miroir rotatif	Rotating mirror
Miroir tournant	Rotary mirror
Miroitement	Glare
Mise en circuit	Switching-in, switching-on

Mise hors circuit	Switching-off
Mise en marche (d'un moteur)	Starting (of a motor)
Mise en pages (imp)	Book designing, lay-out, ma-king-up
Mise en page musicale (radio)	Music programming
Mise en phase	Phase control
Mise en place	Threading (film), tracking (tape)
Mise au point	Focusing, in focus ; tuning-up
Mise au point sur dépoli	Through-the-lens focusing
Mise au point à l'infini	Focus on infinity
Mise au point nette	Sharp focus
Mise au point préalable	Prefocusing
Mise au point précise	Fine focus
Mise en scène (ciné, tv)	Direction
Mise en séquence	Sequencing
Mise en service	Power on
Mise sous presse (imp)	Dry pressing
Mise à la terre	Grounding
Mixage (ciné, tv)	Mixing
Mixage son	Sound mixing
Mixage de pistes multiples	Multi-track mixing
Mixer	To mix
Mixeur	Mixer
Modalité	Method
Modèle	Pattern
Modèle réduit	Scale model
Modification	Alteration
Modifier	To alter, to modify
Modulaire	Modular
Modulateur	RF adapter, coder, modulator
Modulateur démodulateur	Modulator demodulator
Modulateur de lumière	Light modulator, light valve
Modulateur de tonalité	Tone modulator
Modulation	Modulation
Modulation d'amplitude	Amplitude modulation, A.M.
Modulation par la cathode	Cathode modulation
Modulation double	Dual modulation
Modulation de fréquence	Frequency modulation, F.M.
Modulation négative	Negative-light modulation

Modulation de plaque	Plate modulation
Modulation positive	Positive light modulation
Modulation transversale	Cross modulation
Modulation de vitesse	Velocity modulation
Module	Module, modulus
Module de commande (tv)	Control deck
Module de connexion	Connection unit
Moduler	To modulate
Modulomètre	Modulometer
Moirage	Moiré
Moniteur	Monitor
Moniteur de caméra	Camera monitor
Moniteur de contrôle	Control monitor
Moniteur de forme d'onde	Wave form monitor
Moniteur d'image	Picture monitor
Moniteur d'image vidéo	Video monitor
Moniteur principal	Master monitor
Moniteur de sortie	Output monitor
Monochromatique	Monochromatic
Monochrome	Monochrome
Monocristal	Single crystal
Monopack	Monopack, single-layer film
Monophasé	Monophase, one-phase, single phase
Monophonie (son)	Monophony
Monopole	Exclusivity, monopoly
Montage (ciné, tv)	Assembly, editing, cutting (film) ; mounting (photo)
Montage à la prise de vues (tv)	Direct camera editing
Montage alterné	Alternating editing
Montage audio-visuel	Slide editing
Montage sur cadre	Frame mounting
Montage en continuité	Rough cut
Montage par contraste	Cross cutting
Montage définitif	Final cut
Montage de diapositives	Transparency mounting
Montage électronique (tv)	Electronic editing
Montage fin	Fine cut
Montage de l'image	Picture editing
Montage multi-écrans	Multi-image show

Montage négatif	Negative assembly, negative cutting
Montage rapide	Jump cutting
Montage serré	Tight editing
Montage du son	Sound editing
Montage synchrone	Sync editing
Monter (un film)	To assemble, to cut, to edit
Monter (une installation)	To set-up, to mount, to wire (elec)
Monteur (ciné, tv)	Assembler, cutter, film editor
Monture	Holder, mount
Monture à baïonnette	Bayonet mount
Monture d'objectif	Lens mount
Monture standard	Standard mount
Monture universelle	Universal mount
Mot	Word
Mot clef	Keyword, catchword
« Moteur ! » (ciné, tv)	« Camera ! »
Moteur	Motor
Moteur auto-régulé	Governor-controlled motor
Moteur sur batterie	Battery-powered motor
Moteur électrique	Electrical motor
Moteur à induction	Induction motor
Moteur non synchrone	Wild motor
Moteur à ressort	Spring motor
Moteur synchrone	Synchronous motor
Mouvement vissé (dans le sens de rotation des aiguilles d'une montre)	Clockwise movement
Mouvement dévissé (contre le sens de rotation des aiguilles d'une montre)	Counter clockwise movement
Mouvement accéléré	Quick motion
Mouvement d'appareil horizontal (ciné, tv)	Panning, pan
Mouvement d'appareil vertical (ciné, tv)	Tilting, tilt
Mouvement continu	Continuous movement
Mouvement intermittent	Intermittent movement
Moyen	Means

Moyenne fréquence	Intermediate frequency
Moyens audio-visuels	Audio-visual aids
Moyens auditifs	Sound media
Moyens de communication de masse	Mass-media
Moyens visuels	Visual media
Muet	Silent
Multibroche (prise)	Multi-pin (connector)
Multidiffusion	Multi-diffusion
Multi-écrans (spectacle)	Multi-image show
Multi-images (projection)	Split-screen (projection)
Multi-médias	Multi-media .
Multipiste	Multi-track
Multiplex	Multi-channel, multiplex
Multiplexeur	Multiplexer
Multiplexeur d'image	Slide (or) film scanner
Multiplicateur	Factor, multiplier
Multiplicateur de focale	Tele-converter lens
Multiplicateur de fréquence	Harmonic conversion transducer
Multiplier	To multiply
Mur d'images	Multi-image show
Mur mobile	Wild wall
Mur du son	Sound barrier
Murmure	Chatter
Musical	Musical, tonal
Musique de film	Film music, score
Musique de fond	Background music
Musique préenregistrée	Library music, stock music, pre-recorded music
Musique préfabriquée	Canned music
Musique scénique	Incidental music

Narrateur	Narrator
Négatif	Negative
Négatif (combiné) image et son	Combined negative
Négatif contretype	Dupe negative
Négatif contretype combiné image et son	Composite dupe negative
Négatif contretype image	Picture dupe negative
Négatif contretype pour tirage série	Picture release dupe negative
Négatif couleur	Colour negative
Négatif déposé	Deposited negative
Négatif du générique	Title negative
Négatif image	Picture negative
Négatif original	Original negative
Négatif original image	Original picture negative
Négatif original son	Original sound negative
Négatif à piste couchée	Pre-striped stock
Négatif de sélection	Separation negative
Négatif son	Sound negative
Négatif titre	Title negative
Négatif tramé (imp)	Screened negative
Négatoscope	Negative light box
Net	Sharp
Netteté	Sharpness, clearness
Netteté maximale	Absolute sharpness
Netteté phonique	Intelligibility, voice articulation

Nettoyage	Cleaning
Neutraliser	To neutralize
Neutre	Neutral
Niveau	Level
Niveau de bruit	Noise level
Niveau à bulle	Water level
Niveau d'entrée	Input level
Niveau de lumière	Light level
Niveau moyen d'éclairement	Normal key
Niveau moyen d'image (tv)	Average picture level
Niveau noir (tv)	Reference black level
Niveau de parole	Talking level
Niveau de signal visuel	Visual signal level
Niveau sonore	Sound level, volume level
Niveau de suppression (tv)	Blanking level
Niveau de synchronisation	Sync level
Niveau de tension	Voltage level
Niveau vidéo	Video level
Noir	Black
Noir absolu	Dead black
Noircir	To darken, to blacken
Noircissement	Blackening
Noir et blanc	Black and white, B & W
Nombre	Figure, number
Nombre d'images (ciné)	Number of frames
Non-connecté	Off-line
Non-directionnel	Non-directional
Non-perforé	Unperforated
Non-synchrone	Wild
Normal	Normal, regular, standard
Normalisation	Standardization
Normaliser	To standardize
Norme	Standard
Normes accordées	Matching standards
Normes internationales	International standards
Note	Note, tone
Notice de dépouillement	Analytical entry
Nouvelle-éclair (tv, radio)	Flash
Nouvelles	News
Noyau	Core

Noyau de commutation	Switching core
Noyau magnétique	Magnetic core
Noyau récepteur expansible	Collapsible take-up core
Nuance	Shade
Nuit américaine (ciné, tv)	Day-for-night shooting
Numéral	Digital, numeral
Numération de bord (ciné)	Edge numbering, edge coding
Numérique	Numerical, digital
Numéro	Digit, number
Numéro de boîte de film	Can number
Numéro de bord (ciné)	Edge number
Numéro de la claquette (ciné, tv)	Slate number
Numéro d'émulsion (ciné)	Emulsion number
Numéro de fabrication	Batch number
Numéro d'ordre (ciné, tv)	Sequence number
Numéro de plan (ciné, tv)	Shot number
Numéroteur	Numbering machine

Objectif (photo, ciné, tv)	Lens
Objectif achromatique	Achromatic lens
Objectif pour adoucir	Soft-focus lens
Objectif pour agrandissement	Enlarging lens
Objectif anamorphoseur	Anamorphic lens
Objectif anastigmatique	Anastigmat lens
Objectif apochromatique	Apochromatic lens
Objectif asphérique	Aspherical lens
Objectif astigmatique	Astigmatic lens
Objectif asymétrique	Asymetrical lens
Objectif à courte focale	Short focus lens
Objectif cylindrique	Cylindrical lens
Objectif à focale fixe	Fixed-focus lens
Objectif à focale variable	Variable-focus lens, zoom lens
Objectif grand angulaire	Wide-angle lens
Objectif à grande ouverture	Fast lens
Objectif à immersion	Immersion lens
Objectif de longue focale	Long focal length lens
Objectif à mise au point très rapprochée	Macro-lens
Objectif normal	Standard lens
Objectif périscopique	Periscopic lens
Objectif petit angulaire	Narrow-angle lens
Objectif de prise de vues	Shooting lens, taking lens
Objectif de projection	Projection lens
Objectif sphérique	Spherical lens

Objectif télescopique	Telescopic lens
Objectif traité	Coated lens, bloomed lens
Objectif très grand angulaire	Fish eye
Objet	Item, object
Obliquité	(Tape) skew
Obscur	Dark, obscure
Obscurcir	To darken
Observation	Observation
Obturateur	Shutter
Obturateur alternatif	Alternating shutter
Obturateur automatique	Automatic shutter
Obturateur à barillet	Drum shutter
Obturateur central	Between-the-lens shutter
Obturateur à disque	Disk shutter
Obturateur pour fondu	Dissolving shutter
Obturateur à ouverture variable	Variable aperture shutter
Obturateur à pales	Blade shutter
Obturateur reflex à miroir	Mirror reflex shutter
Obturateur à rideau	Focal plane shutter
Obturateur à secteur	Rotary shutter
Obturateur variable	Variable shutter
Œil magique	Tuning indicator
Œillet métallique	Eyelet
Œilleton	Eye-piece
Œilleton de viseur	Eye cup
Œuvre d'art	Work of art
Offset (imp)	Chemical printing, offset printing
Ombre	Shade, shadow
Ombré	Shaded
Onde	Wave
Onde acoustique	Audio wave
Onde d'amateur	Amateur wavelength
Onde d'appel	Calling wave
Onde centimétrique (1 à 10 cm)	Super-high frequency (3 to 30 GHz)
Onde commune	Common frequency, shared channel

123   **Ond**

Onde courte	Short wave
Onde décamétrique	Short wave (3 to 30 MHz)
(10 à 100 m)	
Onde décimétrique	Ultra-high frequency
(1 à 100 cm)	(300 MHz-3 GHz)
Onde déviée	Diffracted wave
Onde directe	Direct wave
Onde dirigée	Beam transmission
Onde électromagnétique	Electromagnetic wave
Onde hectométrique	Medium wave
(100m-1km)	(300 KHz-3 MHz)
Onde hertzienne	Electric wave, hertzian wave
Onde kilométrique	Low frequency (30-300 kHz)
(1-10 km)	
Onde libre	Free wave
Onde locale	Local channel
Onde longitudinale	Longitudinal wave
Onde longue	Low frequency wave, long wave
Onde lumineuse	Light wave
Onde métrique	Very-high frequency
(1 à 10 m)	(30 to 300 MHz)
Onde millimétrique	Extremely-high frequency
(1 à 10 mm)	(30 to 300 GHz)
Onde modulante	Modulating wave
Onde de modulation	Modulation wave
Onde moyenne	Medium wave
Onde myriamétrique	Very low frequency (3-30 kHz)
(10-100 km)	
Onde pilote	Pilot wave
Onde porteuse	Carrier wave, frequency carrier
Onde de réponse	Answering wave
Onde sonore	Sound wave
Onde sous-porteuse couleur	Colour subcarrier
Onde ultra-courte	Microwave, ultra-short wave
Onde vidéo	Video wave
Ondemètre	Ondometer, wavemeter
Ondulation	Waviness
Ondulatoire	Undulatory, wavy
Ondulé (carton)	Corrugated (board)

Opacité	Opacity
Opaque	Opaque
Opérateur d'actualités (ciné, tv)	Newsreel cameraman
Opérateur de prises de vues	Cameraman, operating cameraman, camera operator
Opérateur de prises de vues (chef)	Lighting cameraman
Opérateur-projectionniste	Projectionist
Opérateur-réalisateur	Director-cameraman
Opération	Operation
Opération fondamentale	Basic operation
Opération répétitive	Repetitive operation
Opération simultanée	Simultaneous operation
Opération à tâches multiples	Multitask operation
Opposé, en opposition	Opposed
Optique (système)	Lens
Optique (adj)	Optical
Optique principale	Main lens
Orchestre	Band, orchestra
Ordinateur	Computer
Ordinateur-moniteur	Processor-controller
Ordinateur spécialisé	Special purpose computer
Oreille de réglage d'ouverture d'objectif	Diaphragm adjustment grip
Organe	Component, unit
Organe central	Central unit, main unit
Organe de commande	Control unit
Organe moteur	Power unit
Organe de réglage	Control element
Organigramme	Operational chart
Organisation de distribution (ciné)	Distribution organization, rental organization
Original	Original
Origine	Origin
Orthochromatique	Orthochromatic
Oscillateur	Oscillator, exciter
Oscillateur de commande par quartz	Crystal control oscillator
Oscillateur à cristal	Crystal oscillator
Oscillateur à déphasage	Phase-shift oscillator

Oscillateur à fréquence variable	Variable frequency oscillator
Oscillation	Cycle undulation, oscillation, vibration
Oscillation de tension	Voltage oscillation
Oscillatoire	Oscillating, oscillatory, vibrating
Oscillogramme	Cathode-ray trace
Oscillographe à rayons cathodiques	Cathode-ray oscillograph, curve tracer
Oscillographie	Oscillography
Oscilloscope	Oscilloscope
Outil	Tool
Outillage	Equipment, tool kit
Ouvert	Open
Ouverture	Aperture, opening
Ouverture de diaphragme (photo, ciné)	Lens aperture, lens stop, f-stop, T-stop
Ouverture en fondu	Fade-in
Ouverture géométrique	F-stop
Ouverture en iris	Circle-in, iris-in
Ouverture nominale	Nominal aperture
Ouverture d'objectif	Lens opening
Ouverture d'obturateur	Shutter opening
Ouverture photométrique	Effective aperture, T-stop
Ouverture relative	Angular aperture, aperture ratio
Ouvreuse (ciné)	Usherette
Ouvrir	To open, to unlock

Page	Page
Pagination (imp)	Numbering, paging
Pagineuse (imp)	Numbering machine
Pair	Even
Pairage (tv)	Pairing
Pale	Blade
Pale d'obturateur	Shutter blade
Pale de scintillement	Anti-flicker blade
Palier	Porch, plateau
Palier avant	Front porch
Palmarès	List of awards (ciné)
Palpeur optique	Optical feeler
Panchromatique	Panchromatic
Panel	Panel
Panier (pour diapositives)	Slide-magazine
Panne	Breakdown, disturbance
Panne de courant	Power failure
Panne d'image	Picture failure
Panne de son	Sound failure
Panneau	Board, panel
Panneau absorbeur	Baffle board
Panneau acoustique	Acoustic panel
Panneau de commande	Switchboard
Panneau de contrôle	Test board
Panneau de mixage vidéo	Video mixer
Panneau mobile	Wild wall

Panneau de projecteur	Lamp rack
Panneau-réflecteur	Reflecting screen, fill-in screen
Panoramique (ciné, tv)	Pan (horizontal), tilt (vertical)
Panoramique rapide, filé	Swish pan, whip pan, zip pan
Panoramiquer	To pan, to tilt
Pano-travelling	Travelling-and-pan shot
Pantographe	Pantograph
Papier	Paper
Papier brillant	Glossy paper
Papier buvard	Blotting paper
Papier couché	Coated paper
Papier gaufré	Embossed paper
Papier glacé	Glazed paper
Papier grainé	Grained paper
Papier hélio	Gravure paper
Papier d'impression	Printing paper
Papier journal	Newsprint
Papier mâché	Mashed paper
Papier mat	Dull finish paper, mat paper
Papier ondulé	Corrugated paper
Papier satiné	Semi-glazed paper
Papier de verre	Sand paper
Papillotement	Flickering
Papillotement auditif	Aural flutter
Papillotement chromatique	Chromatic flicker
Papillotement des couleurs	Colour flickering
Paragraphe	Paragraph, section mark
Parallaxe	Parallax
Parallaxe de visée	Viewfinder parallax
Parallèle	Parallel
Paramètre	Network constant, parameter
Paramètre prédéterminé	Pre-set parameter
Parasites (son)	Disturbance, interference
Parasoleil	Camera hood, lens hood, sun shade
Parasoleil porte-filtre à soufflet	Matte box with bellows
Paratonnerre	Lightning conductor
Parcours	Path, routing (press)
Parcours d'antenne	Antenna run
Part	Part, share

Paroi	Baffle, wall
Paroi mobile	Float, wild wall
Partage de temps (inf)	Time-sharing
Partager	Share
Particule de lumière	Light particle, photon
Partie	Part, segment
Parution (pres, édit)	Publication
Pas de perforation	Perforation pitch
Passage (d'un projecteur à l'autre)	Changeover
Passage (d'un film)	Showing, screening, run
Passage à l'antenne (tv)	Broadcasting, on-air
Passage direct (à)	Once-through
Passage au flou	Defocusing
Passage reversible	Bidirectional flow
Passage à vide	Drop out
Passe	Pass, run
Passe-bande	Band-pass
Passe d'essai	Test run
Passe-vues (diap)	Slide-changer
Passe volante	Cross-over
Passerelle	Catwalk
Pâte	Paste
Pâte magnétique	Magnetic coating
Patronné	Sponsored
Pelliculage (ciné)	Emulsion stripping-off
Pellicule	Film
Pellicule acétate	Acetate film, non-flam film
Pellicule cinématographique	Motion picture film
Pellicule couleur	Colour film
Pellicule à double-perforation	Double perforation stock
Pellicule format réduit	Substandard film
Pellicule format standard	Standard film
Pellicule grain fin vierge	Fine-grain raw stock
Pellicule inversible vierge	Reversal raw stock
Pellicule négative son	Sound negative stock
Pellicule négative vierge	Negative raw stock
Pellicule nitrate	Flam film, nitrate film
Pellicule à perforation .unique	Single-perforation stock
Pellicule positive vierge	Positive raw stock

Pellicule de sécurité	Safety film
Pellicule vierge	Raw stock
Pellicule vierge à piste couchée	Pre-striped raw stock
Pénombre	Half-shadow
Perception	Perception
Perche	Boom, pole
Perchiste, perchman (ciné, tv)	Boom-operator
Père (disque)	Master (record)
Perforation	Perforation, sprocket-hole
Perforation d'un seul côté	Single perforation
Perforation des deux côtés	Double perforation
Perforé	Perforated, punched
Perforer	To punch
Perforeuse	Perforating machine, perforator
Performance	Performance
Période	Period, cycle
Période de pointe (tv)	Prime time, peak time
Périodique	Periodical ; periodic, recurrent
Périodique illustré (pres)	Magazine
Périscope	Periscope
Permanent (cinéma)	Continuous performance
Permanence	Permanence, steadiness
Permis	Authorization, licence, permit
Persistance rétinienne	Persistence of vision
Personnage (ciné, tv)	Character
Personnel	Crew, personnel, staff
Personnel technique	Technical staff
Perspective	Perspective
Perspective sonore	Audio perspective
Perte	Loss, thread-up waste (lab)
Perte par divergence	Divergence loss
Perte par frottement	Friction loss
Perte à la lecture	Playback loss
Perte de lumière	Light loss
Perte de niveau	Drop-out
Perte de sensibilité	Sensibility decrease
Perturbation	Disturbance, interference, perturbation
Petit chariot (ciné)	Crab dolly

Phase	Phase
Phase d'exploration (tv)	Scan period
Phase de mouvement	Feed stroke
Phase d'obturation (ciné)	Dark period
Phonique	Acoustic, phonic
Phonocapteur	Pick-up
Phonographe	Record player, phonograph
Phonomètre	Phonometer
Phonothèque	Record library
Phosphorescence	Afterglow, phosphorescence
Photocomposition (imp)	Photocomposition
Photocopie	Photocopy
Photocopieur	Photo-copying machine
Photo-diode	Photo-diode
Photoélectrique	Photoelectric
Photoélectricité	Photoelectricity
Photoflood	Photoflood lamp
Photogénique	Photogenic
Photogramme	Frame, picture frame, photogram
Photographe	Photographer, stills man
Photographe de presse	Press photographer
Photographie	Photography, still
Photographie aérienne	Aerial photography
Photographie publicitaire	Publicity still
Photographie en relief	Three-dimensional photography (3-D)
Photograveur (imp)	Block maker, photo-engraver
Photogravure (imp)	Photo-engraving, block making
Photolecture	Mark scanning
Photomacrographie	Macrophotography
Photomagnétique	Photomagnetic
Photomètre	Light meter, photometer
Photométrie	Photometry
Photomicrographie	Microphotography
Photo-montage	Photo montage
Photo multiplicateur	Photo multiplier
Photo de plateau (ciné, tv)	Still
Photo de production	Production still
Photon	Photon

Photo-sensible	Light-sensitive, photosensitive
Photo-sensitomètre	Photo-sensitometer
Photo-stoppeur	Street photographer
Photothèque	Photographic library
Phototype	Phototype, photographic picture
Phrase de commentaire	Line (of commentary)
Phrase de conclusion	Punch line
Pick-up	Record-player, pick-up, phono-reproducer
Pick-up acoustique	Sound box
Pick-up électrodynamique	Dynamic pick-up
Pick-up électromagnétique	Magnetic pick-up
Pick-up électrostatique	Capacitor pick-up
Pick-up piézoélectrique	Crystal pick-up
Pièce	Piece
Pièce d'arrêt	Stopper
Pièce détachée	Component, part
Pièce de rechange	Spare part
Pied	Foot (0,348 m)
Pied bas de caméra	Baby tripod
Pied de caméra	Tripod
Pied hydraulique	Hydraulic tripod
Pied à manivelle	Crank-up stand
Pied de page (pres)	Down page
Pied de projecteur	Stand
Pied télescopique	Wind-up stand
Pied très bas pour caméra	High-hat
Piétage	Edge numbering, footage numbers
Pigiste	Free lance, stringer (press)
Pigment	Pigment
Pignon	Driving gear
Pignon de moteur	Motor pinion
Pignon de transfert	Transfer gear
Pile (élect)	Battery, cell
Pile sèche	Dry cell
Pilotage de synchronisme	Sync pulse
Piloté	Controlled, driven, monitored

Piloté par quartz	Crystal sync, crystal-controlled, crystal driven
Piloter	To control, to drive, to monitor
Pince	Clamp, gripper
Pince crocodile	Alligator-clamp
Pince à lampe	Basher
Pinceau électronique (vid)	Electronic brush
Pistage	Striping
Pistage magnétique	Magnetic striping
Piste	Track
Piste d'asservissement	Control track, servo-track
Piste de compensation	Balance stripe
Piste de contrôle	Control track
Piste couchée (à)	Single system
Piste d'effets sonores (ciné)	Effects track
Piste de guidage	Guide track
Piste de lecture	Reading track
Piste magnétique	Magnetic track
Piste magnétique pré-couchée	Pre-striped magnetic track
Piste d'ordres	Instruction track
Piste pilote	Cue track, control track
Piste pleine	Full track
Piste principale	Primary track
Piste de silence	Silent track
Piste simple	Single track
Piste de son optique	Optical sound track
Piste sonore	Sound track
Piste sonore asynchrone	Wild track
Piste sonore à densité variable	Variable density sound track
Piste sonore à densité fixe	Variable area sound track
Piste sonore double	Bilateral-area track
Piste sonore internationale	Music-and-effects track (M. and E. track)
Piste sonore modulée	Modulated track
Piste vibratoire (film d'essai)	Buzz track (test film)
Piste vidéo	Video track
Pivoter	To swivel
Placard (pub)	Advertisement, ad
Placement	Placement

Placer	To set, to lay out
Plage blanche	Blank band
Plage de gris	Achromatic colour
Plage lumineuse	Highlight
Plage de profondeur de champ	Depth of field range
Plan (ciné, tv)	Shot
Plan américain	Medium close shot, two-shot
Plan d'archives	Library shot, stock shot
Plan-cache	Matte shot
Plan cassé	Angle shot
Plan en contre-plongée	Low-angle shot
Plan de coupe	Cut-away shot
Plan demi-général	Medium long shot
Plan de détail (mont)	Insert
Plan d'éclairage	Lighting scheme
Plan éloigné	Distance shot
Plan d'ensemble	Long shot, master shot
Plan d'essai	Test shot
Plan-film (photo)	Film pack
Plan focal	Focal plane
Plan général	Long shot
Plan de girafe	Boom shot
Plan en mouvement	Dolly shot, tracking shot, follow shot, travelling shot
Plan moyen	Medium shot
Plan paquet (pub)	Pack shot
Plan en plongée	High angle shot
Plan principal	Main shot, master shot
Plan de production	Production schedule
Plan de protection	Cover shot
Plan de raccord	Continuity shot, insert
Plan rapproché	Close shot
Plan refait	Retake
Plan de sécurité	Cover shot
Plan serré	Tight shot
Plan séquence	Sequence-length shot
Plan de situation	Establishing shot
Plan de tournage	Shooting schedule
Plan de travail	Production schedule
Planche de contact	Contact print

Planification	Planning
Planter un décor	To fix the set, to set
Plaque	Plate
Plaque collectrice (tv)	Collector plate
Plaque de condensateur	Capacitor plate
Plaque de couloir	Pressure plate
Plaque de montage	Mounting plate
Plaque photographique	Photographic plate
Plaque photographique pour transparence	Background plate
Plaque photosensible	Photosensitive plate
Plaque de refroidissement	Cooling plate
Plaque tournante	Turntable
Plaquette	Booklet, pamphlet
Plateau	Stage, set, floor
Plateau (disque)	Turntable
Plateau d'enregistrement	Tape-deck, dubbing stage
Plateau de studio	Live stage
Plate-forme de caméra	Top hat
Plate-forme à panoramique horizontal et vertical	Pan-and-tilt head
Platine	Dubber, mounting plate, plate, platin, tape deck, turntable
Platine automatique	Automatic turntable
Platine-cassette	Cassette tape-deck
Platine d'enregistrement	Recording tape-deck
Platine d'enroulement	Rewinding turntable, winding panel
Platine de fenêtre	Aperture plate
Platine manuelle	Manual turntable
Platine d'objectif	Camera front
Platine à régulation électronique	Electronical regulated turntable
Platine tourne-disques	Record turntable
Plein cadre (ciné, tv)	Full frame
Pleine piste (magnétique)	Full track (magnetic)
Pleurage (son)	Flutter, wow
Pli	Fold
Pliage	Folding
Plieuse (imp)	Folding machine

Pliure	Bend
Plomb (fusible)	Fuse
Plongée (ciné, tv)	High angle shot, tilt down
Plop (au son)	Bloop
Poignée	Grip, handle
Poinçon	Punch
Poinçonneuse	Puncher
Point (faire le) (ciné, photo, tv)	Focusing, to focus
Point d'appui	Bearing (or) pressure point
Point de captage éloigné	Remote pick-up point
Point de contrôle	Check point
Point de coupure	Break point, cut-off point
Point de départ	Starting point
Point flottant	Floating point
Point focal	Focus
Point mort	Dead spot, home position
Point par point	Stage-by-stage, step-by-step
Point de référence	Reference point
Point de repère	Checkpoint
Point de rupture	Cut-off point
Point de trame (tv)	Dot
Point de visée	Viewing point
Pointeur	Focusing operator
Pointu	Sharp
Polarisation	Polarization
Polarisation (magnétique)	Bias (magnetic)
Polarisation en courant alternatif	Magnetic biasing
Polarisé	Polarized
Polarité	Polarity
Poli	Polished
Polissage de copie	Print polishing
Polychromatique	Polychromatic
Polychrome	Polychrome
Polychromie	Polychromy
Polycopiste	Hectograph
Polyester	Polyester
Polyphonie (son)	Polyphony
Polyvision	Polyvision
Pompage	Breathing

Pont roulant	Overhead crane
Portant de projecteurs (ciné)	Bank of lights
Portatif	Mobile, portable
Porte	Gate
Porte-caches (ciné)	Matte box
Porte-film	Film-holder, film-rack, rack
Porte-filtre	Filter holder
Porte-fusible	Fuse holder
Porte-gélatine	Filter-frame
Portée	Range, span
Porteuse	Carrier
Porteuse son	Sound carrier
Porteuse vidéo	Image carrier, video carrier
Pose (photo)	Exposure, time-shot, time exposure
Pose de câble	Cable laying
Pose de fils (mont)	Papering
Pose image-par-image	Single frame exposure
Posemètre	Exposure meter, light meter
Poser un écran (proj)	Lacing a screen
Positif	Positive
Positif combiné image et son (ciné)	Composite print, combined print, married print
Positif contretype (ciné)	Dupe positive
Positif couleur (ciné)	Colour print
Positif double bande	Unmarried print
Positif image	Picture print
Positif intermédiaire	Intermediate positive, interpositive, fine grain master
Positif inversible	Reversal positive
Positif (lavande) pour contre-type	Duping print, lavender print
Positif intermédiaire pour trucage	Fine grain for opticals (or) for duping
Positif rayé	Scratch print
Positif de sélection	Separation positive
Positif son (ciné)	Sound positive
Positif son seul (ciné)	Sound print
Positif tramé (imp)	Screened positive

Position « attente »	Stand-by position
Position de caméra	Camera set-up
Positionnement de visée	Viewing position
Poste d'animation	Animation stand
Poste d'écoute	Listening station
Poste émetteur	Transmitter
Poste intermédiaire	Way station
Poste récepteur	Radio, receiving set
Poste de télévision	Television set, TV set, TV receiver
Poste terminal	Terminal unit
Post-enquête (pub)	Post-testing
Postlumination	Post-exposure, flashing
Post-sonorisation (ciné)	Post-scoring
Post-synchronisation	Post-sync
Potentiel (élect)	Available voltage
Potentiomètre	Potentiometer, fader, « pot »
Potentiomètre rotatif	Rotary potentiometer
Pouce	Inch
Pourcentage de perte	Waste percentage
Poussée	Thrust
Poussée d'antenne	Antenna thrust
Pouvoir	Capacity, power
Pouvoir résolvant (photo)	Resolving power
Pouvoir séparateur (opt)	Resolving power
Praticable	Parallels (U.S.), rostrum (G.B.)
Préaccentuation	Pre-emphasis
Préamplificateur	Booster amplifier, preamplifier
Préamplification	Preamplification, pre-emphasis
Précensure	Pre-censorship
Précision	Accuracy, precision
Prédoublage (ciné)	Pre-dubbing
Préenquête (pub)	Pre-testing
Préenregistré	Play-back, prerecorded
Prélecture	Pre-reading
Prélumination	Flashing, pre-exposure
Prémélange	Pre-mixing
Premier montage (ciné, tv)	Rough cut
Premier plan	Foreground

Premier positif image (ciné)	Picture daily print
Premier rôle	Lead (actor), leading part
Premier tour de manivelle (ciné, tv)	First shooting day
Première	First screening, premiere
Première copie standard (copie zéro) (ciné)	First release print, first trial composite print
Première diffusion (tv)	First showing
Première mondiale	World premiere
Première projection (ciné)	First showing
Prémonté	Pre-edited
Preneur de son	Boom operator
Préparation des bandes à mixer (mont)	Track laying
Préparation électronique (mont)	Electronic editing
Prépositionnement	Presetting, pre-adjustment
Pré-réglage	Presetting
Présélection de diaphragme	Diaphragm presetting
Présentateur (tv, radio)	Announcer, host, speaker
Présentation (ciné)	Performance, screening, showing
Présentation corporative (ciné)	Trade show
Présentation officielle	Official presentation
Présentation privée	Private screening
Président du débat (tv)	Discussion leader, moderator
Présonorisation musicale	Playback, pre-scoring
Pressage (imp)	Moulding
Presse	Press, pressing-machine
Presse à coller	Splicer
Presse couleurs (imp)	Colour press
Presse écrite (pres)	Written press
Presse filmée (tv)	Newsreels, tv news
Presse parlée (radio)	Oral press
Presse professionnelle	Trade press
Presse à sensation	Yellow press
Presseur	Pressure plate, tension roller
Presseur intermittent	Intermittent shoe
Pression sonore	Sound pressure
Preuve	Proof
Prévision	Forecast, schedule

Primaire	Primary
Principal	Main, major
Prise (ciné, tv)	Shot, take
Prise (élect)	Connector, plug, outlet, socket
Prise d'écouteur	Earphone plug
Prise de haut-parleur	Loudspeaker plug
Prise multiple	Multi-plug
Prise pick-up	Record player connector
Prise de son	Sound recording
Prise de son asynchrone	Wild take
Prise de terre	Earth system, ground connection
Prise de vues (une) (cf. plan) (ciné, tv)	A shot, a take
Prise de vues (prendre une)	Filming, shooting
Prise de vues en accéléré	Fast motion shooting, under-cranking
Prise de vues aériennes	Aerial shooting
Prise de vues avec cache	Mask shot, mask shooting
Prise de vues à deux personnages	A two-shot
Prise de vues à distance	Long shot
Prise de vues en extérieur	Location shooting, exterior filming, an exterior shot
Prise de vues avec film inversible	Direct positive shooting
Prise de vues sur grue	Crane shot
Prise de vues à haute fréquence	High-speed cinematography
Prise de vues image par image	Stop-motion (or) time lapse cinematography, frame-by-frame exposure
Prise de vues en intérieur	Interior shot, interior filming
Prise de vues sur maquette	Miniature shot
Prise de vues en mouvement	Dolly shot, follow shot, tracking shot, travelling shot
Prise de vues en nuit américaine	Day-for-night shooting
Prise de vues panoramique	Pan shot
Prise de vues en panoramique diagonal	Pan-and-tilt shot

Prise de vues au ralenti	Slow motion shooting
Prise de vues en son direct	Live shooting, a sound take
Prise de vues sonore sur piste couchée synchrone	Single system sound shooting
Prise de vues sonore synchrone en double bande	Double system sound shooting
Prise de vues sous-marine	Underwater shooting
Prise de vues en studio	Studio shooting, a studio shot
Prise de vue synchrone (sans câble de liaison)	(Cableless) sync sound shooting, crystal sync shooting
Prise de vues à temps échelonné	Time shot, time lapse shooting
Prise de vues en travelling	Dolly shot, follow shot, tracking shot, travelling shot
Prise de vues par transparence	Process shot
Prise de vues en zoom vers gros plan	Zoom in
Prise de vues en zoom vers plan général	Zoom out
Prisme	Prism
Prix	Cost, price
Prix d'entrée	Admission fee
Problème	Problem
Procédé	Method, procedure, process
Procédé de cinéma en couleurs	Colour film system
Procédé de couleurs par synthèse additive	Additive colour process
Procédé de couleurs par synthèse soustractive	Subtractive colour processs
Procédé fond bleu	Blue-screen process
Procédé inversible	Reversal process
Procédé négatif-positif	Negative-positive process, reversal process
Procédé sonore	Sound system
Procédé stéréoscopique	Three-dimensional system, stereoscopic system
Procédé de tirage	Printing process
Procédé trichrome	Three-colour process
Processeur	Processor
Producteur	Producer
Producteur délégué	Associate producer

Production	Production, output
Produire	To produce
Produit	Product
Produit final	End product
Professionnel	Professional
Profondeur	Depth
Profondeur de champ	Depth of field
Profondeur de foyer	Depth of focus, focal depth
Programmateur (inf)	Programmer
Programmation	Programming, planning
Programmation avant vision (ciné)	Blind booking
Programmation de canaux (tv)	Channel scheduling
Programme	Program, schedule
Programme de divertissement	Entertainment program
Programme enregistré	Recorded program, stored program
Programme d'essai	Test program
Programme local	Local program
Programme de perforation (inf)	Punch program
Programme régional	Regional program
Programme pré-enregistré	Recorded program
Programme scolaire	Curriculum
Programme des supports (pub)	Media-planning
Programme de télévision	Telecast
Programme de tournage (ciné)	Shooting schedule
Programmer	To program
Programmerie (inf)	Software
Programmeur	Programmer
Progressif	Progressive
Projecteur (proj)	Projector
Projecteur (écl)	Sunlight, studio light
Projecteur d'ambiance (écl)	Broad-light, modeling light
Projecteur à arc (écl)	Arc lamp
Projecteur à boucle sans fin	Continuous loop projector
Projecteur convergent (écl)	Focusing lamp
Projecteur à défilement continu	Continuous motion projector
Projecteur de diapositives	Diaprojector

Projecteur double-bande — Double-band projector, interlock projector

Projecteur d'effets (écl) — Modeling lamp, effects projector

Projecteur à faisceau concentré (écl) — Spotlight

Projecteur fixe (proj) — Film strip projector

Projecteur à lampe xénon — Xenon projector

Projecteur ponctuel (écl) — Spotlight

Projecteur de poursuite (écl) — Long range (or) follow spotlight

Projecteur pour transparence — Background projector

Projecteur video — Video projector

Projection — Projection, screening

Projection à images multiples — Multiscreen projection

Projection anamorphosée — Anamorphic projection

Projection frontale (par réflexion) — Front projection

Projection en plein jour — Daylight projection

Projection privée — Private screening, private showing

Projection publique — Public showing

Projection par transparence — Back projection, background projection, rear projection

Projection de travail (rushes) — Screening of the dailies

Projection unique — Single showing

Projectionniste — Projectionist

Projet — Draft, project, scheme

Projeter — To plan

Prolongateur de ligne — Extension cord, line extender

Prolongement — Extension

Propagation — Propagation

Propriété artistique — Copyright

Proportion — Ratio

Propulsion — Propulsion

Protecteur de boucle — Film loop protector

Protection — Protection, shielding

Protégé — Protected, shielded

Public — Audience, public

Publication — Publication

Publiciste	Publicist
Publicitaire	Advertising agent, publicity man
Publicité	Advertising, publicity
Publicité collective	Cooperative advertising
Publicité postale	Direct mail advertising
Publicité presse	Newspaper advertising
Publipostage (pub)	Mailing
Puissance	Power
Puissance d'antenne	Antenna power
Puissance sur câble	Cable powering
Puissance consommée	Power consumption
Puissance disponible	Available power
Puissance d'émission effective	Effective radiated power
Puissance d'entrée	Input power
Puissance de pointe	Peak power
Puissance de sortie	Output power
Pulsation	Pulse, angular frequency
Pulsation de synchronisation	Synchronization pulse
Pulsé	Pulsed
Pupitre	Console, desk
Pupitre de commande	Control console, control desk
Pupitre de commutation	Switch desk
Pupitre d'éclairage	Lighting console
Pupitre de mélange, de mixage	Mixing console (or) desk, sound (or) audio-mixer
Pupitre de mélange vidéo	Switcher
Pupitre de réenregistrement	Rerecording console
Pupitre de régie (vid)	Control console
Pylône	Tower

Quadrichromie	Four-colour process
Quadrillage	Grid, squaring
Quadriphonique (son)	Quadriphonic
Qualificateur	Qualifier
Qualité	Quality
Qualité acoustique	Bounce
Qualité d'image	Picture quality
Qualité musicale	Tone quality
Quantité	Quantity
Quantité de lumière	Luminous energy
Quart	Quarter
Quart de piste (magnétique)	Quarter-track (magnetic)
Quartz	Crystal, quartz
Quartz-iode	Quartz-iodine, tungsten halogen
Queue d'aronde	Dovetail
Quota de distribution (ciné)	Distribution's quota
Quota d'exploitation (ciné)	Exhibitor's quota
Quotidien (pres)	Daily

Raccord (image)	Cut-in, insert, intercut, continuity shot, re-take
Raccord sonore	Bloop, sound cut
Raccordement	Connecting, linking up
Raccordement à broches multiples	Multi-pin connector
Raccorder	To connect, to join, to link
Raccourcir	To shorten
Radar	Radar (Radio detection and ranging)
Radiation	Radiation, ray
Radiodiffusion	Broadcast, radio broadcasting, radiocasting, wire broadcasting
Radiodistribution	Radiodistribution
Radio-émission	Broadcasting, radio-transmission
Radiofréquence	Radio frequency
Radiographie	X-ray
Raie	Streak
Rail	Track
Rails de travelling	Guide tracks, dolly tracks
Rainure	Groove, slot
Ralenti	Slow motion
Ralentir	To go slow, to slow down

Ralentissement	Slow down
Rallonge	Extension
Rame (de papier) (imp)	Ream (of paper)
Rampe (lumineuse) (ciné)	Footlamps, footlights, lime-lights
Rangée	Bank, row
Rapide	Fast, quick, rapid
Rapidité	Fastness, quickness, rapidity, velocity
Rapport	Ratio, report
Rapport d'agrandissement	Magnification ratio
Rapport d'aspect (image)	Aspect ratio, screen ratio
Rapport de brillance	Brightness ratio
Rapport journalier	Daily report
Rapport des luminances	Brightness ratio
Rapport script	Log sheet, report sheet, continuity sheet
Rapport signal-bruit	Signal-to-noise ratio
Rapport signal-bruit vidéo	Video signal-to-noise ratio
Rapport signal-image	Signal-image ratio
Rapport surcharge-bruit	Overload-to-noise ratio
Rapporter	To record, to relate, to report
Rassembler	To collect
Rayer	To erase, to scratch
Rayon	Beam, radiation, ray
Rayon cathodique	Cathode ray
Rayon infrarouge	Infrared ray
Rayon lumineux	Light ray, luminous ray
Rayonnant	Beaming
Rayonnement	Radiation
Rayonnement omnidirectionnel	Circular coverage
Rayonner	To emit, to radiate
Rayure	Scratch
Rayure blanche horizontale (tv)	Drop-out
Rayures (effets de pluie) (ciné)	Rain effect
Réaction	Feedback, interaction, reaction, retroaction
Réaction acoustique	Acoustic feedback
Réaction en chaîne	Chain reaction
Réalisateur (ciné)	Director, film-maker

Réalisateur (tv)	Director, producer
Réalisation (ciné, tv)	Direction, film-making
Réaliser (ciné, tv)	To direct
Rebobinage	Rewinding
Rebobinage automatique	Automatic rewinding
Rebobineuse	Rewinder
Rebondissement	Bounce
Récapitulatif (adj)	Summarized
Récapitulation	Summary
Récapituler	To summarize
Récepteur (personne)	Receiver
Récepteur (tv, radio)	Receiving unit, TV set
Récepteur de contrôle	Monitor receiver
Récepteur de contrôle de pla-teau	Studio monitor
Récepteur de contrôle vidéo	Video monitor
Récepteur à cristal	Crystal set
Récepteur directionnel	Directional receiver
Récepteur moniteur	Monitor receiver
Récepteur de poche	Miniradio, minireceiver
Récepteur TV couleur	TV colour receiver
Récepteur témoin	Monitor receiver, test receiver
Réceptif	Receptive
Réception	Reception
Réception collective	Community viewing (or) liste-ning
Recettes (ciné)	Box office
Rechargé	Recharged, reloaded
Rechargement	Reloading
Recherche	Research
Réciprocité	Reciprocity
Reclassement	Regrouping
Recordeur	Recording technician
Recoupement	Crosscheck
Recouvert	Coated, covered
Recouvrement	Overlapping
Rectification	Adjustment, correction
Rectifieuse (imp)	Routing machine
Récupération	Recovery

Rédacteur en chef	Editor (pres), news editor (tv)
Rédacteur en chef adjoint (pres)	Assistant managing editor
Rédacteur en chef technique (pres)	Executive editor
Rédacteur gérant (pres)	Managing editor
Rédacteur aux informations (pres)	News editor
Rédacteur parlementaire (pres)	Parliamentary correspondent
Rédacteur réécrivant la copie (pres)	Rewriter
Rédacteur spécialisé (pres)	Desk editor
Rédaction (pres)	Editorial staff, news room
Redevance (tv)	Dues, tax
Rediffusion (tv)	Multiple broadcast, rediffusion, re-broadcast(ing)
Rédiger	To draft, to edit
Redressement (de l'image) (tv)	Rectification (of the picture)
Redresseur	Rectifier
Réduction	Reduction
Réduction optique	Optical reduction
Réduire	To reduce
Réduit (format)	Substandard
Rééditer	Re-edit
Réédition	Reissue, reprint
Réécrire	Rewrite
Réembobinage	Rewinding
Réembobiner	To rewind
Réembobineuse	Rewinder
Réémission (tv)	Rebroadcasting
Réenregistrement	Rerecording
Réenregistrer	To rerecord
Réenroulement	Rewinding
Réenroulement automatique	Automatic rewinding
Refendeur	Slitter
Refendre	To slit
Référence	Reference
Réfléchi	Reflected
Réfléchir	To reflect

Réflecteur	Reflector (lamp)
Réflecteur à deux lampes	Double can
Réflecteur diffuseur	Broadside (lamp)
Reflet	Glare
Reflex (appareil)	Reflex (camera)
Réflexion	Reflection
Réflexion diffuse	Diffuse reflection
Réflexion directe	Direct reflection
Réflexion élargie	Spread reflection
Réflexion de surface	Surface reflection
Refroidissement	Cooling
Refroidissement par air	Air cooling
Refroidissement par eau	Water cooling
Régénérateur	Regenerator, replenisher
Régénérer	To regenerate, to replenish
Régie (ciné)	Production management, studio management
Régie (tv)	Control room, control center, deck
Régie finale (tv)	Master control room
Régie mobile (tv)	Mobile control room
Région	District, region, zone
Région de ligne de visée	Line-of-sight region
Régisseur d'acteurs (ciné, tv)	Casting director
Régisseur d'extérieurs (ciné, tv)	Location production manager
Régisseur (de plateau)	Assistant production manager, coordinator (tv), floor manager, stage manager, studio manager, unit manager
Registre	Register
Registre de commande	Control instruction register
Registre d'opération	Operation register
Réglable	Adjustable, variable
Réglage	Adjustment, control, regulation, tuning, setting
Réglage automatique	Automatic control
Réglage automatique d'exposition	Automatic exposure setting

Réglage automatique de puissance	Automatic volume control
Réglage de brillance	Brightness control
Réglage du contraste	Contrast control
Réglage à deux paliers	Two-position action
Réglage dioptrique	Diopter adjustment
Réglage à distance	Distance control, remote tuning
Réglage flottant (opt)	Floating action
Réglage de hauteur (d'image)	Height control
Réglage d'inclinaison	Tilt control
Réglage intégral	Integral action
Réglage de lecture (bande)	Tracking control
Réglage de luminosité	Brightness control
Réglage du niveau de bruit	Noise control, shading control
Réglage normal d'exposition	Normal exposure setting
Réglage de l'obturateur	Shutter setting
Réglage d'ouverture d'objectif	Diaphragm adjustment
Réglage de puissance de son	Gain control, volume control
Réglage de tonalité	Tone control
Règle	Rule
Réglé	Controlled, adjusted
Règlement	Regulations, ruling
Règlement d'installation	Wiring regulations
Règlement de sécurité	Safety regulations
Réglementation	Law, regulation
Régler	To adjust, to regulate, to set, to tune
Régulateur	Controller
Régulateur à action directe	Self-operated controller
Régulateur automatique	Automatic controller
Régulateur de fréquence	Frequency regulator
Régulateur de phase	Phase regulator
Régulateur de phase sous-porteuse	Subcarrier phase shifter
Régulateur de tension	Voltage regulator
Régulateur de vitesse	Speed regulator
Régulation	Regulation
Régulier	Normal, regular
Réimpression	Reprint
Réimprimer	To reprint

Relâchement	Release, slackening, loosening
Relais (radio, tv)	Relay, radio relay, repeater station, relay station
Relais d'accouplement	Interlocking regulator
Relais à retardement	Slow-release relay
Relais sélecteur	Discriminating relay
Relatif	Relative
Relation	Relation, relationship
Relations publiques	Public relations
Relayer (radio, tv)	To rebroadcast, to relay
Relié (imp)	Bound (copy)
Relief (image en)	Three-dimension picture (3-D)
Relief sonore	Stereophonic sound
Relier (imp)	To bind
Relieur (imp)	Book binder
Reliure (imp)	Binding
Remise à zéro	Zero re-set
Remplacer	To replace, to substitute
Rendement	Gain factor, output
Rendement des couleurs	Colour rendition
Rendement lumineux	Light output
Rendement sonore	Tone reproduction
Rendu sonore	Sound rendition
Renforcement	Intensifying, strengthening
Rénovation	Renewal, renovation
Renversement de l'image	Inversion of image
Renvoi	Cross-reference
Répartir	To distribute
Répartition	Distribution, sharing, dispatching
Repasser (un film)	To rerun (a picture)
Repérage	Reckoning (ciné), lining-up, marking
Repère	Benchmark, mark, spot
Repère de piste	Track-mark
Repérer	To mark
Repérer (des extérieurs) (ciné)	To locate, to reckon
Repères face à face (ciné, tv)	Synchronization marks
Répertoire	Directory, repertory (theat)
Répéter (ciné, théât)	To rehearse, to repeat

Répétiteur (mus)	Chorus master
Répétition	Dry run, rehearsal
Répétition générale	Dress rehearsal (théât)
Repiquage	Over-printing (imp), re-recording (son)
Réplique (incidation de)	Cue line
Réponse	Answer, reply, response
Réponse de basse fréquence	Audio (or) low frequency response
Réponse uniforme (son)	Flat response
Report	Transfer
Report multi-pistes	Multiple track transfer
Report optique	Optical transfer
Reportage (actualités)	News coverage, reporting, coverage
Reportage en direct	Live coverage
Reportage exclusif (pres, tv)	Scoop
Reportage en extérieurs (tv, radio)	Field broadcast
Reportage factuel	Straight news
Reporteur	Reporter
Reporteur d'image	Reporter-cameraman
Reporteur itinérant	Roving reporter
Reporteur opérateur	Reporter-cameraman
Reporteur photographe	Photoreporter
Reporteur de télévision	Telecaster, television reporter
Représentation	Exhibition, performance, show
Reprise (d'un film)	Re-issue
Reprise (d'un plan)	Re-take
Reproducteur	Reproducer
Reproduction	Copy, duplication, reproduction
Reproduction sonore	Playback, sound reproduction, sound restitution
Reproduire	To copy, to reproduce
Reprographie	Reprography, duplication
Réseau	Network
Réseau d'antenne	Aerial network, antenna array
Réseau automatique	Dial exchange
Réseau câblé	Cabled network
Réseau collectif	Community network

Réseau de commutation	Switching network
Réseau de distribution	Distribution network
Réseau interurbain	Intercity network
Réseau sauvage	Pirate network
Réseau de télédistribution	Cablecasting network
Réserve	Stock
Résistance	Resistance, resistor
Résistance d'antenne	Antenna resistor
Résistance anti-parasite	Suppressor
Résistance horizontale	Horizontal resolution
Résistance pure	Effective resistance
Résistance variable	Dimmer, variable resistance
Résistant aux acides	Acid-proof
Résolution	Resolution
Résolution verticale	Vertical resolution
Résonance	Echo, resonance
Résonance grave	Boominess
Résonateur	Resonator
Resserrement d'image (tv)	Crispening
Ressort	Spring
Restituer	To restore
Restitution	Playback, re-establishment
Restitution d'image	Image restitution
Résultat	Result
Résumé	Synopsis, summary
Résumer	To summarize
Rétablissement (tv)	Recovery
Retard	Delay, retardation, time-delay, time lag
Retarder	To delay, to retard
Réticulation	Reticulation
Réticule	Cross threads
Rétine	Retina
Retouche	Spotting, retouching
Retoucher	To retouch, to touch up
Retour en arrière	Flashback
Retour d'information	Feedback
Retour du spot (tv)	Flyback, retrace
Retourner une scène	To reshoot
Retourner un plan	To retake

Retrait (film)	Shrinkage
Retransmettre (tv)	To rebroadcast, to retransmit
Retransmission (tv)	Rebroadcasting, retransmission
Retransmission de film (tv)	Televising of a film
Rétrécissement	Shrinkage
Rétroactif	Retroactive
Rétroaction	Feedback, reaction
Rétrodiffusion	Back-diffusion
Rétroprojecteur	Overhead projector
Rétroprojection	Back projection, rear-screen projection
Rétrospectif	In retrospect
Rétrospective	Retrospective
Réunion de production	Planning meeting, production meeting
Révélateur (photo, ciné)	Developer
Révélateur chromogène	Colour developer
Réverbération	Reverberation
Réverbération artificielle	Electronic echo
Réversion	Reversion
Revêtement	Coating
Réviser	To revise, to tune up
Révision (appareils)	Overhaul
Revue	Magazine, periodical
Revue cinématographique	Film magazine, film review
Revue corporative	Trade paper
Revue de presse	Press review
Rideau	Curtain
Rideau d'antenne	Aerial curtain
Rideau noir	Black drop
Rinçage	Flushing, rinsing, washing
Rodage	Running-in
Rognure	Clipping
Rognures blanches (imp)	Blank news
Rôle (ciné, tv)	Part
Rôle de composition (ciné, tv)	Character
Roman-feuilleton	Serial story, serial novel
Ronflement	Rumble
Ronfleur	Buzzer
Ronronnement	Hum

Rotatif	Rotary, rotating
Rotative (imp)	Rotary press
Rotogravure (imp)	Rotogravure
Roue	Wheel
Roue dentée	Gear wheel, sprocket wheel
Roue d'entraînement	Driving wheel
Roue hélicoïdale	Screw wheel
Roue à vis sans fin	Worm wheel
Rouge	Red
Rougeâtre	Reddish
Rouleau	Reel, roll, roller
Roulement à billes	Ball bearing
Roulement à galets	Roller bearing
Routage (pres)	Dispatching
Ruban	Band, ribbon, tape
Ruban adhésif	Adhesive tape
Ruban isolant	Insulating tape
Ruban magnétique	Magnetic tape
Rubrique (pres)	Column, heading
Rugueux	Rough
Rupture de blanc (tv)	Highlight tearing
Rupture de film	Film break
Rushes (ciné)	Dailies, rushes
Rushes combinés image et son	Composite dailies
Rushes étalonnés	Corrected dailies, timed dailies
Rushes tirés à une lumière	One-light dailies
Rythme	Pace, rhythm

Sac de chargement, sac noir (ciné)	Changing bag
Salaire	Salary, wages
Salle de cinéma	Cinema, hall, theatre
Salle des correcteurs (pres)	Reading room
Salle d'exclusivité (ciné)	First-run house
Salle de mixage	Mixing room, mixing studio, recording room
Salle de montage	Cutting room, editing room
Salle de projection	Projection room, screening theatre
Salle de rédaction (pres, tv)	Editorial room, news room
Salle de régie (tv)	Control room
Salle de répétition	Rehearsal room
Salle de vision	Projection room, viewing theatre
Sans relief	Flat
Saphir	Saphire
Sas	Light-trap
Satellite	Satellite
Satellite de télécommunication	Telecommunication satellite
Satellite météorologique	Weather satellite
Satinage	Smooth finish
Satiné	Glazed, satined
Saturation	Saturation
Saturé	Saturated

Saut	Jump
Saut de projection (ciné)	Projection jump
Sautillement	Flutter
Sceau	Seal
Scénario (ciné, tv)	Script, screenplay
Scénario définitif	Shooting script
Scénario dialogué	Continuity script
Scénariste	Scriptwriter
Scène	Scene, stage
Schéma	Diagram, layout, sketch
Schéma animé	Animated diagram
Schéma de câblage	Communication chart, wiring diagram
Schéma de mémoire (inf)	Storage layout
Scintillement	Flicker, flutter, flickering
Scintillomètre	Flicker meter, scintillation counter
Scripte (ciné, tv)	Continuity girl, script girl
Scripteur (Canada)	Script-editor
Sec	Dry
Séchage	Drying, drying-out
Séchage par jets d'air	Air-spout drying system
Sécher	To dry
Séchoir	Dryer, drying rack
Second plan (ciné)	Background
Secondaire	Auxiliary, secondary
Secrétaire de plateau (ciné)	Continuity girl, script girl
Secrétaire de production (ciné)	Production secretary
Secrétaire de rédaction (pres)	Sub-editor
Secrétariat de rédaction (pres)	Desk
Secteur	Mains, power-line, sector
Section	Section
Section de circuit	Circuit section
Sécurité	Safety, security
Sécurité de fonctionnement	Reliability
Sélecteur	Channel selector, selector, switch
Sélecteur d'antenne	R.F. adapter
Sélecteur de canaux	Channel selector

Sélecteur de fréquence audible	Selector of audible frequencies
Sélecteur manuel	Dial
Sélecteur de modulation	Modulation selector
Sélecteur de vitesses	Speed selector
Sélection	Selection, choice
Sélection de couleurs (ciné)	Colour separation
Sélection d'indicateur	Meter selector
Sélection trichrome	Tri-colour separation
Sélectionné	Selected
Sélectionner	To extract, to select
Sélectivité	Image response (tv), selectivity, selectivity factor
Semi-conducteur	Semi conductor
Sens	Direction
Sens normal	Normal direction
Sensation	Feeling, sensation
Sensibilisateur	Photo-sensitizer
Sensibilisé	Sensitized
Sensibiliser	To sensitize
Sensibilité (film)	Emulsion speed, sensitivity, responsiveness
Sensibilité chromatique	Colour response, colour sensitivity
Sensible	Sensitive
Sensible à la lumière	Photosensitive
Sensitogramme	Sensitogram
Sensitomètre	Sensitometer
Sensitométrie	Sensitometry
Séparateur	Amplitude separator (tv)
Séparateur de couleurs (tv)	Colour splitter
Séparer	Divide, separate
Sépia	Sepia
Séquence	Sequence
Séquence dramatisée (ciné, tv)	Dramatic insert (or) sequence
Séquence filmée	Film sequence
Séquence d'inserts	Insertion footage
Série (tv)	Serial, series
Série de diapositives	Series of slides
Sérigraphie	Silkscreen process

Serrage	Clamping, locking, tightening
Serré	Tight
Service cinéma	Film service
Service de distribution	Distribution service
Service d'indice d'écoute (tv)	Rating service
Service de presse	Press department, free copies (édit)
Seuil	Limit, threshold
Seuil d'audibilité	Threshold of acoustical perception
Seuil différentiel	Differential threshold
Seuil d'éblouissement	Threshold of dazzling
Seuil de perception	Threshold of perception
Seuil de sensibilité	Threshold of feeling
Seuil de suppression	Blanking threshold
Seuil de visibilité	Threshold of vision
Siège social	Head office
Sifflement	Hissing, whistle, whistling
Signal	Cue, signal
Signal d'appel	Call sign
Signal audio	Audio signal
Signal brouilleur	Jamming signal
Signal de chromaticité	Colour signal
Signal de chrominance de bande passante	Chroma signal bandwidth
Signal de commande	Control signal
Signal compensateur	Shading signal
Signal couleur composé	Composite colour signal
Signal courant de télévision	Standard TV signal
Signal électrique	Electrical signal
Signal électronique	Electronic signal
Signal d'émission (tv)	Broadcasting signal
Signal d'image (tv)	Picture signal
Signal d'interruption	Breakdown signal
Signal de ligne libre	Free-line signal
Signal de ligne occupée	Audible-busy signal
Signal de luminance	Monochrome signal
Signal de reproduction	Playback signal
Signal sonore	Audible signal

Signal de suppression	Blanking signal
Signal de synchronisation	Sync signal, sync pulse
Signal de synchronisme (1000 périodes)	Beep sync tone
Signal vidéo	Picture signal, video signal
Signature	Signature
Signe	Sign
Silencieux	Silencer (subst.), noiseless (adj)
Silhouettage (écl)	Silhouette effect
Sillon (profil de)	Groove shape
Sillon (vitesse linéaire dans)	Groove speed
Sillon fermé	Locked groove
Sillon final	Locked groove
Sillon initial	Lead-in groove
Sillon intermédiaire	Lead-over grove
Sillon non modulé	Blank groove
Sillon optique	Optical groove
Sillon sonore	Sound groove
Sillon de sortie	Lead-out groove
Simili gravure (imp)	Half-tone process, process engraving
Simple gravure (son)	Single track
Simplifié	Elementary, simplified
Simultané	Concurrent, full duplex, simultaneous
Simultanéité	Overlapping, simultaneity
Sinusoïdal	Sinusoidal, sine (wave), sine-shaped (élect)
Slogan	Catch line, slogan
Société de production (ciné)	Production company
Socle	Socket
Solarisation	Flashing, solarization
Soluble	Soluble
Solution accélératrice	Accelerator solution
Solution d'entretien	Replenisher solution
Solvant	Solvent
Sombre	Dark
Sommaire	Summary, table of contents
Somme	Sum

Sommet	Peak, summit, top
Sommet noir	Black peak
Sommet à sommet	Peak-to-peak
Son	Audio, tone, sound
Son aigu	All-top sound
Son ambiophonique	Ambiophonic sound
Son de bande	White sound
Son composé	Complex sound
Son diffus	Diffuse sound
Son en direct	Live sound
Son dominant	Overtone sound
Son grave	Deep tone
Son et lumière (spectacle)	Sound-and-light show
Son magnétique	Magnetic sound
Son noyé	Drowned sound
Son optique	Optical sound
Son pilote	Guide track
Son plein	Round tone
Son pré-enregistré pour tournage (ciné, tv)	Play-back sound track
Son pur	Clean tone
Son réfléchi	Reflected sound
Son seul	Sound only, wild track
Son sourd	All bottom sound, boomy sound, dull sound
Son stéréophonique	Stereophonic sound
Son surmodulé	Overshooting sound
Son témoin	Guide track, guide tape
Sondage	Poll, sounding, survey
Sondage par écho	Echo sounding
Sondage ultrason	Reflection sounding
Sonder	To probe, to survey, to test
Sondeur acoustique	Sonic depth-finder
Sonnerie	Ringing
Sonomètre	Sound level meter
Sonore	Audio, aural, tonal
Sonorisation	Dubbing, sound recording, scoring (music)
Sonoriser	To dub
Sonothèque	Sound library

Sortie	Exit, outlet
Sortie d'un film	Release
Sortie pupitre	Console output
Sortie de secours	Emergency exit
Sortie du signal vidéo	Video signal output
Soudure	Welding
Souffle (bruit de fond)	Background noise, humming, hiss
Souffle d'antenne	Antenna noise
Souffle du signal	Modulation noise
Soufflerie	Blast, blower
Soufflet	Bellows
Souffleur (théat, tv)	Prompter
Soupape	Valve
Source	Origin, source
Source d'alimentation	Power supply, supply
Source d'énergie	Power supply
Source lumineuse	Light source, luminant source
Source ponctuelle	Point source (of light)
Source primaire	Primary source
Source secondaire	Secondary source
Sourd	Deaf
Sourdine (son)	Damper, mute
Sous-canal	Subchannel
Souscripteur	Subscriber
Sous-exposé	Under-exposed
Sous-exposition	Under-exposure
Sous presse (imp)	Now printing
Sous-produit	By-product
Sous tension	Under voltage
Sous-titrage (ciné)	Sub-titling
Sous-titre	Subtitle (ciné), subheading (pres)
Sortie de champ	Out of frame
Spatial	Spatial
Speaker, speakerine (tv)	Announcer, speaker
Spécial	Special
Spectacle	Entertainment, performance, show
Spectacle audio-visuel	Sound slide show

Spectacle d'effets lumineux	Light show
Spectacle multi-écrans	Multi-image show
Spectacle solo	One-man show
Spectacle son et lumière	Sound and light show
Spectacle télévisé	Televised show
Spectacle de variétés	Musical show
Spectateur	Spectator, picture-goer, viewer
Spectateurs	Audience
Spectral	Spectral
Spectre	Spectrum
Spectre d'absorption	Absorption spectrum
Spectre audible	Audible spectrum
Spectre de bande	Band spectrum
Spectre continu	Continuous spectrum
Spectre de diffraction	Diffraction spectrum
Spectre électromagnétique	Electromagnetic spectrum
Spire	Thread (of a screw)
Spot (projecteur à faisceau concentré) (écl)	Spot light
Spot analyseur (tv)	Flying spot
Spot explorateur (tv)	Scanning spot
Spot mobile (tv)	Flying spot
Spot publicitaire (pub)	Publicity spot, commercial
Stabiliseur	Stabilizer
Stabiliseur de fréquence	Frequency control
Stabilisateur de niveau	Sync-stretcher
Stabilisateur de tension	Voltage stabilizer
Stabilisation	Fixation, stabilization
Stabilité	Steadiness, stability
Stabilité de l'image	Image steadiness
Stable	Firm, stable, steady
Standard	Standard
Standardisation	Standardization
Standardiser	To standardize
Starter automatique	Automatic starter, autostarter
Station	Station, terminal
Station de captage	TV pickup station
Station émettrice	Broadcasting station, radio-transmitter, transmitter, transmitting station

Station mobile	Mobile station
Station pirate	Pirate station
Station principale	Dominant station
Station de radiodiffusion	Radio station
Station-relais	Radio relay, relay point, relay station
Station semi-automatique	Semi-automatic station
Station de télévision	Television station, TV station
Stationnaire	Standing, stationary
Statique	Static
Statistique	Statistics
Stéréogramme	Stereogram
Stéréophonie	Stereo, binaural effect
Stéréophonique	Stereophonic
Stéréoscopie	Stereoscopy
Stéréoscopique	Stereoscopic, three-dimensional, 3-D
Stéréotype	Stereotype
Stimulation d'idées	Brainstorming
Stock	Stock
Stockage	Storage
Strident	High pitched
Stroboscopie	Stroboscopy
Stroboscopie par étincelles	Spark photography
Structure	Framework, structure
Style	Style
Stylo lumineux (vid)	Light pen
Studio	Studio
Studio d'enregistrement	Dubbing studio, recording studio
Studio de télévision	TV studio
Subsidiaire	Subsidiary
Substituer	To substitute
Subvention	Subsidy, grant
Succession	Succession
Succursale	Branch office
Suivre le point (ciné, tv)	To follow focus
Sujet	Story, subject matter
Superficiel	Superficial

Supérieur	Superior
Superposé	Superimposed
Superposer	To overlay
Superposition	Overlay
Supersonique	Supersonic, ultrasonic
Superstructure	Superstructure
Superviseur	Supervisor
Supplémentaire	Additional, complementary
Support	Base, carrier, mount
Support adaptateur	Socket adapter
Support anti-vibratoire	Cushioned socket, rubber mounting, shock absorber
Support de bande	Tape base
Support de caméra	Camera mount
Support élastique	Rubber mounting
Support élastique isolant	Elastic sound-isolation support
Support de film	Filmbase
Support d'objectif	Lens support, lens holder
Support de sécurité	Safety base
Support publicitaire	Advertising medium
Support teinté	Grey base
Suppresseur	Eliminator, suppressor
Suppresseur d'écho	Echo killer
Suppression	Elimination, erasement, erasure, suppression
Suppression de faisceau (tv)	Blanking
Suppression de lignes (tv)	Horizontal blanking
Surbalayage	Overscan
Surcharge	Overload, overcharging, overrun
Surchargé	Overloaded, surpercharged
Surchauffé	Overheated
Surdéveloppé (ciné)	Overdeveloped
Surexposé (ciné)	Over-exposed
Surexposition	Over-exposure
Surface	Surface, area
Surface balayée (tv)	Scanned area
Surface d'ondes	Wave front
Surface sensible (ciné)	Emulsion

Surimpression	Double exposure, multiple exposure (film), incrust (video), overprint (photo), superimposition
Surimpressionné	Superimposed
Surintensité	Excess current, overcurrent
Surjeu	Playback
Surmodulation	Overmodulation, upward modulation
Surtension	Overvoltage
Surveillance	Control, survey, watching
Survolté	Boosted, overrun
Survolteur	Booster
Suspendre	To hang, to suspend
Suspension	Hanging, suspension
Suspension à ressorts	Spring suspension
Symbole	Symbol
Symétrie	Symmetry
Symétrique	Balanced, matched, push-pull, symmetrical
Synchrone	Sync, synchronous
Synchronisation	Phasing, synchronization
Synchronisation automatique (à)	Self-synchronizing
Synchronisation des lèvres (ciné)	Lip-sync
Synchronisation des rushes (ciné)	Daily assembly, synchronization of rushes
Synchronisation par le secteur	Mains synchronizing
Synchronisé	In sync, synchronized
Synchroniser	To synchronize
Synchroniseuse	Synchronizer
Synchronisme	Syncing, synchronism
Synopsis (ciné)	Outline, synopsis
Synoptique	Synoptic
Synthèse	Synthesis
Synthèse additive trichrome	Additive colour synthesis
Synthèse des couleurs	Colour synthesis
Synthèse de l'image (tv)	Image synthesis
Synthèse soustractive trichrome	Subtractive colour synthesis

Synthétique	Synthetic
Synthétiseur audio	Audio synthetizer
Synthétiseur vidéo	Video synthetizer
Synthétiseur de voix	Voice code translator
Syntoniser	To synthonise
Syntoniseur	Tuning device, channel selector, tuner
Système	System
Système accélérateur	Speed-up device
Système accroché	Locked system
Système d'analyse	Scanning system
Système d'analyse en hélice	Helical scan system
Système anamorphoseur	Anamorphic system
Système antiparasites	Suppressor
Système d'appel	Calling device
Système asservi	Servo system
Système automatique de fondu	Automatic fading device
Système de balayage entrelacé (tv)	Interlace scanning system
Système de balayage optique couleur (tv)	Colour dissector optical system
Système bidirectionnel	Bidirectional system
Système de blocage	Locking system
Système à boucle fermée	Closed-loop system
Système de circuits	Circuitry
Système de commande	Control system
Système de contrôle de caméra	Camera control unit
Système à coupleur de charges	Charge-coupled device
Système double-bande	Double-band system, double-system
Système d'éclairage	Lighting system
Système électronique d'insertion (tv)	Inlay
Système d'enregistrement (son)	(Sound) recording system
Système intégré	Integrated system
Système à mémoire	Storage system
Système multi-média	Multi-media system
Système optique	Lens, optical system
Système de pilotage par quartz	Crystal sync system

Système de programmation	Programming system
Système sonore	Sound system
Système de verrouillage	Interlock device
Système de visée	Viewing system
Système de visée reflex	Reflex mirror system

Table	Desk, table
Table de collage (mont)	Splicing table
Table de connexions	Patch-panel
Table de détection	Detection table, synchronizing table
Table d'écoute	Monitor desk, switchboard
Table d'effacement	Bulk eraser, degausser
Table à encocher	Notching table
Table de lecture	Playback deck
Table de mixage	Sound (or) audio-mixer, mixing desk (or) console
Table de montage (ciné, tv)	Cutting table, editing bench, editing console, editing table
Table ronde (débat)	Round-table discussion
Tableau	Board, chart, panel
Tableau de bord	Dashboard, instrument panel
Tableau cinétique	Kinetic painting
Tableau de commande	Control panel, key board
Tableau de connexions	Wiring panel
Tableau de distribution	Distribution board
Tableau d'étalonnage (lab)	Calibration chart
Tableau noir	Blackboard
Tache	Spot, spotting, stain
Tâche	Job, task
Tache cathodique	Cathode spot
Tache de lumière	Hot spot, light spot

Tache lumineuse parasite	Flare spot
Tache magnétique	Magnetic spot
Tache solaire	Sunspot
Tacher	To mar, to stain
Tacheté	Spotted, stained
Tachymètre	Tachometer
Taille	Size ; cut, cutting
Tambour	Drum, roller, sprocket
Tambour débiteur	Feed sprocket
Tambour denté	Sprocket
Tambour d'enregistrement	Recording drum
Tambour d'enroulement	Take-up sprocket, wind-up drum
Tambour d'entraînement	Drive sprocket, sprocket drive drum
Tambour-guide	Guide roller
Tambour intermittent	Intermittent sprocket
Tambour magnétique	Magnetic drum
Tambour presseur	Pressure roller
Tambour de séchage	Film drying drum
Tambour de têtes	Head drum
Tampon	Buffer, pad
Tarif	Price list, rate
Tarif agréé	Agreed rate
Tarif de forte écoute	Premium rate
Tarlatane (ciné, photo)	Cheese cloth, scrim
Taux	Amount, degree, rate, ratio
Taux de diffusion	Circulation rate
Taux de distorsion	Distorsion factor
Taux d'écoute (tv, radio)	Listener rating
Taux de fluctuation (son)	Flutter factor
Taux d'ondulation	Smoothing factor
Taux de pleurage (son)	Flutter rate
Taxe	Tax
Technicien	Technician
Technicien indépendant	Free-lance technician
Technique	Procedure, technique
Technique audio-visuelle	Audio-visual technique
Technique de participation du public	Audience participation methods

Technique de pointe	Advanced technology
Technique du son	Sound technique
Technologie	Technology
Teindre	To dye
Teintage	Tinting
Teinte	Hue, shade
Teinté	Tinted
Teinte claire	Light tone
Teinte sombre	Dark tone
Teinture	Dye, toning
Téléaste	Broadcaster, TV man
Télécinéma	Film scanner, motion-picture pick-up (US), telecine
Télécommande	Remote control, telecontrol
Télécommandé	Remote-controlled
Télécommunication	Communication, telecommunication
Téléconférence	TV-linked conference, televised meeting
Télédiapo	Slide pick-up
Télédiffusion	Guidewave transmission, wire broadcasting
Télédistribution	Cablecasting
Télédynamique	Teledynamic
Télé-enregistrement	Telerecording
Télé-enseignement	TV teaching
Télé-enseignement universitaire	Open university
Téléfilm	TV film
Télégénique	Telegenic
Télégramme	Cable, telegram
Télégraphe	Telegraph
Téléimprimeur	Tape printer
Téléinformatique	Tele-data-processing
Télélecteur	TV reader
Télémégascope	Video projector, wide-screen TV projector
Télémesure	Telemetering
Télémètre	Rangefinder
Télémètre couplé	Coupled rangefinder

Téléobjectif	Telephoto lens
Téléphile	TV fan
Téléphoto (pres)	Wire photo
Téléprojecteur	TV projector
Téléreportage	Television reporting
Télescope	Telescope
Télescopique	Telescopic
Téléscripteur	Teleprinter, teletype
Télésouffleur (tv)	Teleprompter
Téléspectateur	Televiewer, viewer
Téléthèque	TV library
Télétraitement	Teleprocessing
Télétransmission (inf)	Data transmission
Télétype	Teleprinter, teletype
Télévisé	Televised
Téléviser	To teleview, to televise
Téléviseur	TV set, televisor
Téléviseur portatif	Portable TV set
Télévision	Television
Télévison par antenne collective	Community-antenna television, C.A.T.V.
Télévision par câble	Cablecasting
Télévision en circuit fermé	Closed-circuit TV, C.C.T.V.
Télévision commerciale	Commercial television, sponsored television
Télévision communautaire	Communal TV
Télévision en couleurs	Colour television
Télévision en direct	Live transmission
Télévision éducative	Educational television, E.T.V.
Télévision par film intermédiaire	Intermediate-film system
Télévision sur grand écran	Theater television
Télévision institutionnelle	Institutional TV, network TV
Télévision locale	Local television
Télévision en noir et blanc	Black-and-white television
Télévision payante	Pay-TV
Télévision payante (par câble)	Pay-cable
Télévision en relief	Three-dimensional (or) stereoscopic television

Télévision scolaire	Educational television
Télévoltmètre	Televoltmeter
Témoin	Pilot, reference, witness
Témoin lumineux	Luminous witness
Température	Temperature
Température ambiante	Air temperature
Température de bruit	Noise temperature
Température de couleur	Colour temperature
Température de stockage	Storage temperature
Temps	Beat, time
Temps d'accès (tv)	Access time
Temps d'antenne (tv)	Broadcast time, on-air time
Temps de battement	Float time
Temps de démarrage	Run-up time
Temps de fonctionnement	Running time
Temps de lecture	Read-in time
Temps de montage (installation)	Installation time
Temps mort	Dead time, idle time
Temps de parcours	Transit time
Temps partagé (inf)	Shared time
Temps de pose (photo)	Exposure time
Temps de projection	Film run, projection time
Temps réel	Real time
Temps de réponse	Response time
Temps de réverbération	Reverberation period
Temps utile	Effective time, productive time
Tendeur	Tension roller, tightener
Tension	Tension, voltage
Tension d'arc	Arc voltage
Tension de bruit	Noise voltage
Tension de commande	Control voltage
Tension de coupure	Cutoff voltage, restraint voltage
Tension continue	DC voltage
Tension efficace	Effective voltage
Tension électrique	Voltage, power
Tension de faisceau	Beam voltage
Tension de film	Film tension

Tension de régime	Operating voltage
Tension de souffle	Noise voltage
Terme	Term
Terminaison	End, termination
Terminal	End, terminal
Terminateur de ligne	Line terminator
Terminé	Ended, finished, over-and-out
Terne	Lackluster
Ternissement	Tarnishing
Terre	Earth, ground
Terre (mettre à)	Earthing, grounding
Test d'étalonnage (ciné)	Cinex strip
Tête	Head
Tête annulaire	Ring head
Tête artificielle	Artificial head
Tête de câble	Cable terminal
Tête compensée	Balanced head
Tête de disjoncteur	Cross head
Tête d'écriture	Write head
Tête d'effacement	Erasing head, wiping head
Tête d'effacement mobile	Flying erase head
Tête d'effacement rotative (ou) tournante	Rotary erase head
Tête enfichable	Plug-in head
Tête d'enregistrement	Recording head, dubbing head
Tête d'enregistrement/lecture	Record-&-playback head
Tête d'enregistrement et lecture vidéo	Video head record-&-playback
Tête enregistreuse optique	Optical sound head, optical recording head
Tête ferrite	Ferrite head
Tête fluide	Fluid head
Tête à friction	Friction head, free head
Tête gyroscopique	Gyro head
Tête de lecture	Playback head, reading head, reproducing head, tape reader
Tête magnétique	Magnetic head
Tête magnétique bipolaire	Bipole magnetic head
Tête de magnétophone	Tape-recorder head

Tête à manivelle	Geared head
Tête panoramique (ciné)	Pan head
Tête de projecteur	Picture head
Tête de reproduction	Reproducing head
Tête sonore	Sound head
Tête tournante	Rotary head
Tête de trépied	Tripod head
Tête de vis	Screw head
Tétraphonique	Tetraphonic
Texte	Script, text
Texte original	Original version
Texture	Texture
Thermographie	Thermography
Thermique	Thermic
Thermocolorimètre	Colour temperature meter
Thermocopie	Thermocopy
Thermostat	Thermostat
Timbrage	Stamping
Timbre (son)	Tone, colour, timber
Tirage (d'un appareil)	Extension
Tirage (d'une copie)	Duplication, printing
Tirage (d'un journal)	Circulation
Tirage par A et B	A-and-B printing
Tirage en accéléré	Skip-frame printing
Tirage additif	Additive printing
Tirage par agrandissement	Blow-up printing
Tirage par contact	Contact printing
Tirage direct	Direct printing
Tirage par extraction	Colour separation printing
Tirage humide	Wet printing
Tirage à lumière unique	One-light printing
Tirage par immersion	Wet-gate printing
Tirage indirect	Reverse printing
Tirage offset	Offset printing
Tirage optique	Optical printing
Tirage optique normal	One-to-one printing
Tirage à part (imp)	Off print
Tirage par réduction	Reduction printing
Tirage de série	Bulk printing, release printing

Tirage soustractif	Subtractive printing
Tirage par surimpression	Overprinting
Tirage total (imp)	Press run
Tirer	To print
Tirer une copie	To make a print, to print
Tireur (d'épreuves) (imp)	Proofing hand
Tireuse	Printing machine, printer, reproducing machine (imp)
Tireuse alternative	Step printer
Tireuse par contact	Contact printer
Tireuse continue	Continuous (film) printer
Tireuse continue par contact	Continuous contact printer
Tireuse à fenêtre liquide	Liquid gate printer
Tireuse intermittente	Intermittent printer
Tireuse multiple	Cascade printer, multirank printer
Tireuse optique	Optical printer
Tireuse optique pour effets spéciaux	Step printer
Tireuse optique à voies multiples	Multirank reduction printer
Tireuse réduction à une voie	Single rank reduction printer
Tireuse rotative	Rotary printer
Tireuse pour textes	Titler
Titane	Titanium
Titrage (ciné)	Titling
Titre	Heading, title
Titre (gros) (pres)	Headline
Titre en déroulant	Rolling title
Titre de fin	End title
Titre sur fond	Background title
Titre générique	Main title
Titre principal	Main title
Titre provisoire	Working title
Titreuse	Titler
Titreuse automatique	Automatic title printer
Tolérance	Tolerance
Ton	Note, tone
Tonalité	Tone
Top	Pulse, start

Top de claquette (ciné, tv)	Clapper mark
Top de départ	Start mark
Top de synchronisation	Sync pulse
Top de synchronisme	Sync beep
Torche	Torch
Torche électrique	Flashlight
Touche	Button, key, selection button
Touche de commande lumineuse	Luminous control button
Tourelle à objectifs	Lens turret
Tournage (ciné, tv)	Shooting, filming
Tournage en extérieurs	Location shooting
Tournage de maquette	Miniature shooting
Tournage en studio	Studio shooting
Tournant (adj)	Rotary, rotating
Tourne-disques	Record player, turntable
Tourner (un film)	To shoot, to film
Tourner (machine)	To run
Tournevis	Screwdriver
Traçage	Tracing
Trace	Trace
Trace blanche (sur magnétique)	Drop-out (on tape)
Tracé (subst)	Drawing, graphic, lay-out, tracing
Tracer	To draw, to mark, to trace
Traceur	Tracer
Traction	Pull
Traducteur	Translator
Traduction	Translation
Traduire	To interpret, to translate
Traînage (tv)	Streaking
Traînées blanches	Flowing white
Trait	Dash, line
Trait (photo)	Line positive, line negative
Traitement	Process, processing, treatment
Traitement des données (inf)	Data processing
Traitement de l'information	Information processing
Traitement des informations	Data processing
Traiter	To process, to coat (a lens)

Trajectoire	Path, run, track, trajectory
Trajectoire de griffe	Run of the claw
Trajet	Course, path, track
Trame	Field, frame, raster (tv) ; plot (action) ; pattern ; screen (imp)
Trame d'image (tv)	Picture frame
Transcoder	To translate, to transcode
Transcodeur	Transcoder
Transcription	Transfer, transcription, transcribing
Transducteur	Transducer, transductor
Transducteur asymétrique	Asymetrical transducer
Transférer	To shift, to switch over
Transfert	Shift, transfer
Transfert de modulation	Modulation transfer
Transformateur	Converter, transformer
Transformateur d'alimentation	Mains transformer
Transformateur d'antenne	Antenna coupler
Transformateur dévolteur	Step-down transformer
Transformateur d'énergie	Transducer
Transformateur de fréquence	Frequency transformer
Transformateur survolteur	Step-up transformer
Transformer	To process, to transform
Transistor	Transistor
Transistorisé	Solid-state, transistorized
Transition	Transition
Translucide	Translucent
Transmetteur	Transducer, transmitter
Transmettre	To transmit
Transmettre sur tube (tv)	To telecast
Transmission	Communication, transmission ; transmittance
Transmission optique	Optical transmittance
Transmodulation	Cross modulation
Transparence	Transparency
Transparence (trucage) (ciné)	Background plate, matte, process shot
Transparent	Transparent
Travaux de laboratoire	Laboratory work

Travelling (chariot) (ciné, tv)	Dolly
Travelling (mouvement) (ciné, tv)	Dolly shot, follow shot, tracking shot, travelling shot
Travelling avant	Dolly in, push in, track in
Travelling arrière	Dolly out, pull out, track out
Travelling man	Dolly man
Travelling matte	Optical composite, travelling matte
Travelling optique	Zoom
Trépied	Tripod
Trépied gyroscopique	Gyro-tripod
Très grand angulaire	Fish eye
Très gros plan	Big close-up
Très haute fréquence	VHF, very high frequency
Triangle de couleurs	Chromaticity diagram
Tribune libre (pres)	Forum
Trichromatique	Trichromatic
Trichromie	Three-colour process
Trimestriel (pres)	Quarterly
Trop contrasté	Too contrasty
Trop peu contrasté	Too slight contrast, flat (image)
Trop plein	Overflow
Truca (ciné)	Optical printer
Trucage (ciné)	Process shot, special effect
Trucage (tv)	Keying
Trucage optique	Optical, optical effect
Truqueur	Special-effects generator
Truquiste	Special-effects man
Tube	Tube
Tube analyseur (tv)	Camera tube, pick-up tube
Tube de caméra (tv)	Camera tube
Tube cathodique	Cathode-ray tube
Tube émetteur	Transmitting tube
Tube image (tv)	Picture tube
Tube à spot mobile	Flying-spot tube
Tube à vide	Vacuum tube
Tube vidicon	Vidicon tube
Tubulaire	Tubular
Tuner	Tuner
Tuner-amplificateur	Tuner amplifier

Turbine	Turbine
Type	Model, type
Typographe	Type-setter, typographer
Typographie	Letter-press printing, typography

Ultra-rapide	Ultra-fast
Ultra-sensible	Supersensitive
Ultrason	Ultrasound
Ultra-sonore	Ultrasonic
Ultraviolet	Ultraviolet
Uni	Even, smooth
Unidirectionnel	One-way, unidirectional, simplex
Uniforme	Uniform
Uniformité	Evenness
Unilatéral	Unilateral
Unique	Single
Unité	Unit
Unité mobile	Mobile unit
Unité de télécommande	Transmission control unit
Unité de transfert	Transfer unit
Universel	All-purpose, universal
Usage	Use
Usage combiné	Joint use
Usager	Customer, user
Usine	Factory
Usure	Wear & tear
Usure de film	Film wear
Utile	Useful
Utilisateur	User
Utilisateur de film	Film user
Utilisation	Use, utilization
Utiliser	To use, to utilize

Vagabond	Stray
Valable	Valid
Valeur	Value
Valeur chromatique	Colour value
Valeur de correction	Correction value
Valeur de réglage	Desired value
Valeur de tirage	Printer step, printing light
Validité	Validity
Valve	Valve
Vanne	Gate
Variateur de timbre (son)	Pitch waver
Variateur (sur tireuse)	Timer (of printer light)
Variation de fréquence	Frequency fluctuation
Variation de hauteur de son	Pitch variation
Vedettariat	Star system
Vedette	Star
Vent	Wind
Verdâtre	Greenish
Vérificateur	Examiner, film inspector
Vérification	Control, check, examination, inspection
Vérifier	To check, to control, to test, to verify
Verni	Glazed, lacquered, varnished
Vernis	Varnish
Vernissage	Lacquering, varnishing
Verre	Glass

Verre dépoli	Frosted glass, ground glass
Verre dépoli gravé	Ground glass with etched format
Verre optique	Optical glass
Verre teinté	Stained glass
Verrouillage	Interlocking, locking
Verrouillage couleur	Colour lock
Verrouiller	To lock, to shut
Version (en langue) étrangère (ciné)	Foreign version
Version doublée (ciné)	Dubbed version
Version internationale (V.I.) (ciné)	Music-and-effects track (M & E track)
Version originale (ciné)	Original version
Vert	Green
Vibration	Beat, vibration
Vide	Blank, empty, vacuum, void
Vide (à)	No-load, off-circuit
Vidé	Cleaned-up, emptied, exhausted
Vidéaste	Video-maker
Vidéo	Video
Vidéo-carte magnétique	Magnetic video-card
Vidéocassette	Videocassette
Vidéo-communication	Video communication
Vidéodisque	Videodisc
Vidéodiffusion	Videocasting
Vidéo-fréquence	Video frequency
Vidéo légère	Light video
Vidéo portable	Portapack
Vidéothèque	Video library
Vie	Life
Vieillissement	Ageing
Vient de paraître (édit)	Just published
Vierge	Blank, raw, unexposed
Vif	Fast, quick, rapid
Ville câblée	Wired city
Virage	Toning
Virement de couleur	Colour shifting
Virtuel	Virtual
Vis	Screw

Visa de censure	Censor's certificate
Viseur	Finder, viewfinder, viewing lens, iconoscope (tv)
Viseur d'angle	Field angle viewfinder
Viseur coudé	Angular viewfinder
Viseur couplé	Follow focus finder
Viseur électronique (tv)	Camera monitor, electronic viewfinder
Viseur d'image divisée	Split image viewfinder
Viseur latéral	Side finder
Viseur optique	Optical viewfinder
Viseur orientable	Periscopic finder
Viseur-redresseur	Reversal finder
Viseur réflexe	Reflex finder
Viseur télémétrique	Telemetric finder
Viseur télescopique	Telescopic finder
Visibilité	Visibility
Visible	Visible
Vision	Vision
Visionnement (ciné)	Screening, viewing
Visionnement préalable	Preview
Visionner	To screen
Visionneuse	Film-viewer
Visionneuse horizontale	Flat-bed viewer
Visuel	Visual
Vitesse	Rate, speed, velocity
Vitesse angulaire	Angular speed
Vitesse (de défilement) de bande	Tape speed
Vitesse de défilement de film	Unwinding film speed, frame rate
Vitesse de déroulement	Unwinding speed
Vitesse d'enregistrement	Recording speed
Vitesse de manipulation	Working speed
Vitesse normalisée	Standard speed
Vitesse d'obturateur	Shutter speed
Vitesse de prise de vues	Camera speed
Vitesse de propagation	Wave velocity
Vitesse de rotation	Rotary speed
Voie	Channel, band

Voie bidirectionnelle	Duplex channel
Voie commune	Common channel
Voie de contrôle	Control track
Voie d'intercommunication	Communication line
Voie de transmission	Transmission channel, trans-mission line
Voile	Fogging
Voile atmosphérique	Aerial fog
Voile chimique	Chemical fog
Voile de développement	Development fog
Voile dichroïque	Dichroic fog
Voile de lointain	Distance fog
Voile marginal	Edge fogging, edge flare
Voile noir	Focusing cloth
Voilé	Fogged, low contrast
Voiture émettrice (tv, radio)	Transmitter car unit
Voiture de reportage	Newscar
Voiture travelling (ciné)	Camera car
Voix artificielle	Artificial voice
Voix dans le champ	Voice-in
Voix hors champ	Voice-off
Voix sur dialogues	Voice-over
Voix radiogénique	Good broadcasting voice
Voix de tête	Head voice
Volet (effet)	Wipe
Volet (lumière)	Barndoor, cutter, flag
Volet pare-feu	(Lamphouse) douser
Volet protège-tube	Cap
Volt	Volt
Volume	Volume
Voyant	Control light, pilot light
Voyant d'insertion (vid)	Insert lamp
Vue	View, vision
Vue arrière	Back view
Vue avant	Front view
Vue de côté	Side view
Vue d'ensemble	General view
Vue fixe	Slide
Vue par vue (ciné)	Single-frame, stop motion
Vumètre	V.U.-meter

Watt	Watt
Watt-heure	Watthour
Wattmètre	Voltameter, wattmeter
Western	Horse opera, western

Xenon   Xenon

Xenon

Zapon	Blooping ink
Zaponner	To bloop
Zénith	Zenith
Zéro	Null, zero
Zone	Area, field, zone
Zone d'audibilité	Auditory area, aural zone
Zone de brouillage	Interference area
Zone de contrôle	Control area
Zone de couverture	Blanket area
Zone de distorsion	Range of distortion
Zone d'enregistrement	Pick-up distance
Zone libre	Clear area
Zone limite de propagation	Fringe area
Zone neutre	Neutral zone
Zone de projection	Viewing area
Zone de silence	Blind spot
Zoom	Zoom lens
Zoom à commande électrique	Electrical zoom lens, motorized zoom lens

Anglais-Français

A and B print (ciné)	Copie par A et B
A and B printing (ciné)	Tirage par A et B
Aberration	Aberration
Abnormal	Anormal
Abortive sweep (tv)	Balayage défectueux
Abrasion	Abrasion
Absolute sharpness	Netteté maximale
Absorption band	Bande d'absorption
Absorption factor	Coefficient d'absorption
Absorption spectrum	Spectre d'absorption
Abstract	Abréger ; abrégé (subst)
Academy leader (U.S.A.)	Amorce de départ
A.C. (Alternative Current)	Courant alternatif
A.C. supply	Alimentation alternative
Acceleration	Accélération
Acceleration bath	Bain accélérateur
Accelerator solution	Solution accélératrice
Acceptance test	Essai de réception
Access time (tv)	Temps d'accès
Accessory	Accessoire (d'un appareil)
Account (pub)	Budget du client
Account executive (pub)	Chef de publicité (d'agence)
Accumulation	Accumulation
Accumulator	Accumulateur, batterie
Accuracy	Degré de précision, exactitude, fidélité

A.C.-D.C. powered	Alimenté par secteur
Acetate film	Film acétate, pellicule acétate
Achromatic	Achromatique, blanc
Achromatic colour	Plage de gris
Achromatic lens	Objectif achromatique
Acid	Acide
Acid fixing bath	Fixateur acide
Acid-proof	Inattaquable aux acides, résistant aux acides
Acoustic	Phonique
Acoustic capacitance	Elasticité acoustique
Acoustic clarifier	Filtre acoustique
Acoustic feedback	Effet Larsen, réaction acoustique
Acoustic lens	Lentille acoustique
Acoustic panel	Panneau acoustique
Acoustic pick-up	Capteur acoustique
Acoustic treatment	Insonorisation
Acoustical	Acoustique
Acoustical absorption	Absorption acoustique
Acoustical field	Champ acoustique
Acoustical impedance	Impédance acoustique
Acoustical isolation	Isolement acoustique
Acoustical scattering	Dispersion acoustique
Acoustics	Acoustique (subst)
Act	Interpréter, jouer
Acting	Interprétation, jeu
« Action ! » (ciné, tv)	« Action ! »
Active storage (inf)	Mémoire active
Actor	Acteur, interprète (comédien)
Actual size	Grandeur réelle
Adapt	Adapter
Adapter	Adaptateur
Adapter ring	Bague intermédiaire
Adaptation	Adaptation
Addition	Addition
Additional	Additionnel, supplémentaire
Additive	Additif
Additive colour process	Procédé de couleurs par synthèse additive

Additive colour synthesis	Synthèse additive trichrome
Additive lamp house	Lanterne additive (de tireuse)
Additive printing	Tirage additif
Adhesive	Colle
Adhesive tape	Ruban adhésif
Adjust	Régler
Adjustable	Réglable
Adjustable pressure (pick-up) arm	Bras à force d'appui réglable
Adjusted	Réglé
Adjusting	Ajustement
Adjusting ring	Bague d'arrêt
Adjustment	Ajustement, rectification, réglage
Adjustment knob	Bouton de réglage
Adult training	Formation permanente
Administration	Gestion
Admission	Entrée du public
Admission fee	Prix d'entrée
Advance story (pres)	Avant-papier
Advanced technology	Technique de pointe
Advertiser (pub)	Annonceur
Advertising	Annonce publicitaire, publicité
Advertising agency	Agence de publicité
Advertising agent	Agent de publicité, publicitaire
Advertising campaign	Campagne publicitaire
Advertising film	Film publicitaire
Advertising manager	Chef de publicité
Advertising medium	Support publicitaire
Advertisement, ad	Annonce publicitaire, placard
Advertisement (classified)	Petite annonce, annonce classée
Aerial	Antenne
Aerial camera	Caméra pour prises de vues aériennes
Aerial curtain	Rideau d'antenne
Aerial director	Antenne directrice
Aerial fog	Voile atmosphérique
Aerial image	Image aérienne
Aerial photography	Photographie aérienne

Aerial shooting (ciné)	Prise de vues aérienne
Aesthetics	Esthétique (subst)
Afterglow	Phosphorescence
Ageing	Vieillissement
Agency	Agence
Agent	Agent
Agreed rate	Tarif agréé
Air blast	Jet d'air
Air cooling	Refroidissement par air
Air cushion	Isolement par air
Air-gap	Entrefer
Air-spout drying system	Séchage par jets d'air
Air temperature	Température ambiante
Air time (tv, radio)	Créneau
Alarm	Avertissement, alerte
Alignment	Alignement
All-bottom sound	Son sourd
Alligator clamp	Pince crocodile
Allocate	Affecter
All-purpose	Universel
All-purpose controller	Contrôleur universel
All-top sound	Son aigu
Alter	Changer, modifier
Alteration	Changement, modification
Altering intensity	Intensité variable
Alternating	Alternatif
Alternating current	Courant alternatif
Alternating editing	Montage alterné
Alternating field	Champ alternatif
Alternating shutter	Obturateur alternatif
Alternative	Alternatif
Alternator	Alternateur
A.M. (Amplitude modulation)	Modulation d'amplitude
Amateur film-maker	Cinéaste amateur
Amateur wavelength	Onde d'amateur
Ambient light	Lumière d'ambiance
Ambiophonic sound	Son ambiophonique
Ambiophony (son)	Ambiophonie
Ammeter, ampmeter	Ampèremètre
Amount	Taux

Amp, ampere	Ampère
Ampere-hour	Ampère-heure
Amplification	Amplification, gain
Amplifier	Amplificateur
Amplifier tube	Lampe d'amplification
Amplifier-tuner	Ampli-tuner
Amplifying factor	Facteur d'amplification
Amplitude	Amplitude
Amplitude characteristic	Courbe de réponse
Amplitude factor	Facteur de crête
Amplitude modulation, A.M.	Modulation d'amplitude
Amplitude separator	Séparateur
Analyse	Analyser
Analysis	Analyse
Analytical entry	Notice de dépouillement
Analyzer	Analyseur, explorateur (tv)
Anamorphic	Anamorphosé
Anamorphic image	Image anamorphosée
Anamorphic lens	Anamorphoseur, objectif ana-morphoseur
Anamorphic print	Copie anamorphosée
Anamorphic projection	Projection anamorphosée
Anamorphic squeeze	Coefficient d'anamorphose
Anamorphic system	Système anamorphoseur
Anamorphosis	Anamorphose
Anamorphotic	Anamorphosé
Anastigmat lens	Objectif anastigmatique
Anchoring	Ancrage (d'un cliché)
Anchorman (tv news)	Commentateur, journaliste (tv)
Angle	Angle
Angle of deflection	Angle de déviation
Angle of incidence	Angle d'incidence
Angle of reflection	Angle de réflexion
Angle/reverse angle	Champ/contre-champ
Angle shot (ciné)	Plan cassé
Angle of shutter opening	Angle d'obturation
Angular	Angulaire
Angular aperture	Ouverture relative
Angular displacement	Décalage angulaire
Angular frequency	Pulsation

Angular speed	Vitesse angulaire
Angular viewfinder	Viseur coudé
Animate	Animer
Animated cartoon	Dessin animé
Animated diagram	Schéma animé
Animated film	Film d'animation
Animation	Animation
Animation camera	Caméra d'animation
Animation designer	Créateur d'animation
Animation stand	Banc d'animation, banc-titre
Animator	Animateur (dessin animé), meneur de jeu (débat)
Announcement	Annonce
Announcer	Annonceur (pub), présentateur -(trice), speaker, speakrine (tv, radio)
Anode	Anode
Anode glow	Lueur anodique
Answer	Réponse
Answer print (ciné)	Copie d'étalonnage
Answering wave	Onde de réponse
Antenna	Antenne
Antenna array	Réseau d'antenne
Antenna booster	Amplificateur d'antenne
Antenna coupler	Transformateur d'antenne
Antenna network	Réseau d'antenne
Antenna noise	Souffle d'antenne
Antenna power	Puissance d'antenne
Antenna resistor	Résistance d'antenne
Antenna run	Parcours d'antenne
Antenna thrust	Poussée d'antenne
Antenna tuning	Accord d'antenne
Antiblocking	Antibourrage
Anti-flare	Antireflet
Anti-flicker blade	Pale de scintillement
Anti-halation	Antihalo
Anti-halation backing	Enduit antihalo, couche antihalo
Anti-interference	Antiparasites
Anti-jamming	Antibrouillage

Anti-magnetic scissors	Ciseaux antimagnétiques
Anti-noise microphone	Microphone antibruits
Antiskating	Antiskating
Apertural effect (opt)	Cercle de confusion
Aperture	Ouverture
Aperture plate	Fenêtre de caméra, platine de fenêtre
Aperture ratio	Ouverture relative
Aperture scale	Echelle de diaphragmes
Apex	Crête
Apochromatic lens	Objectif apochromatique
Apparatus	Appareil, appareillage, dispositf
Apparent brightness	Luminosité apparente
Appearance	Aspect
Apple box (ciné)	Cube (d'opérateur)
Appraise	Expertiser
Appreciation card	Fiche critique
Apron tank	Cuve
Arc lamp	Lampe à arc, projecteur à arc
Arc lamphouse	Lanterne à arc
Arc light	Lampe à arc
Arc lighting	Eclairage à arc
Arc voltage	Tension d'arc
Area	Surface, zone
Area code	Indicatif régional
Arm	Bras
Arm-lifter	Lève-bras
Armoured	Blindé
Armoured cable	Câble blindé
Art critic	Critique d'art
Art director	Chef décorateur, décorateur
Art film	Film d'art
Art house (ciné)	Cinéma d'art et d'essai
Art theatre (ciné)	Cinéma d'art et d'essai
Article	Article
Artificial head	Tête artificielle
Artificial intelligence (inf)	Intelligence artificielle
Artificial language (inf)	Langage artificiel
Artificial light	Lumière artificielle

Artificial voice	Voix artificielle
Aspect	Aspect
Aspect ratio	Format de l'image, rapport d'aspect (image)
Aspherical	Asphérique
Aspherical lens	Objectif asphérique
Assemble	Assembler ; monter (ciné)
Assembler	Assembleur, monteur (ciné)
Assembly	Ensemble, assemblage, montage
Assign	Affecter, assigner
Assignment (on)	En reportage (pres), en mission (radio, tv)
Assistant cameraman	Assistant opérateur
Assistant director	Assistant réalisateur, assistant metteur en scène, régisseur
Assistant editor	Assistant de rédaction (pres) ; assistant monteur, colleur (ciné)
Assistant managing editor (pres)	Rédacteur en chef adjoint
Assistant production manager	Régisseur (de plateau)
Associate producer (ciné)	Producteur délégué
Astigmatic lens	Objectif astigmatique
Asymetrical	Asymétrique
Asymetrical lens	Objectif asymétrique
Asymetrical transducer	Transducteur asymétrique
Asynchronous	Asynchrone
Asynchronous generator	Générateur asynchrone
Atmosphere noise	Bruits d'ambiance
Atonal	Atonal
Attachment	Accessoire (d'un appareil)
Attenuation	Affaiblissement
Attenuation factor	Coefficient d'affaiblissement, facteur d'affaiblissement
Attune	Accorder
Audibility	Audibilité
Audible	Audible
Audible busy signal	Signal de ligne occupée
Audible range	Gamme audible
Audible signal	Signal sonore

Audible spectrum	Spectre audible
Audience	Audience, public, spectateurs
Audience participation methods	Technique de participation du public
Audience rating	Cote d'écoute, indice d'écoute
Audio	Acoustique, sonore, son
Audio-amplifier	Amplificateur basse fréquence
Audio-engineer	Ingénieur du son
Audio dubbing	Doublage audio
Audio frequency	Audio-fréquence, basse fréquence, fréquence acoustique
Audiometer	Audiomètre
Audio-mixer	Mélangeur du son (tv) ; table de mixage, console (ou) pupitre de mélange
Audio monitoring	Contrôle d'écoute
Audio oscillator	Générateur à basse fréquence
Audio perspective	Perspective sonore
Audiorama (radio)	Audiodramatique (subst)
Audio response	Réponse de basse fréquence
Audio-scripto-visual	Audio-scripto-visuel
Audio signal	Signal audio
Audio-synthetizer	Synthétiseur audio
Audio-tape	Bande son
Audio-tape recorder	Magnétophone
Audio wave	Onde acoustique
Audio-visual	Audio-visuel
Audio-visual aids	Moyens audio-visuels
Audio-visual method	Méthode audio-visuelle
Audio-visual teaching	Enseignement audio-visuel
Audio-visual technique	Technique audio-visuelle
Audition	Audition
Auditory area	Zone d'audibilité
Aural	Auditif, sonore
Aural capability factor	Indice de capacité auditive
Aural flutter	Papillotement auditif
Aural reception	Lecture du son
Aural transmitter	Emetteur son
Aural zone	Zone d'audibilité

Author	Auteur
Author of the script (ciné, tv)	Auteur de scénario
Authorization	Autorisation, permis
Autographic	Autographique
Automatic	Automatique
Automatic arm	Bras automatique
Automatic brightness control	Contrôle automatique de luminance
Automatic changer	Changeur automatique
Automatic change-over	Changement automatique
Automatic check	Contrôle automatique
Automatic control	Commande automatique, réglage automatique
Automatic controller	Régulateur automatique
Automatic control system	Circuit de réglage
Automatic dissolve	Fondu automatique
Automatic exposure setting	Réglage automatique d'exposition
Automatic fading device	Système automatique de fondu
Automatic film threading	Chargement automatique
Automatic focusing	Auto-focus
Automatic gain control	Contrôle automatique de volume, contrôle automatique de gain, antifading
Automatic release	Déclenchement automatique
Automatic rewinding	Rebobinage automatique, réenroulement automatique
Automatic sensitivity control of lighting	Contrôle automatique de sensibilité de lumière
Automatic shutter	Obturateur automatique
Automatic starter	Starter automatique
Automatic start mark (or) **slate**	Claquette automatique
Automatic striking arc	Arc à amorçage automatique
Automatic switch	Interrupteur automatique
Automatic switching	Commutation automatique
Automatic time-exposure control	Compte-pose automatique
Automatic title printer (ciné)	Titreuse automatique
Automatic turntable	Platine automatique

Automatic volume control (son)	Réglage automatique de puissance
Automation	Automatisation
Auxiliary	Secondaire, auxiliaire
Auxiliary close-up lens	Bonnette dioptrique
Auxiliary lens	Lentille additionnelle
Availability	Disponibilité
Available line	Ligne disponible
Available power	Puissance disponible
Available voltage	Potentiel (elect)
Avant-garde film (ciné)	Film d'avant-garde
Average picture level	Niveau moyen d'image
Axis	Axe
Azimuth adjustable head	Bloc azimutable

Baby tripod	Pied bas de caméra
Back	Arrière.
Back-diffusion	Rétrodiffusion
Back drop (ciné)	Cyclorama
Back-drive	Marche arrière
Background	Arrière-plan, fond
Background film (ciné)	Film pour transparence
Background lighting	Eclairage de découverte, éclairage de fond
Background music	Musique de fond
Background noise	Bruit de fond, souffle
Background plate	Transparence, plaque photographique pour transparence
Background projection (ciné)	Projection par transparence
Background projector	Projecteur pour transparence
Background set (ciné)	Découverte (studio)
Background sound	Fond sonore
Background title	Titre sur fond
Backing layer	Couche dorsale
Backlight	Décoller (éclairage)
Back lighting	Contre-jour, éclairage en contre-jour
Back-motion	Marche arrière
Back plate	Contre-plaque
Back projection (ciné)	Projection par transparence, rétroprojection

Back view	Vue arrière
Backwards	En arrière, marche arrière
Backwards reading	Lecture à rebours, lecture arrière
Baffle	Enceinte acoustique, écran sonore, écran acoustique, déflecteur, paroi
Baffle board	Panneau absorbeur
Balance	Balance ; balancer, compenser, équilibrer
Balance stripe	Piste (ou) bande de compensation
Balanced	Equilibré, symétrique
Balanced amplifier	Amplificateur compensé
Balanced antenna	Antenne compensée
Balanced head	Tête compensée
Balanced peak	Crête pondérée
Balancing	Equilibrage
Balancing network	Circuit compensateur
Ball bearing	Roulement à bille
Ball-and-socket joint	Joint à rotule
Banana pin	Fiche banane
Banana plug	Fiche banane
Band	Bande, gamme, ruban, voie ; orchestre
Banding (tv)	Effet de torsion de bande
Band-pass	Bande passante, passe-bande
Band-pass filter	Filtre passe-bande
Band selector	Commutateur de programmes
Band spectrum	Spectre de bande
Bandspread	Etalement de bande
Bandwidth	Bande passante, largeur de bande
Bank	Rangée, rampe
Bank of lights (ciné)	Batterie de projecteurs, herse
Banned film	Film interdit
Barndoor	Volet réglable
Barney (ciné)	Housse de protection (caméra)
Barrier (tv)	Ligne de séparation verticale
Base	Base, support

Baseband	Bande de base
Base side	Côté support
Basher	Pince à lampe
Basic operation	Opération fondamentale
Basic wiring	Connexion de base
Basis	Base
Bass boost	Amplification de basses fréquences
Bass control	Correction des graves
Bass loudspeaker	Haut-parleur des graves
Batch number (ciné)	Numéro de fabrication
Bath	Bain
Battery	Batterie, pile
Battery belt	Batterie en ceinture
Battery cable	Câble de batterie
Battery lead	Câble de batterie
Battery load	Charge de batterie
Battery-pack	Bloc de batteries
Battery-powered	Alimenté par batterie
Battery-powered motor	Moteur sur batterie
Bay	Baie
Bayonet	Baïonnette
Bayonet mount	Monture à baïonnette
Beaded screen	Ecran perlé (ou) nacré
Beam	Faisceau, rayon
Beam angle	Angle de faisceau
Beam antenna	Antenne directionnelle
Beam current	Courant de faisceau
Beam deflection (tv)	Déviation de faisceau
Beam hole (tv)	Fenêtre de sortie
Beam pattern	Diagramme de radiation
Beam splitter	Diviseur optique
Beam splitting	Décomposition de faisceau
Beam spread	Etendue du faisceau
Beam transmission	Onde dirigée
Beam voltage	Tension de faisceau
Beaming	Concentration ; rayonnant
Bearing point	Point d'appui
Beat	Battement, temps, vibration
Beavertail	Faisceau étalé

Beep sync tone	Mille périodes, signal de synchronisme
Bellows	Soufflet
Belt	Courroie
Belt drive	Entraînement par courroie
Bench	Banc
Benchmark	Repère
Bend	Pliure
Bending	Courbe, courbure,
Best boy (ciné)	Electricien (second)
Between-the-lens shutter	Obturateur central
Bias (magnetic)	Polarisation (magnétique)
Bidirectional	Bidirectionnel
Bidirectional antenna	Antenne bidirectiónnelle
Bidirectional flow	Passage reversible
Bidirectional microphone	Microphone bidirectionnel
Bidirectional system	Système bidirectionnel
Big close-up (ciné)	Très gros plan
Bilateral-area track	Piste sonore double
Billing (ciné)	Générique
Bi-monthly (pres)	Bimensuel
Bin	Bac
Binary	Binaire
Bind (imp)	Relier
Binder line (imp)	Chaîne de brochage
Binding	Couplage, reliure
Bipack	Châssis double
Bipack film	Film à deux couches
Biphase	Biphasé
Bipole magnetic head	Tête magnétique bipolaire
Bit	Bit
Bit player (ciné)	Artiste de complément
Bi-weekly (pres)	Bi-hebdomadaire
Black	Noir
Black-and-white	Noir et blanc
Black-and-white film	Film noir et blanc
Black-and-white television	Télévision en noir et blanc
Blackboard	Tableau noir
Black body	Corps noir
Black drop	Rideau noir

Black lead	Graphite
Black leader	Amorce noire
Black level	Niveau de noir
Black light	Lumière noire
Black peak	Sommet noir
Blackening	Noircissement
Blade	Lame, pale
Blade shutter	Obturateur à pales
Blank	Blanc, inutilisé, vierge, vide
Blank band	Plage blanche
Blank groove	Sillon non modulé
Blank news (imp)	Rognures blanches
Blank tape	Bande vierge
Blanket area	Zone de couverture
Blanking	Effacement, suppression de faisceau
Blanking level	Niveau de suppression
Blanking pulse	Impulsion de suppression du faisceau
Blanking signal	Signal de suppression
Blanking threshold	Seuil de suppression
Blast	Soufflerie
Bleaching	Blanchiment, décoloration
Bleeding (opt)	Effilochage, frange
Blimp (ciné)	Caisson insonore
Blind booking	Location sans projection préalable, programmation avant vision
Blind spot	Zone de silence
Block	Bloquer, arrêter ; bloc, cliché
Block booking (ciné)	Location d'un ensemble de films
Block circuit	Circuit élémentaire
Blocking-out	Détourage
Block maker (imp)	Clicheur, photograveur
Block making (imp)	Clichage, photogravure
Block type (imp)	Caractère
Bloomed lens	Objectif à revêtement antiréfléchissant, objectif traité

Blooming	Antireflet, épanouissement (tv), flou (d'image)
Blooming layer	Couche antiréfléchissante
Bloop	Bruit de collure au son, raccord sonore ; zaponner
Blooping ink	Zapon
Blooping notch	Encoche de son
Blotter	Buvard
Blotting paper	Buvard, papier buvard
Blower	Soufflerie
Blow-up	Agrandissement ; gonfler
Blow-up printing	Tirage par agrandissement
Blow-up process	Gonflage (de l'image)
Blown-up	Agrandi
Blue-screen process	Procédé fond bleu
Blurred	Flou
Board	Panneau, tableau
Board of censors	Censure (commission de contrôle)
Body	Boîtier (d'appareil de photo), chambre (appareil), corps
Bold face (imp)	Mi-gras
Bolt	Boulon
Bond	Lien
Book	Livre, livret (opérette)
Book binder	Relieur
Book designer	Metteur en pages
Book designing	Mise en pages
Booking (ciné)	Distribution (commerciale), location (de film)
Booking charges (ciné)	Frais de location
Booklet	Brochure, livret, plaquette
Boom (ciné)	Girafe, grue, perche
Boom operator (ciné)	Perchiste, perchman, preneur de son
Boom shot	Plan de girafe
Boomer	Haut-parleur de graves
Boominess	Résonance grave
Boomy sound	Son sourd
Boosted	Survolté

Booster	Amplificateur, auto-régulateur, survolteur
Booster amplifier	Amplificateur de tension, pré-amplificateur
Booster light	Lumière d'appoint
Booth	Cabine
Booth porthole	Hublot de cabine
Border	Marge
Bounce	Qualité acoustique, rebondissement
Bound (copy) (imp)	Relié
Box	Boîte, boîtier, caisse, encadré (pres)
Box office	Caisse (de cinéma), recettes
Box-office success (ciné)	Film à recette
Branch	Connecter ; branche
Branch circuit	Circuit de distribution (électrique)
Branch office	Succursale
Branching	Bifurcation, branchement, connexion, embranchement
Branchpoint	Branchement, embranchement
Brainstorming	Emulation d'idées, stimulation d'idées
Breadth	Largeur
Break	Cassure, coupure
Break point	Point de coupure
Breakdown	Dépouillement, panne
Breakdown signal	Signal d'interruption
Breaker	Disjoncteur
Breathing	Pompage
Brief	Breffer
Briefing	Exposé
Bright	Brillant, lumineux
Brighten	Eclaircir
Brightness	Luminosité, brillance
Brightness control	Réglage de luminosité, réglage de brillance
Brightness meter	Brillance-mètre

Brightness (of the image)	Brillance (ou) luminosité (de l'image)
Brightness ratio	Contraste des luminances, rapport des luminances, rapport de brillance
Brilliancy	Brillance, intensité d'image
Brilliant	Brillant, lustré
Broad	Banc de lampes ; large
Broad-band amplifier	Amplificateur à large bande
Broadcast (tv, radio)	Diffuser, émettre ; émission, radiodiffusion
Broadcast time	Heure d'antenne, temps d'antenne
Broadcaster	Chroniqueur, diffuseur, journaliste (tv radio), téléaste
Broadcasting	Passage à l'antenne, radiodiffusion, radioémission
Broadcasting print (tv)	Copie antenne
Broadcasting signal	Signal d'émission
Broadcasting station	Station émettrice
Broadlight	Lumière diffuse, projecteur d'ambiance
Broadside directionnal antenna	Antenne directionnelle à grande ouverture
Broadside (lamp)	Réflecteur diffuseur
Brochure	Brochure
Brush	Balai, brosse
Buckling	Bourrage, gaufrage, gondolage
Budget	Devis
Buffer	Tampon
Buffer amplifier	Amplificateur intermédiaire
Built-in	Incorporé, intégré
Built-in sell (or) meter	Cellule incorporée
Built-in check	Contrôle interne
Built-in coder	Codeur incorporé
Built-in filter	Ecran incorporé
Built-in microphone	Microphone incorporé
Bulb	Ampoule, lampe
Bulk eraser	Démagnétiseur, table d'effacement

Bulk printing	Tirage de série
Bulletin	Communiqué
Bunched cables	Câbles groupés
Burnishing	Brunissage
Burst	Eclater ; impulsion de synchro-nisation (tv)
Busbar (élect)	Barre omnibus
Bushing	Douille
Button	Touche
Buzz track (test film)	Piste vibratoire (film d'essai)
Buzzer	Avertisseur sonore, ronfleur
B & W	Noir et blanc
B & W dupe positive (ciné)	Marron
By-pass	Découplage
By-product	Sous-produit

Cable	Câble, dépêche, ligne, télégramme
Cablecast	Câblo-diffusion
Cablecaster	Câblo-diffuseur
Cablecasting	Câblo-diffusion, câblovision, diffusion par câble, télédistribution, télévision par câble
Cablecasting network	Réseau de télédistribution
Cabled home	Foyer raccordé
Cabled network	Réseau câblé
Cable laying	Pose de câble
Cableman	Câbleur (élect), câbliste (caméra tv)
Cable powering	Puissance sur câble
Cable ring	Anneau de câble
Cable terminal	Tête de câble
Cable trunk line	Ligne principale du câble
Cabling	Câblage
Calculate	Calculer
Calculator	Calculateur, machine à calculer
Calender (imp)	Calandre
Calibrate	Etalonner
Calibrating curve	Courbe d'étalonnage
Calibration	Etalonnage
Calibration chart	Tableau d'étalonnage
Call (telephone)	Communication, appel

Call sheet	Feuille de travail
Call sign	Signal d'appel
Calling code	Code d'appel
Calling device	Système d'appel
Calling wave	Onde d'appel
Camera	Appareil de prise de vues, caméra
« Camera ! »	« Moteur ! »
Camera angle	Angle de prise de vues
Camera boom	Grue de caméra
Camera buckle	Boucle de caméra
Camera cableman (tv)	Câbliste
Camera car	Voiture travelling
Camera control unit	Boîte de contrôle de caméra, système de contrôle de caméra
Camera coverage	Champ de prise de vues
Camera crane	Grue (de caméra)
Camera crew	Equipe de prises de vues
Camera front	Platine d'objectif
Camera equipment	Matériel de prise de vues
Camera hood	Parasoleil
Cameraman	Cadreur, opérateur de prise de vues
Camera monitor (tv)	Moniteur de caméra (tv), viseur électronique
Camera mount	Support de caméra
Camera operator	Cadreur, opérateur de prise-de-vues
Camera report	Feuille de rapport image
Camera set-up	Position de caméra
Camera speed	Vitesse de prise de vues
Camera tube (tv)	Tube de caméra, tube analyseur
Cancel	Annuler
Cancellation	Annulation
Candle	Bougie
Can (film)	Boîte de film
Can number	Numéro de boîte de film
Canned music	Musique préfabriquée

Cap	Bonnet, volet protège-tube
Capacitance	Capacité
Capacitor	Condensateur
Capacitor loudspeaker	Haut-parleur électrostatique
Capacitor microphone	Microphone électrostatique
Capacitor pick-up	Pick-up électrostatique
Capacitor plate	Plaque de condensateur
Capacity	Capacité, débit, pouvoir
Capital letter (imp)	Capitale, majuscule
Capstan	Cabestan
Capstan pressure roller	Galet presseur du cabestan
Caption (pres)	Légende
Caption stand	Banc-titre
Carbon	Carbone
Carbon arc	Arc à charbon
Carbon microphone	Microphone au charbon
Card	Carte, fiche
Cardboard	Carton
Card index	Fichier
Cardioid	Cardioïde
Cardioid microphone	Microphone cardioïde
Carrier	Onde porteuse, support
Carrier current	Courant porteur
Carrier deviation	Décalage de fréquence
Carrier frequency	Fréquence porteuse
Carrier wave	Onde porteuse
Cartoon	Dessin animé, film d'animation
Cartoonist	Animateur (dessin animé), dessinateur
Cartridge	Cartouche
Cartridge recorder	Enregistreur à cartouche, magnétophone à cassette
Cascade printer	Tireuse multiple
Case	Boîtier
Case hardening	Cémentation
Cassette	Cassette
Cassette recorder	Enregistreur à cassette, magnétophone à cassette
Cassette recording	Enregistrement de cassette
Cassette tape-deck	Platine-cassette

Cast (ciné, tv)	Distribution (des rôles)
Cast credits	Générique
Cast list (ciné, tv)	Liste des interprètes
Casting	Distribution (artistique)
Casting director	Régisseur d'acteurs
Casting off (imp)	Calibrage
Catalyst	Catalyseur
Catch line	Slogan
Catchword	Mot clef
Category	Catégorie
Cathode	Cathode
Cathode beam	Faisceau cathodique
Cathode current	Courant cathodique, intensité cathodique
Cathode glow	Lueur cathodique
Cathode load	Charge cathodique
Cathode modulation	Modulation par la cathode
Cathode ray	Rayon cathodique
Cathode-ray oscillograph	Oscillographe à rayons cathodiques
Cathode-ray trace	Oscillogramme
Cathode-ray tube (tv)	Ecran cathodique, tube cathodique
Cathode screen	Ecran cathodique
Cathode spot	Tache cathodique
C.A.T.V. (Community Antenna Television)	Câblo-diffusion, télévision par antenne collective
Catwalk	Passerelle
Cel	Cellulo (d'animation)
Cell	Cellule, pile
Cementation	Cémentation
Cemented	Collé
Censor's certificate	Visa de censure
Censorship	Censure
Center	Centre
Center spread (pres)	Double page
Centering	Centrage
Central	Central
Central unit	Organe central

Chain link	Maillon
Chain of newspapers (pres)	Groupe de presse
Chain reaction	Réaction en chaîne
Change	Changer
Changeover	Commuter ; passage (d'un projecteur à l'autre)
Change-over cue	Marque de fin de bobine
Change-over switch	Inverseur
Changer	Changeur
Changing bag (ciné)	Manchon de chargement, sac de chargement, sac noir
Channel	Chaîne (tv), canal, voie
Channel combiner	Combinateur de chaîne
Channeling switch	Commutateur de direction
Channel scheduling	Programmation de canaux
Channel selector	Syntoniseur, sélecteur de canaux, sélecteur
Character (actor)	Personnage, rôle de composition
Characteristic curve	Courbe sensitométrique, courbe caractéristique
Charge-coupled device	Système à coupleur de charges
Charged	Chargé
Charger	Chargeur (de batterie)
Charges	Frais
Chart	Tableau
Chart scale	Echelle, graduation
Chatter	Murmure
Chatter effect	Broutage
Check	Comparer, contrôler, vérifier ; contrôle, vérification
Check chart	Mire d'essai
Check information	Information de contrôle
Check list	Liste de contrôles
Check point	Point de contrôle, point de repère
Check print	Copie de contrôle, copie d'essai
Checked	Contrôlé
Cheese cloth (ciné, photo)	Tarlatane

Chemical	Chimique
Chemical fog	Voile chimique
Chemical printing (imp)	Offset
Chief cameraman	Chef opérateur, directeur de la photographie
Chief electrician	Chef électricien, chef éclairagiste
Children's film	Film pour enfants
Choice	Sélection
Chorus master	Répétiteur
Chroma	Chroma
Chroma key (tv)	Réglage des effets
Chroma signal bandwidth	Signal de chrominance de bande passante
Chromatic	Chromatique
Chromatic aberration	Aberration chromatique
Chromatic balance	Equilibre chromatique
Chromatic flicker	Papillotement chromatique
Chromaticity diagram	Triangle de couleurs
Chrome	Chrome
Chrominance	Chrominance
Chromium dioxide	Bioxyde de chrome
Chromogenic	Chromogène
Chronicle (pres)	Chronique
Chronological	Chronologique
Chronophotography	Chronophotographie
Cinema	Salle de cinéma
Cinemagazine	Ciné-journal
Cinema manager	Directeur de salle
Cinematography	Cinématographie
Cine-novel	Ciné-roman
Cinescope	Cinescope
Cinex strip (ciné)	Test d'étalonnage
Circle-in	Ouverture en iris
Circle of confusion (opt)	Cercle de confusion
Circle out	Fermeture en iris
Circuit	Circuit
Circuit breaker	Coupe-circuit, disjoncteur, interrupteur, interrupteur de circuit

Circuit closer	Conjoncteur
Circuit noise	Bruit de ligne
Circuit section	Section de circuit
Circuit switching	Commutation
Circuitry	Système de circuits
Circular	Circulaire
Circular coverage	Rayonnement omnidirectionnel
Circular wave guide	Guide d'onde circulaire
Circulation (pres)	Tirage (d'un journal)
Circulation manager (pres)	Chef de vente du journal
Circulation rate	Taux de diffusion
City editor (pres)	Chef de rubrique locale
Clamp	Attache, pince
Clamping	Serrage
Clamping jaw	Dispositif de blocage
Clamping lug	Ergot de fixation
Clamping pin	Ergot de fixation
Clapper board	Claquette, clap
Clapper-boy	Clapman
Clapper mark	Marque de synchronisation, top de claquette
Classification	Classification, classement
Classified advertisement (pub)	Annonce classée, petite annonce
Claw	Griffe
Claw movement	Entraînement par griffe
Cleaned-up	Vidé
Cleaning	Nettoyage
Clean tone	Son pur
Clear area	Zone libre
Clear leader	Amorce transparente
Clearness	Netteté, espace libre
Clicker (imp)	Metteur en pages
Clipping	Coupure de presse, rognure
Clockwise movement	Mouvement vissé (dans le sens de rotation des aiguilles d'une montre)
Close	Fermer
Closed circuit	Circuit fermé

Closed circuit TV, C.C.T.V.	Télévision en circuit fermé
Closed control loop	Circuit fermé de réglage
Closed-loop system	Système à boucle fermée
Closed shop (tv)	Accès restreint
Close shot (ciné, tv)	Demi-gros plan, plan rapproché
Close-talking microphone	Microphone de proximité
Close-up	Gros plan
Clutch	Embrayage
Coarse grain	Gros grain
Coarse grain image	Image granuleuse
Coated	Recouvert, traité
Coated lens	Lentille traitée, objectif traité
Coated paper	Papier couché
Coating	Couche, couchage, dépôt, revêtement
Coating machine	Coucheuse
Coaxial	Coaxial
Coaxial cable	Câble coaxial
Coaxial line	Ligne coaxiale
Co-channel	Canal commun
Code	Chiffrer ; code, indicatif
Coder	Modulateur
Codification	Codification
Codify	Codifier
Coefficient	Coefficient
Coherent light	Lumière cohérente
Coil	Bobinage
Coil-pack	Bloc de bobinage
Cold mirror	Miroir froid
Collaborator	Collaborateur
Collapsible take-up core	Noyau récepteur expansible
Collect	Rassembler
Collecting lens	Lentille collectrice
Collector plate	Plaque collectrice
Collimator	Collimateur
Colloidal	Colloïdal
Colour	Couleur
Colour analysis	Analyse de couleurs

Colour balance	Gris équivalent
Colour burst (tv)	Impulsion de synchronisateur couleur
Colour cartridge video recorder-reproducer	Enregistreur-lecteur à vidéocassette couleur
Colour cast	Dominante de couleur
Colour chart	Charte de couleurs
Colour cinex test strip (ciné)	Bande de réglage couleur
Colour coder (tv)	Générateur de signaux
Colour coding	Codage couleur
Colour contamination	Distorsion chromatique
Colour contrast	Contraste des couleurs
Colour control	Contrôle des couleurs
Colour correction	Correction des couleurs
Colour crosstalk (tv)	Interférence des couleurs
Colour decoder (tv)	Intégrateur
Colour developer	Révélateur chromogène
Colour dissector optical system (tv)	Système de balayage optique couleur
Coloured lamp	Lampe à verre coloré
Colour effects	Effets de couleurs
Colour encoder	Générateur de signaux
Colour etcher	Chromiste
Colour film	Film en couleur, pellicule couleur
Colour film system	Procédé de cinéma en couleurs
Colour flickering	Papillotement de couleur
Colour forming	Chromogène
Colour fringing	Frangeage de couleur
Colour grading	Etalonnage couleur
Colour intermediate positive (ciné)	Copie master, master, positif intermédiaire couleur
Colourless	Incolore
Colour lock	Verrouillage couleur
Colour masking	Masque chromatique
Colour matte	Cache contre-cache couleur
Colour negative	Négatif couleur
Colour pilot	Bande courte couleur, deux-en-deux

Colour press (imp)	Presse couleurs
Colour print (ciné)	Positif couleur
Colourproof	Couleur stable
Colour Reversal Internegative (C.R.I.)	Internégatif inversible couleurs
Colour registration test pattern	Mire d'enregistrement couleur
Colour rendition	Rendement des couleurs
Colour response	Sensibilité chromatique
Coloured screen	Ecran coloré
Colour sensibility	Sensibilité chromatique
Colour separation	Extraction (lab), sélection de couleurs
Colour separation circuitry	Circuit de sélection des couleurs
Colour separation filter	Filtre de sélection des couleurs
Colour separation printing	Tirage par extraction
Colour shifting	Virement de couleur
Colour signal	Signal de chromaticité
Colour splitter (tv)	Séparateur de couleurs
Colour sub-carrier	(Onde) sous-porteuse couleur
Colour sub-carrier frequency	Fréquence sous-porteuse couleur
Colour switching	Commutation des couleurs
Colour synthesis	Synthèse des couleurs
Colour system	Codage couleur
Colour television	Télévision en couleurs
Colour temperature	Température de la couleur
Colour temperature meter	Thermocolorimètre
Colour value	Valeur chromatique
Colour wedge	Gamme de densités
Column (pres)	Chronique, colonne, rubrique
Columnist	Chroniqueur
Combined duplicate negative (ciné)	Contretype négatif combiné
Combined magnetic recording	Enregistrement magnétique image et son
Combined magnetic sound print (ciné)	Copie à piste magnétique couchée
Combined negative	Négatif combiné image et son
Combined optical sound print	Copie standard à piste optique

Combined print	Copie standard, positif combiné image et son
Combined read-write head	Lecteur-scripteur
Comics	Bandes dessinées
Comics book	Livre de bandes dessinées
Comic-strip	Bande dessinée, feuilleton en images
Command	Instruction
Commentary	Commentaire
Commentator (tv)	Chroniqueur, commentateur
Commercial (pub)	Annonce (ou) bande (ou) message (où) spot publicitaire
Commercial announcement	Communiqué publicitaire
Commercial distribution (ciné)	Exploitation commerciale
Commercial television	Télévision commerciale
Common channel	Voie commune
Common frequency	Onde commune
Common language	Langage commun
Communal TV	Télévision communautaire
Communicate	Communiquer
Communication	Communication, transmission, télécommunication
Communication center	Centre de communication
Communication chart (cab)	Schéma de câblage
Communication line	Voie d'intercommunication
Communication link	Liaison par réseau
Communicator	Informateur
Community antenna	Antenne collective
Community-antenna television (CATV)	Télévision par antenne collective
Community network	Réseau collectif
Community viewing (or) **listening**	Réception collective
Commutator	Inverseur
Compare	Comparer, collationner
Comparison	Comparaison
Comparison lamp	Lampe-étalon
Compensating filter	Filtre compensateur
Compensation	Compensation
Competition	Concurrence

Compile	Compiler
Compiler	Compilateur
Complement	Complément
Complementary	Complémentaire, supplémentaire
Complementary colour	Couleur complémentaire, couleur secondaire
Complex sound	Son composé
Component	Composant, organe, pièce détachée
Compose	Composer
Composer	Compositeur (musique)
Composing	Composition
Composite	Composite, combiné (image et son), composé
Composite colour signal (tv)	Signal couleur composé
Composite dailies (ciné)	Rushes combinés image et son
Composite dupe négative	Négatif contretype combiné image et son
Composite master	Bande mère
Composite print	Copie standard, positif combiné image et son
Composition room (imp)	Atelier de composition
Compound	Composé
Compression	Compression
Compression chamber	Chambre de compression
Compute	Calculer
Computer (inf)	Ordinateur
Computer animation	Animation par ordinateur
Computer controlled camera	Caméra commandée par ordinateur
Computing center	Centre de calcul
Concave lens	Lentille concave
Concentrate	Concentrer, localiser
Concentrated	Concentré, localisé
Concentrated beam	Faisceau concentré
Concentration	Concentration, localisation
Concentric wiring system	Câblage coaxial
Concurrent	Simultané
Condensation	Condensation

Condensed	Condensé
Condenser	Condensateur, condenseur
Condensing lens	Lentille condensatrice
Condition	Condition
Conditional grant	Autorisation provisoire
Conduct	Conduire
Conductibility	Conductibilité
Conductive pencil (vid)	Crayon électrographique
Conductivity	Conductibilité
Conductor	Câble, fil, chef d'orchestre
Cone	Cône
Cone loudspeaker	Haut-parleur à membrane conique
Conforming	Conformation (du négatif)
Connect	Brancher, connecter, raccorder
Connecting	Raccordement
Connecting cable	Câble de connexion
Connecting wire	Fil de connexion
Connection	Branchement, connexion
Connection box	Boîte de raccordement
Connection plug	Fiche de raccordement
Connection unit	Module de connexion
Connector	Connecteur, lien, prise (électrique)
Consistancy	Consistance
Console	Console, pupitre
Console input	Entrée de pupitre
Console output	Sortie de pupitre
Constant	Constant
Constant-velocity recording	Enregistrement à vitesse constante
Constraint	Contrainte
Construction	Construction
Consultant	Conseil, conseiller
Consume	Consommer
Consumption	Consommation
Contact	Contact
Contact microphone	Microphone de contact
Contact plug	Fiche de contact

Contact print	Copie par contact, épreuve contact, planche de contact
Contact printer	Tireuse par contact
Contact printing	Tirage par contact
Contactor	Conjoncteur
Contamination (tv)	Interférence d'images
Content analysis	Analyse de contenu
Contents	Contenu
Continuity.	Continuité
Continuity girl (ciné, tv)	Script-girl, secrétaire de plateau
Continuity log (tv)	Conducteur (d'émission)
Continuity script	Conducteur (d'émission) (tv), scénario dialogué (ciné)
Continuity sheet	Rapport script
Continuity shot (ciné, tv)	Plan de raccord, raccord
Continuous	Constant, continu
Continuous contact printer	Tireuse continue par contact
Continuous (film) printer	Tireuse continue
Continuous loop projector	Projecteur à boucle sans fin
Continuous motion projector	Projecteur à défilement continu
Continuous movement	Mouvement continu
Continuous performance (ciné)	Cinéma permanent, programme permanent
Continuous spectrum	Spectre continu
Contour	Contour
Contract	Contrat
Contrast	Contraste
Contrast control	Réglage du contraste
Contrast ratio	Facteur de contraste
Contrastor	Contrasteur
Contrasty	Contrasté
Contributing editor (pres)	Conseiller de rédaction
Control	Commander, contrôler, piloter, vérifier ; commande, contrôle, réglage, surveillance, vérification
Control area	Zone de contrôle
Control center (tv)	Régie
Control circuit	Circuit de commande

Control console (or) **desk**	Pupitre de commande, pupitre de régie (tv)
Control deck (tv)	Module de commande
Control device	Dispositif de vérification
Control element	Organe de réglage
Control frequency	Fréquence pilote
Control instruction register	Registre de commande
Control knob	Bouton de réglage
Control lever	Levier de commande, manette de contrôle
Control light	Lampe témoin, lampe de signalisation, voyant
Control monitor (tv)	Moniteur de contrôle
Control panel	Ecran de régie, tableau de commande
Control room (tv)	Salle de régie
Control signal	Signal de commande
Control strip	Bande témoin
Control switch	Interrupteur de commande
Control system	Système de commande
Control tape	Bande pilote
Control track	Piste de contrôle, piste pilote, piste d'asservissement, voie de contrôle
Control unit	Bloc de commande, organe de commande
Control voltage	Tension de commande
Controlled	Commandé, contrôlé, piloté, réglé
Controlled stop	Arrêt programmé
Controller	Contrôleur, régulateur
Conventional	Classique
Convergence	Convergence
Converging	Convergent
Conversion	Conversion
Cover shot (ciné)	Plan de sécurité
Convert	Convertir
Converter	Adaptateur, changeur, convertisseur, transformateur
Convertibility	Convertibilité

Convex	Convexe
Convex lens	Lentille convexe
Cooling	Refroidissement
Cooling plate	Plaque de refroidissement
Cooperative advertising (pub)	Publicité collective
Coordinator	Coordinateur (subst), régisseur
Coordinating	Coordonnateur (adj)
Co-production (ciné, tv)	Coproduction
Copy	Copier, reproduire ; copie, double, reproduction
Copy-editor (pres)	Chef du secrétariat de rédaction
Copyright	Droit d'auteur, propriété artistique
Cord	Fil
Core	Noyau
Cored carbon	Charbon à mèche
Corner	Angle
Corner angle	Angle d'ouverture
Correct	Corriger
Corrected	Corrigé
Corrected dailies (ciné)	Rushes étalonnés
Corrected print	Copie rectifiée
Correcting lens	Lentille correctrice
Correction	Correction, rectification
Correction filter	Filtre correcteur
Correction value	Valeur de correction
Corrective action	Action correctrice
Corrugated (board)	Ondulé (carton)
Corrugated mirror	Miroir cannelé
Corrugated paper	Papier ondulé
Cost	Prix
Cost estimate	Budget, devis
Costs	Frais
Costume film	Film historique
Count down	Compte à rebours
Counter	Compteur
Counter clockwise movement	Mouvement dévissé (contre le sens de rotation des aiguilles d'une montre)

Counter-mask (ciné)	Contre-cache
Counterpoint	Contrepoint
Counter proof	Contre-épreuve
Counter-shot (ciné)	Contre-champ
Couple	Coupler
Coupled range finder	Télémètre couplé
Coupler	Couplant, coupleur, connecteur
Coupler plug	Fiche de connecteur
Coupling	Accouplement, couplage, jume-lage
Coupling agent	Couplant
Course	Trajet
Courtesy lighting	Eclairage de service
Cover	Couvrir (un sujet)
Cover-page	Couverture (livre)
Coverage (pres)	Couverture (reportage)
Cover shot (ciné)	Plan de protection
Cover story (pres)	Article style magazine
Crab dolly	Chariot-grue, petit chariot
Crackling	Crachement
Cradle	Berceau
Crane	Grue
Crane shot	Prise de vues sur grue
Crank	Manivelle
Crank-up stand	Pied à manivelle
Creative (pub)	Créatif
Creative media	Média créateur
Creativity workshop	Atelier de créativité
Credit titles (ciné, tv)	Générique
Creeping title	Déroulant (générique)
Crew	Equipe, personnel
Crispening (tv)	Resserrement d'image
Critic	Critique
Crosscheck	Recoupement
Cross connection	Connexion croisée
Cross cutting	Montage par contraste
Cross fade	Fondu enchaîné
Cross head	Tête de disjoncteur
Cross modulation	Modulation transversale, trans-modulation

Cross-modulation test	Essai de transmodulation
Cross-over	Passe volante
Crossover frequency	Fréquence de raccordement
Cross-reference	Renvoi
Crosstalk	Interférence (entre circuits)
Cross threads	Réticule
Cross wheel	Croix de Malte
Crystal	Cristal, quartz
Crystal-controlled	Piloté par quartz
Crystal-controlled sync generator	Générateur de synchronisation piloté par quartz
Crystal control oscillator	Oscillateur de commande par quartz
Crystal driven	Piloté par quartz
Crystal filter	Filtre piézoélectrique
Crystal loudspeaker	Haut-parleur piézoélectrique
Crystal microphone	Microphone piézoélectrique
Crystal oscillator	Oscillateur à cristal
Crystal pick-up	Pick-up piézoélectrique
Crystal set	Récepteur à cristal
Crystal sync	Piloté par quartz
Crystal-sync motor control	Générateur de régulation à quartz
Crystal sync shooting	Prise de vues synchrone (sans câble de liaison)
Crystal sync system	Système de pilotage par quartz
Cue	Indication, marque, signal
Cue (in dialogue)	Réplique
Cue light	Lampe de signalisation
Cue mark	Marque de repère
Cue sheet	Conduite d'émission (tv), feuille de mixage
Cue track	Piste pilote
Cultural	Culturel
Cultural film	Film culturel
Current	Courant
Current balance	Balance de courant
Current density	Intensité de courant
Curriculum	Programme scolaire
Curtain	Rideau

Curvature	Courbure
Curve	Courbe
Curve tracer	Oscillographe à rayons cathodiques
Curved	Cintré
Cushioned socket	Support antivibratoire
Customer	Usager
Cut	Coupe, taille ; couper, monter (un film)
« Cut ! »	« Coupez ! »
Cut-away shot	Plan de coupe
Cut in	Intercaler ; insert, raccord
Cut-in-shot (ciné, tv)	Incrustation
Cut off	Déconnecter, interrompre
Cut off (élect)	Coupure
Cut off point	Point de coupure, point de rupture
Cut off voltage	Tension de coupure
Cutter	Découpeuse (imp), monteur ciné, tv), volet (écl)
Cutting	Taille, montage film (ciné, tv)
Cutting blade	Lame d'obturation
Cutting continuity (ciné, tv)	Liste des dialogues
Cutting copy	Copie de travail
Cutting machine	Massicot, guillotine
Cutting room (ciné, tv)	Salle de montage
Cutting sync	Synchronisme de montage
Cutting table	Table de montage
Cuts (ciné, tv)	Chutes
Cybernetics	Cybernétique
Cyan	Cyan
Cycle	Période, cycle
Cycle-per-second	Hertz
Cycle undulation	Oscillation
Cyclic	Cyclique
Cyclorama lighting	Eclairage de cyclorama
Cylindrical lens	Objectif cylindrique

Dailies (ciné, tv)	Epreuves (de tournage), rushes
Daily (pres)	Quotidien
Daily assembly	Synchronisation des rushes
Daily report	Rapport journalier
Damage	Détérioration
Dampen	Amortir
Dampener	Humecteuse
Damper	Amortisseur, atténuateur
Damping	Amortissement
Damping-device	Amortisseur
Dark	Obscur, sombre
Dark period (ciné)	Phase d'obturation
Dark room	Chambre noire
Dark room lamp	Lampe inactinique
Dark tone	Teinte sombre
Darken	Noircir, obscurcir
Dash	Trait, tiret
Dashboard	Tableau de bord
Data (inf)	Caractéristiques, données, informations
Data bank	Banque de données
Data processing	Informatique, traitement des données, traitement des informations
Data processor	Informaticien
Data sheet	Fiche

Data transmission	Télétransmission
Date	Dater
Datum	Donnée
Day-for-night	Effet de nuit
Day-for-night shooting (ciné)	Prise de vues en nuit américaine
Daylight	Lumière du jour
Daylight loading reel (ciné)	Bobine de chargement « plein jour »
Daylight magazine	Magasin « plein jour »
Daylight projection	Projection en plein jour
Daylight screen	Ecran plein jour
D.C. (direct current)	Courant continu
D.C. supply	Alimentation continue
D.C. voltage	Tension continue
Dead black	Noir absolu
Deadline	Date limite, échéance, heure limite
Dead room	Chambre sourde
Dead spot	Point mort
Dead stop	Arrêt brutal
Dead time	Temps mort
Dead zone	Angle mort
Deaden	Amortir, atténuer
Deadening	Amortissement
Deaf	Sourd
Deceleration	Décélération
Decibel	Décibel
Decipher	Déchiffrer
Deciphering	Décryptage
Deck	Appareil, régie (vid)
Decode	Décoder, déchiffrer
Decoder	Décodeur
Decoding	Déchiffrement, décryptage, décodage
Deep notes (son)	Graves
Deep tone	Son grave
Defect	Défaut
Define	Définir, limiter
Definition	Définition

Definition chart (ciné, tv)	Mire de netteté ou de définition
Definition error (ciné, tv)	Défaut de définition
Deflection (tv)	Déflexion, déviation
Deflector	Déflecteur
Defocusing	Défocalisation, passage au flou
Degausser	Démagnétiseur, effaceur
Degree	Degré, taux
Degree of acidity	Degré d'acidité
Delay	Retarder
Delay equalizer	Correcteur de phase
Delay shutter-release	Déclencheur à retardement
Delayed action	Action différée
Delayed broadcast	Emission en différé
Delete	Annuler, effacer
Delivery	Livraison
Demagnetization	Démagnétisation
Demodulate	Démoduler
Demodulation	Démodulation
Demodulator	Démodulateur
Densitometry	Densitométrie
Density	Densité
Department head	Chef de section
Dephase	Décaler
Depict	Dépeindre
Deposit	Dépôt
Deposited negative	Négatif déposé
Depth	Profondeur
Depth of field	Profondeur de champ
Depth of field control	Contrôle de profondeur de champ
Depth of field range	Plage de profondeur de champ
Depth of focus	Profondeur de foyer
Designer (set)	Décorateur
Desired value	Valeur de réglage
Desk	Pupitre, secrétariat de rédaction (pres), table
Desk editor (pres)	Chef des informations, rédacteur spécialisé
Desk microphone	Micro de table
Detachable	Amovible, démontable

Detail	Détail, finesse
Detection	Détection
Detection table (mont)	Table de détection
Detective film	Film policier
Deterioration	Détérioriation
Deutsche Industrie Normen	D.I.N.
Develop	Développer
Developer	Révélateur
Developing	Développement
Developing tank	Cuve à développer
Development fog	Voile de développement
Deviation	Déviation, écart
Deviation shift	Dérivation
Device	Appareillage, appareil, dispositif
Diagonal splice (mont)	Collure diagonale
Diagram	Schéma
Diagram film	Film de schémas
Dial	Cadran, sélecteur manuel
Dial exchange	Réseau automatique
Dialogue	Dialogue
Dialogue continuity	Continuité dialoguée, continuité
Dialogue track	Bande de dialogues
Dialogue writer	Dialoguiste
Diamond	Diamant
Diaphragm	Diaphragme, iris, membrane
Diaphragm adjustment	Réglage d'ouverture d'objectif
Diaphragm adjustment grip	Oreille de réglage d'ouverture d'objectif
Diaphragm drive	Commande de diaphragme
Diaphragm pre-setting	Présélection de diaphragme
Diaprojector	Projecteur de diapositives
Diatonic	Diatonique
Dichroic	Dichroïque
Dichroic filter	Filtre dichroïque
Dichroic fog	Voile dichroïque
Dichroic mirror	Miroir dichroïque
Differential threshold	Seuil différentiel
Diffracted wave	Onde déviée

Diffraction spectrum	Spectre de diffraction
Diffuse	Diffuser ; diffus
Diffuse lighting	Eclairage diffus
Diffuse reflection	Réflexion diffuse
Diffuse sound	Son diffus
Diffused light	Lumière diffuse
Diffuser scrim	Diffuseur
Diffusing	Diffusant
Diffusing screen	Ecran diffuseur
Diffusion	Diffusion
Digit (inf)	Chiffre, numéro
Digital (inf)	Digital, numérique
Digital computer (inf)	Calculatrice numérique
Digital control (inf)	Commande numérique
Dimmer (écl)	Jeu d'orgue, résistance variable
Diopter adjustment	Réglage dioptrique
Dioptric	Dioptrique
Dioptric lens	Bonnette dioptrique
Dioptrical	Dioptrique
Dioxide	Bioxyde
Dipping bath	Bain en cuve verticale
Direct (ciné, tv)	Diriger, mettre en scène, réaliser
Direct cinema	Cinéma vérité
Direct camera editing (tv)	Montage à la prise de vues
Direct interview	Entretien face à face
Direct lighting	Eclairage direct
Direct mail advertising (pub)	Publicité postale
Directed	Dirigé, mis en scène, réalisé
Direction	Mise en scène, réalisation, direction, sens
Direction inverter	Inverseur de sens
Direction receiver	Récepteur directionnel
Directional	Directionnel
Directional-beam transmitter	Emetteur dirigé
Directional gain	Indice de directivité
Directional lighting	Eclairage dirigé
Directional microphone	Microphone directionnel
Directional receiver	Récepteur directionnel
Directive	Directionnel

Directivity	Directivité
Directivity factor	Coefficient de directivité
Director (ciné, tv)	Metteur en scène, réalisateur
Director-cameraman (ciné, tv)	Opérateur-réalisateur
Director of photography (ciné)	Chef opérateur, directeur de la photographie
Directory	Annuaire, index, répertoire
Direct positive shooting (ciné)	Prise de vues avec film inversible
Direct printing	Tirage direct
Direct reflection	Réflexion directe
Direct teaching	Enseignement direct
Direct wave	Onde directe
Disc (or) disk	Disque
Disc jockey	Animateur (de programme de disques)
Disk shutter	Obturateur à disque
Discharge	Décharger ; décharge (électrique)
Discharge lamp	Lampe à décharge
Discharged	Déchargé
Disconnect	Couper, déconnecter, débrancher, interrompre
Discontinuity	Discontinuité
Discrepancy	Contradiction
Discriminating relay	Relais sélecteur
Discussion leader	Président du débat
Disengage	Débrayer, libérer
Dispatching	Distribution (sur onde), répartition, routage (pres)
Dispersed	Dispersé
Dispersion	Dispersion
Displace	Décaler
Displaced	Décalé
Disrupter	Disrupteur
Dissection (tv)	Exploration
Dissolve (ciné)	Enchaîner, dissoudre ; enchaîné, fondu, fondu enchaîné
Dissolving shutter	Obturateur pour fondu
Distance	Distance

Distance control	Réglage à distance, télécommande
Distance fog	Voile de lointain
Distance shot	Plan éloigné
Distortion	Déformation, distorsion
Distortion factor	Coefficient de distorsion, taux de distorsion
Distorting lens	Lentille déformante
Distribute	Répartir
Distribution	Distribution, exploitation, répartition
Distribution board (élect)	Tableau de distribution
Distribution company (ciné)	Maison de distribution
Distribution contract (ciné)	Contrat d'exploitation
Distribution network	Réseau de distribution
Distribution organization	Organisation de distribution
Distribution's quota	Quota de distribution
Distribution release	Autorisation de distribution
Distribution rights	Droits d'exploitation
Distribution service	Service de distribution
Distributor	Distributeur
District	Région
District transmitter	Emetteur régional
Disturbance	Interférence, panne, parasites, perturbation
Divergence	Divergence
Divergence loss	Perte par divergence
Diverging lens	Lentille divergente
Diversification	Diversification
Diversity	Diversité
Divide	Diviser, séparer
Documentary film	Film documentaire, film d'information
Dolly (ciné, tv)	Travelling, chariot
Dolly in	Travelling avant
Dolly man	Machiniste de plateau, travelling man
Dolly shot	Plan (ou) prise de vues en travelling, plan (ou) prise de vues en mouvement, travelling

Dolly out — Travelling arrière
Dominant station — Station principale
Dope sheet (ciné, tv) — Fiche descriptive, fiche de tournage, rapport script

Dot (tv) — Point de trame
Dot frequency — Fréquence d'analyse
Dot interlacing — Analyse par points successifs
Double-band (ciné, tv) — Double bande
Double-band projector — Projecteur double bande
Double-band system — Système double bande
Double can — Réflecteur à deux lampes
Double compartment magazine — Magasin coaxial double
Double-concave — Biconcave
Double-convex — Biconvexe
Double exposure — Double impression, surimpression

Double-headed — Double bande
Double-headed film — Film double bande
Double-headed recording — Enregistrement double bande
Double Maltese cross — Croix de Malte double
Double-perforated film — Film à deux rangées de perforations

Double perforation — Perforation deux côtés
Double perforation stock — Pellicule à double perforation
Double print (imp) — Doublage
Double punch — Double perforation
Double-system — Double bande
Double-system sound shooting — Prise de vues sonore synchrone en double bande

Douser (lamphouse) — Volet pare-feu
Dovetail — Queue d'aronde
Down page (imp) — Pied de page
Draft — Rédiger ; projet
Drain (élect) — Consommation
Drama — Dramatique
Dramatic insert (or) **sequence** (mont) — Séquence dramatisée
Dramatic lighting (photo, ciné) — Lumière à effet
Draw — Tracer
Drawing — Dessin, tracé (subst)

Dress rehearsal	Répétition générale
Dressing room	Loge
Drift (tv)	Déviation
Drive	Entraînement ; piloter
Drive-in cinema (ciné)	Autorama
Driven	Commandé, piloté
Driver	Conducteur, excitateur
Drive sprocket	Tambour d'entraînement
Driving circuit	Circuit conducteur
Driving gear	Pignon
Driving pin	Griffe d'entraînement
Driving wheel	Roue d'entraînement
Drop	Baisse, chute
Drop bar (imp)	Barre de retournement
Drop out	Passage à vide, perte de niveau
Drop-out (on tape) (tv)	Rayure blanche horizontale, trace blanche
Drown	Couvrir (un son)
Drowned sound	Son noyé
Drum	Tambour
Drum shutter	Obturateur à barillet
Dry	Sécher ; sec
Dry cell	Batterie sèche, élément de pile, pile sèche
Dry pressing	Mise sous presse
Dry run	Répétition
Dry-storage battery	Accumulateur sec
Dryer	Séchoir
Drying	Séchage
Drying cabinet	Armoire de séchage
Drying-out	Séchage
Drying rack	Séchoir
Dual modulation	Modulation double
Dual network	Circuit double, circuit réciproque
Dual track	Double piste (sonore)
Dub (ciné)	Doubler (un film) ; sonoriser
Dubbed film	Film doublé
Dubbed version	Version doublée
Dubber	Défileur, platine

Dubbing	Doublage, sonorisation
Dubbing head	Tête d'enregistrement
Dubbing print	Copie pour doublage
Dubbing stage	Plateau d'enregistrement
Dubbing studio	Studio d'enregistrement
Dues (tv)	Redevance
Dull finish paper	Papier mat
Dull sound	Son sourd
Dupe (ciné)	Contretype
Dupe negative	Contretype négatif
Dupe positive	Contretype positif
Duping	Contretypage
Duping print	Positif (lavande) pour contretype
Duplicate	Contretyper ; contretype, copie, double, duplicata
Duplex	Duplex
Duplex channel	Voie bidirectionnelle
Duplex line	Ligne bidirectionnelle
Duplicating device	Duplicateur
Duplicating positive	Copie marron, positif intermédiaire
Duplication	Contretypage, reproduction, reprographie, tirage (d'une copie), duplication
Duplication bench	Banc de reproduction
Duration	Durée
Dye	Teindre ; colorant, couleur, teinture
Dying-out	Etouffement, évanouissement
Dynamic (adj)	Dynamique
Dynamic computer imaging	Animation par ordinateur en continu
Dynamic loudspeaker	Haut-parleur électrodynamique
Dynamic pick-up	Pick-up électrodynamique
Dynamics	Dynamique

Earphone	Ecouteur
Earphone plug	Prise d'écouteur
Earth	Terre
Earth leak	Fuite à la terre
Earth system	Prise de terre
Earth wire	Fil de terre
Earthing	Mettre à terre
Echo	Echo, résonance
Echo chamber	Chambre d'échos
Echo image	Image fantôme
Echo killer	Suppresseur d'écho
Echo sounding	Sondage par écho
Echo suppressor	Correcteur d'écho
Edge	Bord, côté
Edge coding	Numération de bord
Edge damage	Détérioration du bord de film
Edge effect	Effet de bord
Edge flare	Voile marginal
Edge fogging	Voile marginal
Edge guide	Guide de bord de film
Edge lighting	Eclairage rasant
Edge marking	Marquage de marge
Edge number	Numéro de bord
Edge numbering	Numération de bord, piétage
Edge-numbering machine	Machine à piéter

Edit	Couper, monter (un film) ; rédiger
Edit code (tv)	Base de temps
Edit pulse (mont)	Impulsion de montage
Editing (ciné, tv)	Montage
Editing bench	Table de montage
Editing console	Table de montage
Editing rack	Chutier
Editing room	Salle de montage
Editing synchronization	Synchronisme de montage
Editing table	Table de montage
Edition	Edition
Editor	Rédacteur en chef (pres), chef monteur (ciné), directeur de collection (édit)
Editorial (pres)	Editorial, article de fond
Editorial conference (pres, tv)	Conférence de rédaction
Editorial management	Direction de la rédaction
Editorial room (pres, tv)	Salle de rédaction
Editorial staff (pres, tv)	Equipe rédactionnelle, rédaction
Editorial writer	Editorialiste
Educational adviser	Conseiller pédagogique
Educational broadcasting	Emission scolaire
Educational film	Film d'enseignement, film éducatif, film scolaire
Educational television, E.T.V.	Télévision éducative, télévision scolaire
Effect	Effet
Effect lighting	Eclairage à effet, effet de lumière
Effect loudspeaker	Haut-parleur d'ambiance
Effects man	Bruiteur
Effects projector	Projecteur d'effets
Effects track	Bande de bruits, bande d'effets sonores, piste d'effets sonores
Effective aperture (T-stop)	Ouverture photométrique
Effective field	Champ effectif
Effective radiated power	Puissance d'émission effective

Effective resistance	Résistance pure
Effective time	Temps utile
Effective voltage	Tension efficace
Elastic sound-isolation support	Support élastique isolant
Electric	Electrique
Electric field	Champ électrique
Electric wave	Onde hertzienne
Electrical engineer	Ingénieur électricien
Electrical motor	Moteur électrique
Electrical signal	Signal électrique
Electrical zoom lens	Zoom à commande électrique
Electrician	Electricien
Electricity	Electricité
Electroacoustic	Electroacoustique
Electroacoustical pick-up	Capteur électroacoustique
Electrode	Electrode
Electrodynamic	Electrodynamique
Electrokinetic	Electrocinétique
Electromagnet	Electro-aimant
Electromagnetic	Electromagnétique
Electromagnetic spectrum	Spectre électromagnétique
Electromagnetic wave	Onde électromagnétique
Electron beam	Faisceau électronique
Electron beam recording (tv)	Enregistrement sur film par faisceau électronique
Electron camera (tv)	Caméra électronique
Electron gun (tv)	Canon à électrons
Electron lens	Lentille électronique
Electronic	Electronique
Electronic brain	Cerveau électronique
Electronic brush (vid)	Pinceau électronique
Electronic computer	Calculatrice électronique
Electronic echo	Réverbération artificielle
Electronic editing (tv)	Montage électronique
Electronic masking (tv)	Masquage électronique
Electronic recording	Enregistrement électronique
Electronic signal	Signal électronique
Electronic video-recording	Enregistrement vidéo électronique
Electronic viewfinder	Viseur électronique

Electronical image (tv)	Image électronique
Electronical library	Bibliothèque électronique
Electronical media	Médias électroniques
Electronical-regulated turntable	Platine à régulation électronique
Electronical test chart (tv)	Mire électronique
Electrostatic	Electrostatique
Electrostatic field	Champ électrostatique
Electrostatic storage (inf)	Mémoire électrostatique
Electrotype	Electrotype
Element	Elément
Elementary	Simplifié
Elevated aerial (or) **antenna**	Antenne extérieure
Eliminate	Eliminer
Elimination	Elimination, suppression
Eliminator	Filtre antiparasites, suppresseur
Elliptical horn	Conque acoustique
Elliptical mirror	Miroir elliptique
Embossed paper	Papier gaufré
Embossing	Gaufrage
Emergency exit	Sortie de secours
Emergency light	Eclairage de sécurité
Emit	Emettre, rayonner
Emitter	Cathode, émetteur
Emitter pulse	Impulsion d'émetteur
Empirical	Empirique
Emptied	Vidé
Empty	Vide
Emulsion (ciné)	Emulsion, surface sensible
Emulsion in	Enroulement intérieur, émulsion vers l'intérieur
Emulsion number	Numéro d'émulsion
Emulsion out	Emulsion vers l'extérieur, enroulement extérieur
Emulsion side	Côté émulsion
Emulsion speed	Sensibilité
Emulsion speed standard	Norme de sensibilité
Emulsion stripping-off	Pelliculage
Encoding (or) **coding**	Codage

End	Extrémité, fin, terminal, terminaison
End mark	Marque terminale
End product	Produit final
End slate	Claquette de fin
End title (ciné)	Titre de fin
End title card	Carton de fin
Ended	Terminé
Endless loop	Boucle sans fin
Energy	Energie
Engine	Machine
Engineer	Ingénieur
Engineering	Ingéniérie
Engrave	Graver
Engraved	Gravé
Engraver	Graveur
Engraving	Gravure
Enlarged	Agrandi
Enlargement	Agrandissement
Enlarger	Agrandisseur
Enlarging lens	Objectif pour agrandissement
Entertainment	Divertissement, spectacle
Entertainment film	Film récréatif, film de divertissement
Entertainment program	Programme de divertissement
Epidiascope (proj)	Epidiascope
Episcope (proj)	Episcope
Episode	Episode
Equalization	Egalisation
Equalizer	Atténuateur, compensateur, égalisateur, filtre correcteur
Equipment	Appareillage, équipement, matériel, outillage
Equivalent loudness	Egale force sonore
Erasable storage (inf)	Mémoire effaçable
Erase	Effacer, gommer, rayer
Erasement	Effacement, gommage, suppression
Eraser	Effaceur

Erasure	Effacement, gommage, suppression
Erasing	Effacement, gommage, suppression
Erasing head	Tête d'effacement
Erroneous	Incorrect
Establish	Etablir
Establishing shot (ciné)	Plan de situation
Estimate	Estimation ; estimer
Etcher (imp)	Graveur à l'eau-forte, graveur
Etching	Dessin, gravure
Evacuated	Vidé
Even	Pair, uni
Evenness	Egalité, uniformité
Event	Evénement
Eye cup	Œilleton de viseur
Eye piece	Œilleton
Eyelet	Œillet métallique
Examination	Vérification
Examiner	Vérificateur
Excerpt	Extrait
Excess current	Surintensité
Exchangeable camera-back (photo)	Dos interchangeable
Exciter	Oscillateur
Exciter anode	Anode d'amorçage
Exciter lamp	Lampe excitatrice, lampe phonique
Exclusive rights	Droits d'exclusivité
Exclusivity	Monopole
Execute	Exécuter
Executive editor (pres)	Rédacteur en chef technique
Exemption of duties	Franchise de droits
Exhausted	Vidé
Exhaustion	Epuisement
Exhibit	Exploiter
Exhibition	Exploitation, représentation
Exhibition rights (ciné, tv)	Droits de projection
Exhibitor (ciné)	Exploitant
Exhibitor's quota (ciné)	Quota d'exploitation

Exit	Sortie
Experiment	Essai
Experimental program (tv)	Emission expérimentale
Expert	Expert
Expiration date	Echéance
Exploration (tv)	Balayage
Exposed film	Film exposé, film impressionné
Exposure	Exposition, pose
Exposure index	Indice de pose
Exposure latitude	Latitude d'exposition
Exposure meter	Posemètre
Exposure needle	Indicateur de cellule
Exposure test	Essai d'exposition
Exposure time	Temps de pose
Exposure value	Indice de lumination
Extension	Complément, prolongement, rallonge, tirage (d'un appareil)
Extension cord	Câble prolongateur, prolongateur de ligne
Extension tube	Bague rallonge
Exterior filming	Tournage en extérieur
Exterior shot	Extérieur, prise de vues en extérieur
Extra (ciné)	Figurant
Extra bold (imp)	Gras (caractère)
Extract	Sélectionner ; fragment, extrait
Extremely-high frequency (30 to 300 GHz)	Onde millimétrique (1 à 10 mm)

Face	Côté
Face-to-face (débat)	Face à face
Facet mirror	Miroir à facettes
Facsimile	Fac-similé
Factor	Coefficient, facteur, indice, multiplicateur
Factory	Usine
Fade	Fondu (image) ; jaunir
Fade-in (ciné)	Fondu ouvert, ouverture en fondu
Fade-out (ciné)	Fermeture en fondu, fondu au noir, fondu fermé
Fade-over	Fondu enchaîné
Fade to white	Fondu au blanc
Fader	Atténuateur, potentiomètre
Fading	Affaiblissement, atténuation, décoloration, évanouissement
Fading of sound	Chute d'intensité sonore
Failure	Cassure, défaut
Fall	Baisse
Fan antenna	Antenne en éventail
Fast	Vif, rapide
Fast forward	Avance rapide
Fast lens	Objectif à grande ouverture
Fast motion shooting	Prise de vues en accéléré
Fastness	Rapidité

Feature film, feature	Grand film, film de long métrage
Features (inf)	Caractéristiques
Feature story (pres)	Article style magazine
Fee	Cachet
Feed	Alimenter ; alimentation, entraînement
Feed magazine	Magasin débiteur
Feed reel	Bobine débitrice
Feed sprocket	Débiteur, débiteur de magasin, débiteur denté, tambour débiteur
Feed stroke	Phase de mouvement
Feed wire	Câble d'alimentation
Feedback	Réaction, retour d'information, rétroaction
Feedback amplifier	Amplificateur à réaction
Feeder	Alimenteur, câble, ligne
Feeder cable (élect)	Conducteur
Feeder line	Ligne d'alimentation
Feeding	Alimentation
Feeding claw	Griffe d'entraînement
Feeding device	Dispositif d'alimentation
Feeling	Sensation
Fees	Honoraires
Ferrite	Ferrite
Ferrite head	Tête ferrite
Fiction film	Film de fiction
Fidelity	Fidélité
Field	Champ, trame (tv), zone
Field angle	Angle de champ
Field angle viewfinder	Viseur d'angle
Field broadcast (radio, tv)	Reportage en extérieurs
Field frequency	Fréquence de champ
Field of sharpness	Champ de netteté
Field strength meter	Compteur de force de champ
Field test	Essai pratique
Field of view	Champ d'ensemble
Field of vision	Champ visuel
Figure	Chiffre, nombre

Filament	Filament
File	Classer
File a story (pres)	Câbler une information
Fill-in screen	Panneau-réflecteur
Fill light (écl)	Lumière d'appoint
Fill-up, filler (ciné)	Complément (de programme)
Film	Film (de cinéma), pellicule ; tourner, filmer
Film for adults	Film pour adultes
Film archives	Archives cinématographiques
Film base	Support de film
Film break	Rupture de film
Film catalogue	Catalogue de films
Film cement	Colle à film
Film counter	Compteur, métreuse
Film deterioration	Déformation de la pellicule
Film dimensions	Format cinématographique
Film drying drum	Tambour de séchage
Film editor	Monteur
Film feed	Entraînement du film
Film festival	Festival de film
Film gate	Couloir du film
Film-holder	Porte-film
Film insert	Insert filmé
Film inspector	Vérificateur
Film jam	Bourrage
Film library	Cinémathèque, filmothèque
Film loading	Chargement de film
Film loop	Boucle
Film loop protector	Protecteur de boucle
Film magazine	Revue cinématographique
Film maker	Auteur de film, cinéaste, réalisateur
Film making	Réalisation
Film music	Musique de film
Film run	Temps de projection
Filmic	Filmique
Filming	Prise de vues (prendre une), tournage
Filmology	Filmologie

Filmpack (photo)	Plan-film
Film printing rights	Droits de reproduction cinéma-tographique
Film rack	Cadre (lab), porte-film (ciné)
Film review	Revue cinématographique, critique de film
Film rights	Droits d'adaptation cinémato-graphique
Film scanner (tv)	Analyseur de films, télécinéma, multiplexeur d'images
Film sequence	Séquence filmée
Film service	Service cinéma
Film society	Ciné-club
Film speed	Sensibilité du film
Film storage	Conservation de films
Film strip	Bande de film fixe
Film strip projector	Projecteur fixe
Film supply indicator	Indicateur de métrage de film
Film tension	Tension de film
Film transmitter (tv)	Emetteur de télécinéma
Film threading (or) **loading**	Chargement du film
Film trailer	Bande annonce
Film transport	Avancement de la pellicule
Film unit	Equipe de tournage
Film user	Utilisateur de film
Film viewer (mont)	Visionneuse
Film wear	Usure de film
Filter	Filtre, écran
Filter exposure factor	Coefficient de filtre
Filter-frame	Porte-gélatine
Filter holder	Porte-filtre
Filtering	Filtrage
Filter out	Eliminer
Final cut (ciné, tv)	Montage définitif
Final shooting script	Découpage définitif, découpage technique
Finder (opt)	Viseur
Find out	Découvrir
Fine cut (ciné, tv)	Montage fin
Fine focus	Mise au point précise

Fine grain	Grain fin
Fine grain film	Film à grain fin
Fine grain for duping (or) for opticals	Positif intermédiaire pour trucage
Fine grain master	Positif intermédiaire
Fine grain print	Copie grain fin
Fine grain raw stock	Pellicule grain fin vierge
Finished	Terminé
Fireproof	Incombustible
Fire-resistant	Ignifugé
Firm	Stable
First answer print	Première copie standard, copie zéro
First assembly (mont)	Bout à bout
First generation film	Film de première génération
First generation tape	Bande de première génération, enregistrement original
First projectionist	Chef opérateur de cabine
First release (ciné)	Exclusivité
First release print (ciné)	Copie de présentation
First-run house (ciné)	Salle d'exclusivité
First showing	Première diffusion (tv), première projection (ciné)
First screening (ciné)	Première
First shooting day (ciné, tv)	Premier tour de manivelle
First trial composite print (ciné)	Copie zéro, première copie standard
Fish-eye lens	Objectif très grand angulaire
Fix	Fixer
Fix the set	Planter le décor
Fixation	Stabilisation
Fixative	Fixateur
Fixed angle	Champ fixe
Fixed-focus lens	Focale fixe, objectif à focale fixe
Fixer	Fixateur
Fixing	Fixage
Fixing agent	Fixateur
Fixing bath	Bain de fixage
Fixture	Agencement

Flag	Volet
Flagging (tv)	Distorsion de l'image
Flam film	Film inflammable, pellicule ni-trate
Flammable (adj)	Combustible, inflammable
Flammable film	Film inflammable
Flange	Flasque, joue
Flare	Lumière parasite, tache lumineuse
Flare spot	Tache lumineuse parasite
Flash	Eclair, flash, nouvelle-éclair (tv, radio)
Flashback	Retour en arrière
Flashbulb	Ampoule-éclair, ampoule-flash, lampe-éclair
Flash frame	Image blanche
Flashing	Latensification, postlumination, prélumination, solarisation, « flashage »
Flashlight	Lampe torche, torche électrique
Flash magnetization	Aimantation par impulsions
Flash of light	Eclat de lumière
Flat image	Image plate, image sans relief, image trop peu contrastée
Flat-bed machine (imp)	Machine à plat
Flat-bed viewer	Visionneuse horizontale
Flat lighting	Eclairage plat
Flat response (son)	Réponse uniforme
Flaw	Défaut
Flexible cable	Câble souple
Flexible record	Disque souple
Flicker	Scintillement
Flicker frequency	Fréquence de scintillement
Flicker meter	Scintillomètre
Flickering	Papillotement, scintillement
Flies (théât)	Cintres
Flipper (ciné)	Cache mobile
Float	Flotter ; paroi mobile

Float time	Durée de flottement, temps de battement
Floating action (opt)	Réglage flottant
Floating point	Point flottant
Flood	Faisceau élargi
Flood light	Ambiance, lumière d'ambiance
Flood lighting	Eclairage d'ambiance
Floor (ciné, tv)	Plateau
Floor manager	Régisseur de plateau
Florentine	Lentille à échelons
Flow	Couler, filer ; flux
Flow meter	Indicateur de débit
Flowing white	Traînées blanches
Fluid	Liquide
Fluid head	Tête fluide
Fluorescence	Fluorescence
Fluorescent tube	Lampe fluorescente
Flushing	Rinçage
Flutter	Flottement, manque de fixité, pleurage, sautillement, scintillement
Flutter factor	Taux de fluctuation
Flutter rate	Taux de pleurage
Fluttering of brightness	Fluctuation de la lumière
Fly (imp)	Double feuille
Flyback (tv)	Retour du spot
Flying erase head (tv)	Tête d'effacement mobile
Flying spot (tv)	Spot analyseur, spot mobile
Flying spot scanner (tv)	Analyseur à spot mobile
Flying spot tube	Tube à spot mobile
Flux	Flux
F.M.	Modulation de fréquence
Focal (opt)	Focal
Focal depth	Profondeur de foyer
Focal field	Champ focal, champ de netteté
Focal length	Distance focale
Focal-length adjusting ring	Anneau de réglage de focale
Focal plane	Plan focal
Focal plane shutter	Obturateur à rideau
Focal point	Foyer (optique)

Focus	Concentrer, faire le point, focaliser, mettre au point ; foyer, point focal
Focus (in)	Mise au point
Focus anode	Anode de focalisation
Focus depth	Profondeur de foyer
Focus index marking	Echelle de mise au point
Focus on infinity	Mise au point à l'infini
Focus puller	Assistant de caméra
Focusing	Concentration, focalisation, mise au point
Focusing cloth	Voile noir
Focusing control	Commande de netteté
Focusing knob	Bouton de mise au point
Focusing lamp	Projecteur convergent
Focusing lens	Lentille convergente
Focusing operator	Pointeur
Focusing range	Latitude de mise au point
Focusing ring (lens)	Bague de mise au point (d'objectif)
Focusing scale	Echelle de mise au point
Fog	Brouillard, voile
Fog filter	Filtre brouillard
Fogged	Voilé
Fogged leader	Amorce voilée
Fogging	Voile
Fold	Pli
Folded sheet	Feuillet
Folder	Dépliant
Folding	Pliage
Folding camera (photo)	Appareil pliant
Folding machine (imp)	Plieuse
Folio	Folio
Folio size	In-folio
Follow focus	Suivre le point
Follow focus finder	Viseur couplé
Follow shot	Plan (ou) prise de vues en mouvement, plan (ou) prise de vues en travelling, travelling

Follow spotlight	Projecteur de poursuite
Foot	Pied anglais (0,3048 m)
Footage	Métrage
Footage counter	Compteur de métrage
Footage numbers	Piétage
Foot-candle	Candela-pied (10,76 Lux)
Footlamps	Rampe (lumineuse)
Footlights	Rampe (lumineuse)
Foot switch	Interrupteur au pied
Forced development	Développement poussé
Forecast	Prévision
Foreground	Avant-plan, premier plan
Foreign correspondant	Correspondant à l'étranger
Foreign version	Version (en langue) étrangère
Foreign version release print	Copie version étrangère
Foreman	Contremaître
Form	Forme
Format	Format
Formula	Formule
Forum	Tribune, tribune libre (pres)
Forward action	Marche avant
Forwards	En avant
Four-colour process	Quadrichromie
Four-track recording	Enregistrement quadriphonique
Frame	Cadrer ; baie, cadre, châssis, image
Frame (tv)	Trame
Frame-by-frame exposure	Prise de vues image par image
Frame counter	Compteur d'images
Frame line	Barre de cadrage (ciné), ligne de séparation horizontale (tv)
Frame-line leader	Amorce cadrée
Frame mask	Cache image
Frame mounting	Montage sur cadre
Frame rate	Fréquence d'image, vitesse de défilement de film
Frame reversal	Inversion d'image
Frame roll (tv)	Défilement de l'image
Frames (picture to sound) separation	Décalage son-image (prise de vues à piste couchée)

Frame size	Format de l'image
Frames-per-second	Images-par-seconde
Framework	Structure
Framing	Cadrage, encadrement
Free	Libre, gratuit
Free copies (édit)	Service de presse
Free head	Pied à friction
Free-lance	Pigiste
Free-lance technician	Technicien indépendant
Free-line signal	Signal de ligne libre
Free-running	Libre
Free wave	Onde libre
Freeze-frame (ciné, tv)	Arrêt sur l'image, image arrêtée
Frequency (cf. wave)	Fréquence
Frequency band	Bande de fréquence
Frequency carrier	Onde porteuse
Frequency changer	Changeur de fréquence
Frequency control	Stabilisateur de fréquence
Frequency divider	Diviseur de fréquence
Frequency drift (or) shift	Glissement de fréquence
Frequency fluctuation	Variation de fréquence
Frequency lag	Décalage de fréquence
Frequency meter	Fréquencemètre
Frequency modulation, F.M.	Modulation de fréquence, MF
Frequency range	Gamme de fréquence
Frequency regulator	Régulateur de fréquence
Frequency response	Caractéristique de fréquence, courbe de fréquence, réponse de fréquence
Frequency response control	Contrôle de réponse de fréquence
Frequency run	Essai de fréquence
Frequency spacing	Intervalle de fréquence
Frequency transformer	Transformateur de fréquence
Fresnel lens	Lentille de Fresnel
Friction	Friction
Friction head	Tête à friction
Friction loss	Perte par frottement
Fringe	Frange

Fringe area	Zone limite de propagation
Fringe time	Avant (ou) après l'heure de pointe
Fringing (tv)	Franges de distortion, frangeage de couleur
Front lens	Lentille frontale, lentille antérieure
Front lighting	Eclairage frontal
Front porch (tv)	Palier avant
Front projection	Projection frontale (par réflexion)
Front view	Vue avant
Frosted gelatine	Gélatine dépolie
Frosted glass	Verre dépoli
Frosting	Glaçage
Frosting mixture	Bain de dépolissage
F-stop (opt)	Ouverture de diaphragme géométrique
Full coat	Couche pleine
Full duplex	Bidirectionnel, simultané
Full frame	Plein cadre
Full-length feature	Film de long métrage
Full length film	Film de long métrage
Full licence	Autorisation définitive
Full-proof	Indéréglable
Full rights	Droits en totalité
Full scale	Grandeur naturelle
Full track (magnetic)	Pleine piste (magnétique)
Fuse	Fusible
Fuse box	Coffret à fusibles
Fuse holder	Porte-fusible
Fuse wire	Fil fusible

Gaffer (ciné)	(Chef) électricien
Gag	Idée drôle
Gain	Amplification, gain, facteur d'amplification
Gain control	Réglage de puissance de son
Gain factor	Rendement
Gamma	Gamma
Gamma infinity	Gamma infini
Galvanometer	Galvanomètre
Gap	Ecart, intervalle
Gas-filled lamp	Lampe à atmosphère gazeuse
Gasket	Joint
Gate	Couloir, fente, fenêtre, porte, vanne
Gated amplifier	Amplificateur à déclenchement périodique
Gathering	Rassemblement
Gauge	Calibre, format, jauge
Gauge grinder (imp)	Machine à calibrer
Gauze	Gaze
Gear	Appareillage
Gear box	Boîte de transmission
Gear wheel	Roue dentée
Geared head	Tête à manivelle
Gelatin	Gélatine
General audience	Grand public

General storage (inf)	Mémoire universelle
General view	Vue d'ensemble
Generate	Engendrer
Generator	Générateur, groupe électrogène
Geneva movement	Croix de Malte
Ghost image	Echo image (tv), filage d'image (ciné), image blanche, image fantôme
Ghost travel (ciné, tv)	Filage
Glare	Eblouissement, lueur, miroitement, reflet
Glass	Verre
Glaze	Glacer, lisser
Glazed	Glacé, satiné, verni
Glazed paper	Papier glacé
Glazing machine (imp)	Calandre, glaceuse
Globe	Ampoule, lampe
Gloss	Lisser
Glossy	Brillant, luisant, lustré
Glossy paper	Papier brillant
Glow	Lueur, luminescence
Glow-discharge microphone	Microphone à décharge
Glow-lamp	Lampe à lueurs, lampe à basse tension
Glue	Coller ; colle
Glued	Collé
Gobo	Ecran opaque
Good broadcasting voice	Voix radiogénique
Go slow	Ralentir
Governor-controlled motor	Moteur autorégulé
Gradation	Gradation
Grade	Etalonner, graduer
Graded (filter)	Dégradé (filtre)
Grader (ciné)	Etalonneur
Grading (ciné)	Etalonnage
Grading band	Bande d'étalonnage
Grading bench	Banc d'étalonnage
Grading card	Fiche (ou) carton d'étalonnage
Grading print	Copie d'étalonnage
Grading sheet	Feuille d'étalonnage

Graduate	Etalonner, graduer
Graduated filter	Filtre dégradé
Grain	Grain
Grained paper	Papier grainé
Graininess	Granulation
Grant	Subvention
Granular	Granulaire
Granularity	Granularité
Graph	Graphique, tracé
Graphic (adj)	Graphique
Graphic artist	Dessinateur, graphiste
Graphic arts	Arts graphiques
Gravure paper	Papier hélio
Grease pencil	Crayon gras
Green	Vert
Green film	Copie neuve
Green print	Copie fraîche
Greenish	Verdâtre
Grey base	Support teinté
Grey scale	Echelle de gris, gamme grise
Grid	Grille, quadrillage
Grid wire (tv)	Maille d'écran
Grinding	Broyage
Grip	Attacher ; machiniste de plateau ; poignée
Gripper	Pince
Groove	Rainure, sillon
Groove jumping	Déraillement
Groove shape	Profil de sillon
Groove speed	Vitesse linéaire dans sillon
Ground	Terre
Ground connection	Prise de terre
Ground electrode	Conducteur de terre
Ground glass	Dépoli, verre dépoli
Ground glass screen	Ecran dépoli
Ground glass with etched format	Verre dépoli gravé
Ground noise	Bruit de fond, bruit de souffle
Ground wire	Fil de terre
Grounded cable	Câble souterrain

Grounding	Mise à la terre
Group leader	Animateur (de groupe)
Group listening	Ecoute collective
Groupman (élect)	Groupiste
Guide edge	Bord guide (du film)
Guide roller	Galet-guide, tambour-guide
Guide tape	Son témoin
Guide track	Piste de guidage, rails de travelling, son pilote, son témoin
Guided-wave transmission	Télédiffusion
Gumming machine (imp)	Machine à gommer
Gyro-head	Tête gyroscopique
Gyro-tripod	Trépied gyroscopique
Gyroscope	Gyroscope

Halation	Halo
Half-shadow	Pénombre
Half-tone	Demi-teinte
Half-tone process (imp)	Simili gravure
Half-track	Demi-piste
Hall	Salle
Hand feed	Alimentation manuelle
Hand-held camera	Caméra à l'épaule
Handle	Manipuler ; manette, manivelle, poignée
Handling	Manipulation, manutention
Hang	Suspendre
Hanging	Suspension
Hard	Dur
Hard picture	Image contrastée
Hardening bath	Bain tannant
Hardware (inf)	Equipement, matériel
Harmonic	Harmonique
Harmonic analyzer	Analyseur d'harmoniques
Harmonic conversion transducer	Multiplicateur de fréquence
Harmonic distortion	Distorsion harmonique
Harmonic suppressor	Filtre d'harmonique
Harsh	Dur
Harsh picture	Image contrastée
Haze	Brouillard

Haze filter	Filtre brouillard
Head	Tête, bloc
Head assembly	Bloc de tête
Head block	Bloc de tête
Head brush	Balai frotteur
Head drum	Tambour de têtes
Head extension	Câble rallonge principal
Head gaffer (ciné)	Chef électricien, chef éclaira-giste
Head grip (ciné)	Chef machiniste
Head leader	Amorce de début, bande amorce
Head office	Siège social
Head rigger (ciné)	Chef machiniste
Head voice	Voix de tête
Head wheel	Disque porte-têtes
Heading (pres)	Chapeau, en-tête, titre
Headline (pres)	Manchette, titre (gros)
Headphone	Casque (d'écouteurs)
Headset	Casque (d'écouteurs)
Hearing loss	Atténuation d'audition
Heat	Chaleur
Heat absorber	Filtre anticalorique
Heat shield	Ecran de chaleur
Heavy face (imp)	Caractère gras
Hectograph	Polycopiste
Height	Hauteur
Height control	Réglage de hauteur (d'image)
Height-to-time converter	Convertisseur amplitude-temps
Helical	Hélicoïdal
Helical recording	Enregistrement hélicoïdal
Helical scan	Balayage hélicoïdal
Helical scan system	Système d'analyse en hélice (ou) hélicoïdal
Helical video recorder	Magnétoscope à enregistrement hélicoïdal
Heliography (imp)	Héliographie
Heliogravure (imp)	Héliogravure
Hertzian wave	Onde hertzienne
H.I. box	Boîte de branchement

Hi-Fi	Haute fidélité
Hi-fi unit	Chaîne haute fidélité
High	Aigu, haut
High angle shot	Plan en plongée, plongée
High check (son)	Contrôle des aiguës
High definition (tv)	Haute définition
High fidelity	Haute fidélité
High-fidelity system	Chaîne haute fidélité
High-frequency	Haute fréquence
High-frequency microphone	Microphone à haute fréquence
Highgloss drying	Glaçage
High intensity arc	Arc à haute intensité
High intensity carbon	Charbon à haute intensité
High key (écl)	Hautes lumières
High level	Haut niveau
Highlight (écl)	Eclairage principal
Highlight (tv)	Blanc, plage lumineuse
Highlight tearing (tv)	Rupture de blanc
High-pass filter	Filtre passe-haut
High-peaker control (tv)	Essai de contrastes
High pitched (son)	Aigu, haut perché, strident
High resolution	Haute résolution
High-speed action	A action rapide
High-speed camera	Caméra à grande vitesse, appareil de prise de vues ultra-rapide
High-speed cinematography	Prise de vues à haute fréquence
High-speed feed	Alimentation accélérée
High-speed tape reading	Lecture rapide de bande
High-speed tape recording	Enregistrement rapide de bande
Hi-hat	Pied très bas pour caméra
Hinge	Charnière
Hiss	Bruit de fond, sifflement, souffle
Hissing	Sifflement
Hit the lights	Envoyer (les projecteurs)
Hold	Maintenir
Hold-back sprocket	Débiteur de projection
Hold control (tv)	Commande de balayage
Holder	Monture

Hologram	Hologramme
Holography	Holographie
Homeostatic	Homéostatique
Home position	Point mort
Homogeneous	Homogène
Honeycomb lens	Lentille martelée, lentille à facettes
Hood	Capot
Hooking	Accrochage (tv), branchement, connexion
Horizontal blanking (tv)	Suppression de lignes
Horizontal frequency	Fréquence horizontale
Horizontal hold (tv)	(Bouton de) commande de synchronisme horizontal
Horizontal image (tv)	Image horizontale
Horizontal line hold (tv)	Défilement horizontal
Horizontal resolution	Résistance horizontale
Horizontal sweep (tv)	Balayage horizontal
Horse opera	Western
Host (tv)	Présentateur (-trice)
Hot	Chaud
Hot spot	Tache de lumière
Hour	Heure
Housing	Carter
Howl	Grognement, hurlement
Howling	Hurlement
Hue	Teinte
Hum	Bruit de fond, bourdonnement, ronronnement
Humidity	Humidité
Humming	Souffle (bruit de fond)
Hydraulic tripod	Pied hydraulique
Hyperfocal	Hyperfocal
Hyperfocal distance	Distance hyperfocale

Iconoscope (tv)	Iconoscope
Idea-man (pub)	Concepteur
Identical	Identique
Identification	Identité, identification
Identification leader (ciné)	Bande amorce d'identification
Idle	Fou, libre
Idle line	Ligne libre
Idle roller	Galet libre
Idle time	Temps mort
Illumination	Eclairement, illumination
Image	Image
Image carrier (tv)	Porteuse vidéo
Image colorizer (tv)	Colorisateur
Image curvature (tv)	Courbure de champ
Image print	Bande image
Image response (tv)	Sélectivité
Image restitution	Restitution d'image
Image synthesis	Synthèse de l'image
Image scale	Echelle de reproduction
Image scanning device (tv)	Dispositif de balayage d'image
Image steadiness (tv)	Stabilité de l'image
Imagery	Imagerie
Imaginary	Imaginaire
Imbibition print	Copie par imbibition
Immersion lens	Objectif à immersion
Impedance	Impédance

Impedance amplifier	Amplificateur à impédance
Impedance matching	Harmonie d'impédance
Impedometer	Impédancemètre
Imposing stone (imp)	Marbre
Imposition (imp)	Imposition
Impregnation	Imprégnation
Impress (imp)	Clicher
Impress copy (imp)	Epreuve typo
Impression	Impression
Impulse	Impulsion
Impulse corrector	Filtre d'impulsions
Impulse fréquency	Fréquence d'impulsions
Impulse generator	Générateur d'impulsions
Inacurrate	Faux, imprécis
Inaudible	Inaudible
Incandescence	Incandescence
Incandescent lamp	Lampe à incandescence
Incandescent light	Lumière à incandescence
Inch	Pouce (25,4 mm)
Incident light	Lumière incidente
Incidental music	Musique scénique
Inconstant	Instable
Increase	Augmenter ; augmentation
Incrust (tv)	Surimpression, insertion
Indeterminate	Indéterminé
Index	Indexer ; indice, index
Indication	Indication
Indicator	Indicateur
Indirect	Indirect
Indirect lighting	Eclairage indirect
Indirect scanning (tv)	Analyse par réflexion
Induction	Induction
Induction loudspeaker	Haut-parleur électromagnétique
Induction motor	Moteur à induction
Infinity	Infini
Inflammable	Combustible, inflammable
In-folio	In-folio
Information	Information
Information film	Film d'information
Information flow	Diffusion de l'information

Information processing	Traitement de l'information
Information treatment (inf)	Informatique
Infrared	Infrarouge
Infrared ray	Rayon infrarouge
Infrasonic	Infra-acoustique
Initial campaign	Campagne de lancement
Initialize	Etablir
Ink	Encre
Inky (ciné)	Petit projecteur à incandescence
Inlay (tv)	Cache électronique, insert, système électronique d'insertion
Inlet	Entrée
Inner	Interne
Input	Entrée, énergie d'entrée
Input block	Bloc d'entrée
Input impedance	Impédance d'entrée
Input level	Niveau d'entrée
Input power	Puissance d'entrée
Input stage	Etage d'entrée
Input tube	Lampe d'entrée
Insert (ciné, tv)	Insérer ; insert, plan de raccord, plan de détail, raccord
Insert camera	Caméra d'effets spéciaux, caméra d'insertion (tv)
Insert lamp (tv)	Voyant d'insertion
Insert title (ciné, tv)	Intertitre
Insertion (ciné, tv)	Insertion, incrustation
Insertion footage (ciné, tv)	Séquence d'inserts, métrage inséré
Inset	Encart, insertion
Inspect	Inspecter
Inspection	Examen, vérification
Inspection lamp	Lampe baladeuse
Installation	Installation
Installation time	Temps de montage (installation)
Instantaneous	Instantané
Institutional TV	Télévision institutionnelle
Instruction	Instruction
Instructions microphone	Microphone d'ordres

Pour mettre à jour votre anglais,

the
BY ADRIENNE
gimmick
spoken
american
and english

VERSION SONORE
du volume I

Pour mettre à jour votre anglais, il y a déjà un livre

the BY ADRIENNE
gimmick
spoken american and english
●FLAMMARION

Vous le connaissez. Son tirage a dépassé 200 000 exemplaires.

Il lui manquait une version sonore. La voici, présentée en 6 cassettes que vous écouterez chez vous ou dans votre voiture.

Elles reproduisent bien sûr le Gimmick en VERSION ORIGINALE (V.O.) mais aussi, et surtout, elles bénéficient de TROIS INNOVATIONS (les sous-titres, l'anglais non-stop et la stéréo bipiste) qui en font un matériel sans précédent dans le domaine de l'enseignement des langues.

C'est le Gimmick en V.O.

Vous pourrez les écouter EN LISANT LE LIVRE puisque nous en avons enregistré le texte. Mais pas à la suite. Nous l'avons découpé en 48 leçons de 6 minutes avec, dans chaque leçon, autant de rubriques que le livre en comporte. Ce découpage offre une écoute agréable et, grâce au tableau joint, vous saurez toujours où vous en êtes de votre lecture-écoute.

Avec des sous-titres sonores en français

Vous pourrez aussi les écouter SANS LE LIVRE n'importe où, et bien entendu EN VOITURE (ce sont des auto-cassettes) puisque nous avons aussi enregistré la traduction française de tout ce qui est dit en anglais.

Mais il ne fallait pas que vous soyez gêné par les voix françaises. Nous les avons donc placées en retrait, très au-dessous des voix anglaises, un peu comme en FILIGRANE SONORE. Elles sont si discrètes et si rapides que vous les comprenez à demi-mot lorsque vous en avez besoin et que vous n'y faites plus attention dès qu'elles sont devenues inutiles. Ces voix françaises de secours jouent le même rôle que les sous-titres au cinéma et c'est pourquoi nous les avons appelées "les sous-titres sonores"

LES SOUS-TITRES SONORES, c'est le "gimmick" du GIMMICK. Grâce à eux, vous êtes débarrassé de l'angoisse, trop souvent paralysante de ne pas comprendre, vous abordez la langue à sa vitesse réelle, phrase par phrase et non plus mot à mot, vous passez de l'anglais au français et du français à l'anglais de plus en plus facilement. Les temps de silence, entre les phrases, qui, au début, pourront vous paraître très brefs vous deviendront rapidement tout à fait familiers et vous réagirez spontanément, en anglais, dans le "tempo" de l'enregistrement.

Et de l'anglais en non-stop

Pour que vous ne soyez pas enchaîné, comme c'est trop souvent le cas, par la manipulation de vos cassettes, pour que vous n'ayez pas à les arrêter et à revenir en arrière lorsqu'un mot ou une phrase vous échappe, nous avons adopté une formule à la fois simple et nouvelle : TOUT CE QUI EST DIT EN ANGLAIS EST SYSTEMATIQUEMENT REPETE sur un ton différent, avec un "éclairage" légèrement décalé, deux fois, trois fois et même quatre fois s'il s'agit d'un point difficile (verbs and prepositions) avec, dans chaque leçon, des flashes de révision qui vous aident à fixer vos connaissances, de telle sorte que vous êtes plongé, en douceur et par vagues successives, dans un véritable BAIN D'ANGLAIS VIVANT.

Vous vous habituerez vite à écouter vos cassettes comme vous écoutez la radio, de façon complètement décontractée, en conduisant, en allant et venant dans votre appartement. C'est de "l'anglais d'ambiance" et c'est une des approches les plus efficaces. Vous êtes détendu et, précisément parce que vous êtes détendu, votre esprit libéré, par la présence des sous-titres, enregistre pour son compte et presque inconsciemment le vocabulaire et les structures de l'anglais. A mesure que vous prenez de l'assurance, les sous-titres deviennent progressivement inutiles et vous arrivez alors à cette " création-réflexe " qui est le point idéal de la maîtrise d'une langue.

La stéréo bipiste

Le dosage entre les voix anglaises et les voix françaises a été calculé pour donner les meilleurs résultats avec tous les appareils de lecture de cassettes que l'on trouve dans le commerce, quel qu'en soit la marque ou le modèle, du plus simple au plus sophistiqué.

Mais l'enregistrement a été conçu en bipiste (une piste française et une piste anglaise) et si vous disposez d'une installation stéréo, vous pourrez faire varier l'équilibre des voix, et même supprimer totalement les voix françaises. Cette dernière possibilité peut intéresser les professeurs qui préfèreraient travailler en version originale sans sous-titres.

Hard core: not to say

La version sonore comporte, comme le livre, une partie " not to say ", qui correspond au vocabulaire aujourd'hui désigné par le terme HARD CORE. Pour éviter toute équivoque et pour vous laisser libre de prendre contact, ou non, avec ce HARD CORE, nous l'avons regroupé dans les deux dernières leçons, qui occupent seules, et en totalité, la dernière face de la dernière cassette.

un coffret-étui de 6 cassettes (ineffaçables)

En préparation,
version sonore du Gimmick II anglais
version sonore du Gimmick allemand

PRODUCTION : AFC (Analyses Françaises de Communication)
DISTRIBUTION : FLAMMARION

Instruction track	Piste d'ordres
Instrument	Appareil, instrument
Instrument panel	Tableau de bord
Insulate (élect)	Isoler
Insulated lens housing	Blimp d'objectif
Insulating	Isolant
Insulating tape	Chatterton, ruban isolant
Insulation	Isolation
Insulator	Isolant
In sync	Synchronisé
Integral (subst)	Intégrale
Integral action	Réglage intégral
Integrate	Intégrer
Integrated circuit	Circuit intégré
Integrated system	Système intégré
Integration	Intégration
Integration amplifier	Dispositif d'intégration
Intelligence	Intelligence
Intelligibility (son)	Netteté phonique
Intense	Intense
Intensifying	Renforcement
Intensifying gain	Amplification
Intensity	Intensité
Intensity distortion	Distorsion d'amplitude
Intensity force	Force magnétique
Interaction	Interaction, réaction
Intercalate	Intercaler
Interchangeable	Interchangeable
Interchangeable mirror	Miroir amovible
Intercity	Interurbain
Intercity network	Réseau interurbain
Intercom	Interphone
Intercommunication	Intercommunication
Intercommunication system	Interphone
Interconnection	Interconnexion
Intercut (mont)	Insertion, raccord
Intercut shots (mont)	Images insérées
Interface	Interface, jonction
Interfere	Brouiller, interférer

Interference	Brouillage, interférence, parasites (son), perturbation
Interference area	Zone de brouillage
Interior	Intérieur
Interior filming (ciné)	Prise de vues en intérieur
Interior shot	Prise de vues en intérieur
Interlace scanning (tv)	Balayage entrelacé
Interlace scanning system (tv)	Système de balayage entrelacé
Interlock	Couplage
Interlock device	Système de verrouillage
Interlock projector	Projecteur double-bande
Interlocking	Accouplement, verrouillage
Interlocking regulator	Relais d'accouplement
Interlude	Interlude
Intermediary (adj)	Intermédiaire
Intermediate-film system (tv)	Télévision par film intermédiaire
Intermediate frequency	Moyenne fréquence
Intermediate negative (ciné)	Internégatif
Intermediate positive	Copie master, master, positif intermédiaire
Intermission	Entracte
Intermittent	Intermittent
Intermittent feed	Entraînement intermittent
Intermittent movement	Mouvement intermittent
Intermittent printer	Tireuse intermittente
Intermittent shoe	Presseur intermittent
Intermittent sprocket	Tambour intermittent
Intermodulation	Intermodulation
Internal	Interne
International standards	Normes internationales
Internegative	Contretype négatif, internégatif
Interplay	Effet réciproque
Interpositive	Copie master, master, positif intermédiaire
Interpret	Interpréter, traduire
Interrupt	Interrompre
Interrupting capacity	Intensité de rupture
Interruption	Coupure, interruption
Intersection	Intersection

Intersector	Intersecteur
Intertype (imp)	Intertype
Interval	Entracte, intervalle
Interview	Entretien, interview, entrevue
Invent	Inventer
Inversion of image	Renversement de l'image
Invert	Inverser
Inverted	Inversé
Inverter	Inverseur
Invisible	Invisible
Invoice	Facture
Iridescence	Irisation
Iris	Diaphragme, iris
Iris control	Contrôle du diaphragme
Iris in	Ouverture en iris
Iris out	Fermeture en iris
Irradiation	Irradiation
Irregular	Irrégulier
Isolate	Isoler
Isolation	Isolement
Issue (pres)	Edition
Italic (imp)	Italique
Item	Donnée, objet

Jack	Fiche, jack, levier
Jacket (pres)	Jaquette
Jam	Brouiller, interférer
Jamming	Bloquage, brouillage
Jamming signal	Signal brouilleur
Jaw	Joue, griffe
Jelly	Gélatine, écran gélatine
Jerky crawl	Défilement saccadé
Jerky unwinding	Défilement saccadé
Jitter	Frétillement, instabilité de phase
Job	Travail, tâche
Join	Raccorder
Joint	Joint
Joint use	Usage combiné
Journalist	Journaliste
Journalistic	Journalistique
" Juice "	« Jus »
Jump	Saut
Jump cut (mont)	Coupe sèche
Jump cutting	Montage rapide
Junction	Branchement, jonction
Junction box	Boîte de jonction
Junction cable	Câble de jonction
Jury	Jury
Just published	Vient de paraître

Key	Bouton de commande, clef, touche
Keyboard	Clavier, tableau de commande
Key frame (tv)	Dessin principal (animation par ordinateur)
Keylight (ciné, tv)	Eclairage principal, lumière de base
Keyword	Mot clef
Keying (tv)	Incrustation, trucage électronique
Kinescope (tv)	Cinescope
Kinetic	Cinétique
Kinetic energy	Energie cinétique
Kinetic painting	Tableau cinétique
Knob	Bouton
Knurled knob	Bouton molleté

Label	Etiquette
Laboratory	Laboratoire
Laboratory fade (ciné)	Fondu chimique
Laboratory report	Feuille de rapport image
Laboratory test	Essai de laboratoire
Laboratory work	Travaux de laboratoire
Lacing a screen	Poser un écran
Lack of contrast	Manque de contraste
Lack of sharpness	Manque de netteté
Lackluster	Terne
Lacquer	Laque, vernis
Lacquered	Verni
Lacquering	Laquage, vernissage
Lag	Décalage
Lagging	En retard, déphasé
Lagging chrominance	Chrominance de retard
Lamp	Ampoule, appareil d'éclairage, lampe
Lamp base	Culot de lampe
Lamp house	Lanterne
Lamp rack	Panneau de projecteur
Language	Langage
Lantern	Lanterne
Lantern slide	Diapositive de projection
Lap	Chevauchement
Lap dissolve (ciné)	Fondu enchaîné

Lapel microphone	Microphone boutonnière
Large screen (ciné)	Grand écran
Larsen effect (son)	Amorçage acoustique, effet Larsen
Laser (Light amplification by stimulated energy of radiation)	Laser
Late edition (pres)	Dernière édition
Latensification	Latensification
Latent image (ciné)	Image latente
Lateral recording (son)	Gravure transversale
Lavallier mike	Micro-cravate
Lavender print (ciné)	Copie lavande
Law	Loi, réglementation
Law report (pres)	Chronique judiciaire
Layer	Couche
Lay out	Mettre en pages, mise en pages, schéma, tracé ; placer
Lay-out artist (imp)	Maquettiste, metteur en pages
Lead (actor)	Premier rôle
Lead (imp)	Interligne
Lead box (élect)	Boîte de branchement
Leader (ciné)	Film amorce,
Leader-writer (pres)	Editorialiste
Lead-in	Entrée
Leading actor (ciné, tv)	Interprète principal
Leading article (pres)	Article de fond, éditorial
Leading chrominance	Chrominance directrice
Leading edge	Front d'onde
Leading part (ciné, tv)	Premier rôle
Lead-in groove	Sillon initial
Lead-out groove	Sillon de sortie
Lead-over groove	Sillon intermédiaire
Lead story (pres)	Article de tête
Leaf	Feuille
Leaflet	Brochure, feuillet
Leak	Fuite
Leakage	Fuite
Lean	Inclinaison
Leased line (cab)	Ligne réservée

Length	Longueur, métrage
Lens	Lentille, objectif, système optique
Lens adapter	Bague porte-objectif
Lens aperture	Ouverture de diaphragme
Lens cap	Bouchon d'objectif
Lens holder	Support d'objectif
Lens hood	Parasoleil
Lens mount	Monture d'objectif
Lens opening	Diaphragme, ouverture d'objectif
Lens-shaped	Lenticulaire
Lens stop	Ouverture de diaphragme
Lens support	Support d'objectif
Lens turret	Tourelle à objectifs
Lenticulated	Gaufré
Lenticulated film	Film gaufré
Letter	Lettre
Letters to the editor	Courrier des lecteurs
Letter-press printing	Typographie
Lenticulated screen	Ecran gaufré
Level	Niveau
Level indicator	Décibelmètre
Leveling	Egalisation
Lever	Levier, manette
Lever-arm	Bras de levier
Library	Bibliothèque
Library music	Musique pré-enregistrée
Library shot	Plan d'archives
Library sound effects	Bruits pré-enregistrés
Licence	Licence, permis
Lid lock	Fermeture de couvercle
Life	Durée, vie
Light	Lumière ; léger
Light-and-sound show	Spectacle son et lumière
Light beam	Faisceau lumineux
Light curve	Courbe de lumière
Light dimmer (écl)	Jeu d'orgues
Light dimming	Affaiblissement de la lumière
Light-emitting diode	Diode-émetteur

277

Lig

Light flux	Flux lumineux
Light gate	Cache de lumière
Light intensity	Intensité de la lumière
Light level	Niveau de lumière
Light loss	Perte de lumière
Light meter	Cellule, photomètre, posemètre, luxmètre
Light modulator	Modulateur de lumière
Light output	Rendement lumineux
Light particle	Particule de lumière
Light pen (vid)	Marqueur électronique, stylo lumineux
Light ray	Rayon lumineux
Light-sensitive	Photo-sensible
Light-sensitive layer	Emulsion photo-sensible
Light sensitivity control	Commande de sensibilité de lumière
Lightshield	Coupe flux
Light show	Spectacle d'effets lumineux
Light source	Foyer lumineux, source lumineuse
Light spot	Tache de lumière
Light-struck leader	Amorce voilée
Light tone	Teinte claire
Light trap	Chicane, sas
Light valve	Modulateur de lumière
Light video (equipment)	Vidéo légère
Light wave	Onde lumineuse
Light-weight equipment	Equipement léger
Lighting	Eclairage
Lighting cameraman (ciné)	Chef opérateur, directeur de la photographie
Lighting console	Pupitre d'éclairage
Lighting control	Jeu d'orgues
Lighting engineer	Eclairagiste
Lighting equipment	Matériel d'éclairage
Lighting man (tv)	Chef opérateur, directeur de la photographie
Lighting scheme	Plan d'éclairage
Lighting source	Foyer lumineux

Lighting system	Système d'éclairage
Lightning conductor	Paratonnerre
Lightweight	Léger
Limelights (ciné, theat)	Rampe (lumineuse)
Limit	Limiter ; limite, seuil
Limited rights	Droits limités
Limiter	Limiteur
Line	Aligner, doubler (imp) ; filet (imp.), ligne, trait
Line (of commentary)	Phrase de commentaire
Line breaker	Conjoncteur-disjoncteur
Line converter (tv)	Convertisseur de définition
Line crawl (tv)	Défilement des lignes
Line extender (cab)	Prolongateur de ligne
Line fréquency (tv)	Fréquence de ligne, fréquence de trame
Line hold (tv)	Défilement vidéo
Line negative (photo-imp)	Trait
Line of sight	Ligne de vision
Line-of-sight region	Région de ligne de visée
Line positive (photo-imp)	Trait
Line spacing (imp)	Interlignage
Line tear	Déchirement horizontal
Line terminator	Terminateur de ligne
Line up	Aligner
Lineage (imp)	Lignage
Linear	Linéaire
Linear scanning (tv)	Balayage linéaire, balayage horizontal
Lining	Doublure (imp.), gaine
Lining-up	Repérage, alignement
Link	Raccorder, coupler ; connecteur, coupleur, liaison, lien, maillon
Linkage	Jonction
Link transmitter	Emetteur relais
Linking up	Raccordement
Linotype	Linotype
Linotypist	Linotypiste
Lip-sync (ciné)	Synchronisation des lèvres

Lip-sync band	Bande rythmo
Lip synchronizing	Détection des lèvres
Liquid	Liquide
Liquid gate printer	Tireuse à fenêtre liquide
List of awards	Palmarès
Listener	Auditeur
Listener rating (tv, radio)	Taux d'écoute
Listening in	Ecoute
Listening key	Clef d'écoute
Listening station	Poste d'écoute
Literary program	Emission littéraire
Lithography	Lithographie
Live (tv, radio)	En direct
Live broadcast (tv, radio)	Emission en direct
Live coverage (tv, radio)	Reportage en direct
Live shooting (ciné, tv)	Prise de vues en son direct
Live sound	Son en direct
Live stage	Plateau de studio
Live transmission (tv, radio)	Emission en direct, télévision en direct
Load	Charger ; charge
Loaded	Chargé
Loaded impedance	Impédance normale
Loading	Chargement (d'un magasin)
Local	Local
Local channel	Onde locale
Local community	Collectivité locale
Local correspondent	Correspondant local
Local program	Programme local
Local television	Télévision locale
Locate	Localiser ; repérer (des extérieurs)
Location (ciné)	Emplacement, extérieur, lieu
Location (on) (ciné)	En extérieurs
Location production manager (ciné)	Régisseur d'extérieurs
Location shooting (ciné)	Tournage (ou) prise de vues en extérieurs
Lock	Bloquer, coupler, verrouiller
Locked groove	Sillon final, sillon fermé

Locked system	Système accroché
Locking	Accrochage, serrage, verrouillage
Locking device	Dispositif de blocage
Locking grip	Collier de blocage
Locking ring	Anneau de blocage, bague de blocage
Locking system	Système de blocage
Log sheet (ciné, tv)	Conduite d'émission, feuille de rapport script, rapport script
Longitude	Longitude
Longitudinal recording	Enregistrement longitudinal
Longitudinal wave	Onde longitudinale
Long focal length lens	Objectif de longue focale
Long life	Longévité
Long-playing	Longue durée (disque, bande)
Long range spotlight	Projecteur de poursuite
Long shot (ciné, tv)	Plan d'ensemble, plan général, prise de vues à distance
Long wave (30-300 kHz)	Onde longue, grande onde (1-10 km)
Loop	Boucle, film en boucle
Loop cabinet	Armoire pour boucles
Loop circuit	Circuit bouclé
Loose connection	Connexion desserrée
Loosen	Desserrer
Loosening	Relâchement
Loss	Facteur d'affaiblissement, perte
Loudness	Force sonore
Loudness contour (son)	Courbe d'intensité
Loudspeaker	Haut-parleur
Loudspeaker cone	Cône de haut-parleur
Loudspeaker housing	Boîtier de haut-parleur
Loudspeaker plug	Prise de haut-parleur
Low angle shot	Contre-plongée, plan en contre-plongée
Low budget film	Film à petit budget
Low check (son)	Contrôle des basses
Low contrast image	Image douce
Low cost	Bon marché

Low fréquency	Basse fréquence
Low frequency response	Réponse de basse fréquence
Low frequency wave (30-300 kHz)	Onde kilométrique (1-10 km) basse fréquence, onde longue, grande onde
Low level	Bas niveau
Low noise	Bas bruit
Low-pass filter	Filtre passe-bas
Low pitched (son)	Graves
Low voltage	Basse tension
Lubricate	Lubrifier
Lubricant	Lubrifiant
Lumen	Lumen
Luminance	Luminance
Luminant source	Source lumineuse
Luminescence	Luminescence
Luminosity	Luminosité
Luminosity factor	Facteur de luminosité
Luminous	Lumineux
Luminous control button	Touche de commande lumineuse
Luminous energy	Quantité de lumière
Luminous flux	Flux lumineux
Luminous ray	Rayon lumineux
Luminous witness	Témoin lumineux
Lux	Lux (équivalent à 0.093 foot candle)
Luxmeter	Luxmètre

Machine	Machine
Machine-oriented language	Langage à machine
Machine-tool	Machine-outil
Macrocinematography	Cinématographie, macrocinématographie
Macro-lens	Objectif à mise au point très rapprochée
Macrophotography	Photomacrographie, macrophotographie
Magazine	Chargeur (de caméra), magasin, périodique illustré (pres)
Magazine camera (ciné)	Caméra à chargeurs
Magazine lid (ciné)	Couvercle de magasin
Magazine program (tv, radio)	Magazine
Magenta	Magenta
Magic lantern	Lanterne magique
Magnet	Aimant
Magnetic	Magnétique
Magnetic amplifier	Amplificateur magnétique
Magnetic biasing	Polarisation en courant alternatif
Magnetic cell	Cellule magnétique
Magnetic coating	Enduit magnétique, pâte magnétique
Magnetic core	Noyau magnétique
Magnetic current	Flux magnétique

Magnetic dip	Inclinaison magnétique
Magnetic drum	Tambour magnétique
Magnetic field	Champ magnétique
Magnetic-field strength	Intensité du champ magnétique
Magnetic film	Bande magnétique perforée
Magnetic force	Force magnétique
Magnetic head	Tête magnétique
Magnetic lens	Lentille magnétique
Magnetic microphone	Microphone électromagnétique
Magnetic needle	Aiguille aimantée
Magnetic pick-up	Pick-up électromagnétique
Magnetic pointer	Aiguille aimantée
Magnetic reading	Lecture magnétique
Magnetic recording	Enregistrement magnétique
Magnetic sound	Son magnétique
Magnetic spot	Tache magnétique
Magnetic storage	Mémoire magnétique
Magnetic striping	Couchage de piste magnétique, pistage magnétique
Magnetic tape	Bande lisse, bande magnétique, ruban magnétique
Magnetic tape reader	Lecteur de bande magnétique
Magnetic tape storage	Mémoire à bande magnétique
Magnetic track	Piste magnétique
Magnetic video-card	Vidéo-carte magnétique
Magnetic wire	Fil magnétique
Magnetism	Aimantation, magnétisme
Magnetization	Aimantation, magnétisation
Magnetization factor	Coefficient d'aimantation
Magnetizing	Magnétisation ; magnétisant
Magnetizing current	Courant magnétique
Magnetizing curve	Courbe d'aimantation
Magnification	Grandissement
Magnification ratio	Rapport d'agrandissement
Magnifier (or) **magnifying glass**	Loupe
Magnifying power	Grossissement optique
Magnitude	Grandeur
Magoptical print (ciné)	Copie magnéto-optique
Mailing (pub)	Publipostage
Mailing list	Liste d'adresses

Main	Principal
Main amplifier	Amplificateur principal
Main feature	Grand film
Main fuse	Fusible principal
Main lens	Optique principale
Main shot (ciné)	Plan principal
Main switch	Interrupteur principal
Main title (ciné)	Titre générique, titre principal
Main title card (ciné)	Carton de générique
Main trunk	Câble principal
Main unit	Organe central
Mains (élect)	Secteur
Mains powered (élect)	Alimenté par secteur
Mains synchronizing	Synchronisation par le secteur
Mains transformer	Transformateur d'alimentation
Maintain	Maintenir
Maintenance	Entretien
Major	Principal
Make a print	Tirer une copie
Make-up	Maquillage
Making-up (imp)	Mise en pages
Malfunction	Dérangement
Maltese cross	Croix de Malte
Management	Gestion, direction
Management expenses	Frais de gestion
Manager	Directeur
Managing editor (pres)	Directeur de rédaction, rédacteur gérant
M. and E. track	Piste sonore internationale, V.I.
Manipulate	Manipuler
Manipulator	Manipulateur
Manual	Manuel
Manual turntable	Platine manuelle
Manufacture	Fabrication
Manufacturer	Fabricant
Manuscript	Manuscrit
Mar	Tacher
Marble	Jasper
Margin	Marge

Mark	Repérer, tracer ; marque, repère
Mark scanning	Photolecture
Marker	Marqueur
Marker generator	Générateur de pointage
Market research	Analyse de marché, étude de marché
Marking	Repérage
Married print	Copie standard, positif combiné image et son
Mashed paper	Papier mâché
Mask (ciné, tv)	Filtrer ; cache, filtre, masque
Mask band	Bande cache
Mask shooting	Prise de vues avec cache
Masking	Masquage
Masking tape	Bande cache
Mass communication	Communication de masse
Mass-media	Mass-médias, moyens de communication de masse
Master control room (tv)	Cabine principale de contrôle, régie finale
Master copy	Copie originale (ciné), enregistrement original (son), père (disque)
Master form	Matrice
Master monitor	Moniteur principal
Master oscillator	Maître-oscillateur
Master positive (ciné)	Copie marron, marron
Master print (ciné)	Copie de référence, copie originale
Master printer (imp)	Maître imprimeur
Master record	Disque mère, disque père
Master shot (ciné)	Plan principal, plan d'ensemble
Master tape	Bande pilote, bande mère, copie antenne (tv)
Match	Accorder, adapter, balancer, comparer, compenser, équilibrer ; comparaison
Match cut (mont)	Coupe raccord
Matched	Equilibré, symétrique

Matching	Equilibrage, égalisation
Matching the master (mont)	Conformation d'un original inversible
Matching the negative (mont)	Conformation du négatif
Matching standards	Normes accordées
Material	Matière, film (matière première)
Mat paper	Papier mat
Matrix	Matrice
Matte (ciné, tv)	Cache, masque, transparence (trucage)
Matte box	Porte-caches
Matte box with bellows	Parasoleil, porte-filtre à soufflet
Matte shot	Cache contre-cache, plan-cache
Matteing (tv)	Cache contre-cache électronique
Matteing amplifier (tv)	Générateur électronique d'effets spéciaux
Maximum	Maximum
Means	Moyen
Measuring instrument	Appareil de mesure
Media	Médias
Media analysis	Analyse des médias
Media library	Médiathèque
Media-planning (pub)	Programme des supports
Mediator	Médiateur
Medium	Médium, milieu, moyen
Medium close shot (ciné)	Plan américain
Medium long shot (ciné)	Plan demi-général
Medium shot (ciné)	Plan moyen
Medium wave (300 kHz-3 MHz)	Onde moyenne, onde hectométrique (100 m — 1 km)
Membrane	Membrane
Memo pad	Bloc-notes
Memorandum	Aide-mémoire
Memorize	Mémoriser
Memorizer	Aide-mémoire
Memory	Mémoire
Memory counter	Compteur à mémoire
Mercury-vapor lamp	Lampe à vapeur de mercure
Merge	Fusionner

Message	Message
Metal screen	Ecran métallisé
Meter	Appareil de mesure, mètre
Meter selector	Sélection d'indicateur
Method	Méthode, modalité, procédé
Microcard	Microfiche
Microcinematography	Cinémicrographie, microciné-matographie
Microcopy	Microcopie
Microfilm	Microfilm
Microgroove	Microsillon
Micro-media	Micro-média
Micrometric	Micrométrique
Microphone	Microphone, micro
Microphone diaphragm	Membrane de microphone
Microphonic bar	Barre microphonique
Microphotography	Photomicrographie, micro-photographie
Microwave	Micro-onde, onde ultra-courte, hyperfréquence
Middle	Milieu
Mike	Microphone, micro
Mike boom	Girafe pour microphone
Mimeographic machine	Duplicateur
Miniature	Miniature, maquette
Miniature shooting	Tournage de maquette
Miniaturized	Miniaturisé
Minimum	Minimum
Miniradio	Récepteur de poche
Minireceiver	Récepteur de poche
Minuscule	Minuscule
Mirror	Miroir
Mirror reflex shutter	Obturateur reflex
Misframe	Décadrage
Misprint (imp)	Coquille
Mist	Brouillard
Mistake	Erreur
Mix (ciné, tv)	Mixer, mélanger
Mixer	Mixeur, mélangeur
Mixer amplifier	Amplificateur de mélange

Mixing	Mixage, mélange
Mixing consol (or) **desk**	Console (ou) pupitre de mélange, mélangeur du son (tv), table de mélange (ou) de mixage
Mixing room (or) **studio**	Salle de mixage
Mobile	Portatif
Mobile antenna	Antenne orientable
Mobile .laboratory van	Camion-laboratoire
Mobile recording unit	Car de reportage
Mobile unit	Groupe mobile, unité mobile
Model	Maquette, type
Modeling lamp (écl)	Projecteur d'effets
Modeling light	Projecteur d'ambiance
Moderator (tv)	Animateur, président du débat
Modify	Modifier, changer
Modular	Modulaire
Modulate	Moduler
Modulated light	Lumière modulée
Modulated track	Piste sonore modulée
Modulating wave	Onde modulante
Modulation	Modulation
Modulation amplifier	Amplificateur de modulation
Modulation factor	Facteur de modulation
Modulation monitor	Contrôleur de modulation
Modulation noise	Bruit de modulation, souffle du signal
Modulation selector	Sélecteur de modulation
Modulation transfer	Transfert de modulation
Modulation wave	Onde de modulation
Modulator	Modulateur
Modulator-demodulator	Modulateur-démodulateur
Module (or) **modulus**	Module
Modulometer	Modulomètre
Moiré	Moirage
Moistener	Humidificateur, humecteuse
Moisture	Humidité
Moment	Instant
Monitor	Contrôler, piloter ; contrôle, moniteur

Monitor circuit	Circuit de contrôle
Monitor desk	Table d'écoute
Monitor receiver	Récepteur de contrôle, récepteur témoin, récepteur moniteur
Monitor room	Cabine de contrôle
Monitor screen	Ecran de contrôle
Monitor switch	Bouton de contrôle, commutateur de contrôle
Monitored	Piloté
Monitoring	Contrôle continu, écoute permanente
Monitoring loudspeaker	Haut-parleur de contrôle, haut-parleur témoin
Monochromatic	Monochromatique
Monochrome	Monochrome
Monochrome signal (tv)	Signal de luminance
Monopack (photo)	Monopack
Monophase	Monophasé
Monophony (son)	Monophonie
Monopoly	Monopole
Morse code	Code télégraphique
Mother	Matrice
Mother record	Disque-mère
Mother recording	Enregistrement original
Motionless	Immobile
Motion picture	Film (de cinéma)
Motion picture camera	Caméra (ou) appareil de prises de vues cinématographiques
Motion picture film	Pellicule cinématographique
Motion picture pick-up (tv)	Télécinéma
Motor	Moteur
Motor cue	Marque de démarrage
Motor-generator set	Groupe convertisseur
Motor pinion	Pignon de moteur
Motorized dolly	Chariot motorisé
Motorized zoom lens	Zoom à commande électrique
Mould	Empreinte, matrice
Moulding	Moulage, pressage

Mount	Monter (une installation) ; monture, support
Mounting (photo)	Montage
Mounting frame	Châssis
Mounting plate	Platine, plaque de montage
Mounting press	Colleuse
Movie	Film
Movie camera	Appareil de prise de vues
Movie theatre	Salle de cinéma
Movies (the)	Cinéma
Moving coil	Bobine mobile
Moving-conductor microphone	Microphone à ruban
Moving picture	Image animée
Muffling (son)	Assourdissement
Multi-channel	Multiplex
Multicomponent	Complexe
Multi-diffusion (tv, radio)	Multidiffusion
Multidirectional lighting	Eclairage multidirectionnel
Multi-element capacitor	Condensateur multiple
Multi-image	A images multiples
Multi-image show	Montage multi-écrans, mur d'images, spectacle multi-écrans
Multi-layer	A couches multiples
Multi media	Multi-médias
Multi-media package	Ensemble multi-médias
Multi-media system	Système multi-médias
Multi-pin (connector)	Multibroche (prise)
Multi-pin connectors	Raccordement à broches multiples
Multiplay recording	Enregistrement fractionné
Multiplex	Multiplex
Multiplexer	Coupleur, multiplexeur
Multiplier	Multiplicateur
Multi-plug	Prise multiple
Multiply	Multiplier
Multirank printer	Tireuse multiple
Multirank reduction printer	Tireuse optique à voies multiples
Multi-screen projection (ciné)	Projection à images multiples

Multitask operation	Opération à tâches multiples
Multi-track	Multipiste
Multi-track mixing	Mixage de pistes multiples
Multi-track recorder	Enregistreur de pistes multiples
Multiple broadcast	Rediffusion
Multiple crosstalk	Diaphonie multiple
Multiple exposure (ciné)	Surimpressions (multiples)
Multiple image	Image multiple
Multiple track transfer	Report multi-pistes
Music-and-effects track	Bande son internationale, V.I.
M-&-E track	Version internationale, V.I.
Music director	Directeur musical
Music programming (radio)	Mise en page musicale
Music recording	Enregistrement de la musique
Music scoring	Enregistrement de la musique
Music signal (radio, tv)	Indicatif musical
Music track	Bande musique
Musical	Musical (adj)
Musical comedy	Comédie musicale
Musical show	Spectacle de variétés
Mute (mus)	Sourdine
Mute print	Copie image seule, copie muette
Mutual	Commun
Mystery (ciné)	Film policier

Narration	Commentaire
Narrator	Commentateur, narrateur
Narrow-angle lens	Objectif petit angulaire
Neck microphone	Microcravate
Needle	Aiguille
Needle drag	Aiguille (frottement d')
Negative	Cliché, négatif
Negative cutting (or) **assembly**	Montage négatif
Negative grading	Etalonnage du négatif
Negative image	Image négative
Negative light box	Négatoscope
Negative-light modulation (tv)	Modulation négative
Negative-positive process	Procédé négatif-positif
Negative raw stock	Pellicule négative vierge
Negative timing	Etalonnage du négatif
Neon lights	Eclairage au néon
Net ring	Anneau de voile
Network	Réseau
Network TV	Télévision institutionnelle
Network constant	Paramètre
Neutral	Neutre
Neutral density filter	Ecran gris neutre, filtre gris neutre
Neutralize	Neutraliser
Neutral zone	Zone neutre

New print (ciné)	Copie neuve
News	Actualités, informations, nouvelles
News agency	Agence de presse
News broadcast (tv, radio)	Journal parlé (ou) télévisé
News bulletin	Bulletin d'informations
News camera	Caméra de reportage
Newscar (tv, radio)	Voiture de reportage
Newscast (tv, radio)	Journal parlé (ou) télévisé
News conference	Conférence de presse
News coverage (pres, tv)	Ensemble des informations, reportage d'actualités
News editor (pres, tv)	Rédacteur aux informations, chef des informations
News feature program (tv, radio)	Magazine
News flash	Flash d'information, nouvelle-éclair
Newspaper (pres)	Journal
Newspaper advertising (pub)	Publicité presse
Newspaperman	Journaliste
Newsprint	Papier journal
Newsreel (ciné, tv)	Film d'actualité, film de reportage
Newsreel cameraman (ciné, tv)	Opérateur d'actualités
Newsreels (ciné, tv)	Actualités, presse filmée
News room (pres, tv)	Rédaction, salle de rédaction
Night effect	Effet de nuit
Nitrate film	Film nitrate, pellicule nitrate
Noise	Bruit
Noise control	Réglage du niveau de bruit
Noise factor	Facteur de bruit
Noise figure	Chiffre de bruit
Noise filter	Filtre antiparasites
Noise-free	Insonore
Noiseless	Silencieux
Noiseless camera	Caméra autosilencieuse
Noise level	Niveau de bruit
Noise limiter	Ecrêteur de bruits, limiteur de souffle

Noise rejection	Antibruit
Noise suppressor	Eliminateur de parasites
Noise temperature	Température de bruit
Noise voltage	Tension de souffle, tension de bruit
No-load	A vide
Nominal aperture	Ouverture nominale
Nominal frequency	Fréquence nominale
Nominal size	Cote nominale
Non-commercial distribution (ciné)	Exploitation non commerciale
Non compatible	Incompatible
Non-destructive reading	Lecture sans effacement
Non-directional	Non-directionnel
Non-erasable	Ineffaçable
Non-erasable storage	Mémoire permanente
Non-flam	Ininflammable
Non-flam film	Film de sécurité, pellicule acétate
Non-inflammable	Ininflammable
Non-sync	Asynchrone
Non-theatrical distribution (ciné)	Distribution non-commerciale
Normal	Normal, régulier
Normal direction	Sens normal
Normal exposure setting	Réglage normal d'exposition
Normal key (écl)	Niveau moyen d'éclairement
Notch	Encocher ; encoche
Notching table	Table à encocher
Note	Ton, note
Novelist	Auteur
Now printing	Sous presse
Nuance	Shade
Null	Zéro
Number	Nombre, numéro
Numbering	Pagination
Numbering machine	Numéroteur, pagineuse (imp), piéteuse (ciné)
Number of frames (ciné)	Nombre d'images

Numeral	Chiffre, digital, numéral
Numerical	Numérique
Numerical aperture	Ouverture numérique
Numerical coordinates	Coordonnées numériques

Object	Objet
Obscure	Obscur
Observation	Observation
Odd	Anormal, impair, spécial
Off	Hors circuit
Off-circuit	A vide, hors circuit
Off-line	Hors-ligne, non connecté
Off-line control	Contrôle indirect
Off print (imp)	Tirage à part
Off screen (ciné)	Hors de l'écran, hors-champ
Official presentation	Présentation officielle
Offset printing (imp)	Tirage offset
Omnidirectional microphone	Microphone omnidirectionnel
« On »	En marche
On-air (tv, radio)	Passage à l'antenne
On-air time (tv, radio)	Temps d'antenne, créneau
On assignment	En mission
On-camera (ciné, tv)	En champ
On-circuit	En circuit
On-line	Connecté, en direct, en ligne
On-line control	Contrôle direct
On location (ciné, tv)	En extérieurs
On-off switch	Interrupteur
On reporting assignment	En reportage
Once-through	Passage direct
Ondometer	Ondemètre

One-light dailies (ciné)	Rushes tirés à une lumière
One-light printing	Tirage à lumière unique
One-man show	Spectacle solo
One-phase	Monophasé
One-to-one printing (ciné)	Tirage optique normal
One-way	Unidirectionnel
Opacity	Opacité
Opaque	Opaque
Open	Ouvrir ; ouvert
Open circuit	Circuit ouvert
Opening	Ouverture
Open shop (tv)	Accès libre
Open university (tv)	Télé enseignement universitaire
Operating	Conduite (de machine), fonctionnement
Operating cameraman	Opérateur de prise de vues
Operating expenses	Frais d'exploitation
Operating lever	Levier de commande
Operating voltage	Tension de régime
Operation	Opération
Operation register	Registre d'opération
Operation time	Durée de fonctionnement
Operational chart	Organigramme
Operator	Manipulateur, opérateur
Opposed	En opposition, inverse, opposé
Optical	Effet spécial, trucage optique ; optique (adj)
Optical aberration	Aberration optique
Optical bench	Banc optique
Optical composite	Travelling matte
Optical condenser	Condenseur optique
Optical effect	Trucage optique
Optical feeler	Palpeur optique
Optical flat	Lame à faces parallèles
Optical glass	Verre optique
Optical groove	Sillon optique
Optical printer	Tireuse optique, truca
Optical printing	Tirage optique, copie par tirage optique

Optical reader	Lecteur optique
Optical recording	Enregistrement optique
Optical recording head	Tête enregistreuse optique
Optical reduction	Réduction optique
Optical scanner (tv)	Analyseur optique
Optical slit	Fente optique
Optical sound	Son optique
Optical sound head	Tête enregistreuse optique
Optical sound print	Copie de son optique
Optical sound track	Piste de son optique
Optical transfer	Report optique
Optical transmittance	Transmission optique
Optical viewfinder	Viseur optique
Optical wedge	Coin optique
Optically-reduced print	Copie par réduction optique
Optional stop	Arrêt facultatif
Oral press (radio)	Presse parlée
Orchestra	Orchestre
Order	Instruction
Origin	Origine, source
Original	Original
Original negative	Négatif original
Original picture negative	Négatif original image
Original sound negative	Négatif original son
Original version	Texte original, version originale
Orthicon image	Image orthicon
Orthochromatic	Orthochromatique
Orthochromatic emulsion	Emulsion orthochromatique
Oscillating	Oscillatoire
Oscillation	Oscillation
Oscillator	Oscillateur
Oscillatory	Oscillatoire
Oscillography	Oscillographie
Oscilloscope	Oscilloscope
Outdated	Désuet
Outdoor shooting equipment	Matériel de reportage
Outfit	Equipement
Outlet	Prise (électrique), sortie

Outline	Description, synopsis (ciné), canevas
Out of center	Décentré
Out of date	Dépassé, désuet
Out of focus (ciné, photo)	Défocalisé, flou
Out of frame (ciné, photo)	Hors champ, sorti du champ
Out of order	Déréglé, en dérangement, hors d'usage, en panne
Out of phase	Déphasé
Out of print (édit)	Epuisé
Out of service	Hors d'usage
Out of step	Décalé
Out of synchronization (or) sync	Désynchronisé, asynchrone
Out of tune	Désaccordé
Output	Débit, production, rendement
Output block	Bloc de sortie
Output impedance	Impédance de sortie
Output monitor	Moniteur de sortie
Output power	Puissance de sortie
Outs (mont)	Doubles
Over-and-out (radio)	Terminé
Overall efficiency	Coefficient d'efficacité
Overcharging	Surcharge
Overcurrent	Surintensité
Overdeveloped	Surdéveloppé
Overexposed	Surexposé
Overexposure	Surexposition
Overflow	Fuite, trop-plein
Overhaul	Révision
Overhead	Frais généraux
Overhead crane	Pont roulant
Overhead lighting	Eclairage vertical
Overhead lights	Eclairage des passerelles
Overhead projector	Rétroprojecteur, épiscope, épidiascope
Overheated	Surchauffé
Overlap	Chevaucher
Overlapping	Chevauchement, recouvrement, simultanéité

Overlay	Superposer ; superposition
Overload	Surcharge
Overload-to-noise ratio	Rapport surcharge-bruit
Overloaded	Surchargé
Overmodulation	Surmodulation
Overprint	Surimpression
Overprinting	Repiquage (imp), tirage par surimpression
Overrun	Surchargé, survolté
Overscan (tv)	Balayage excessif, surbalayage
Overseer	Contremaître
Overshoot (ciné, tv)	Dépassement (de tournage)
Overshooting sound	Son surmodulé
Overtone sound	Son dominant
Overvoltage	Surtension

Pace	Rythme
Pack	Bloc
Package	Ensemble
Pack shot (pub)	Plan paquet
Pad	Tampon
Page	Page
Page imposing (imp)	Imposition
Paging (imp)	Pagination
Pairing	Accouplement, pairage (tv)
Pamphlet	Plaquette
Pan (ciné, tv)	Panoramiquer ; mouvement d'appareil horizontal, panoramique
Pan-and-tilt head	Plate-forme à panoramique horizontal et vertical
Pan-and-tilt shot	Prise de vues en panoramique diagonal
Pan head	Tête panoramique
Pan master from colour (ciné)	Interpositif N. & B. d'après négatif couleur
Panning (ciné, tv)	Mouvement d'appareil horizontal
Pan shot	Prise de vues panoramique
Panchromatic	Panchromatique
Panchromatic emulsion	Emulsion panchromatique
Panel	Panel, panneau, tableau

Pantograph	Pantographe
Paper	Papier
Paper-to-paper (mont)	Fil-à-fil
Papering (mont)	Pose de fils
Parabolic-reflector microphone	Microphone à réflecteur parabolique
Para-curve	Courbe parabolique
Paragraph	Alinéa, paragraphe
Parallax	Parallaxe
Parallel	Parallèle ; praticable (ciné)
Parallel distribution (ciné)	Exploitation non-commerciale
Parallel feed	Alimentation en parallèle
Parameter	Paramètre
Parliamentary correspondent	Rédacteur parlementaire
Part	Rôle (ciné), part, partie, pièce détachée
Pass	Passe
Paste	Pâte
Pasting machine (imp)	Colleuse
Patch-panel	Table de connexions
Path	Parcours, trajet, trajectoire
Pattern	Courbe, découpage électronique, mire, modèle, trame (tv)
Pattern scanning	Balayage de trame
Pause	Arrêt sur l'image, image arrêtée
Pay-cable	Télévision (par câble) payante
Pay-TV	Télévision payante
Peak	Crête, sommet
Peak current	Courant de crête
Peak power	Puissance de pointe
Peak time (tv, radio)	Heure de pointe, heure de grande écoute
Peak-to-peak	Crête à crête, sommet à sommet
Pencil beam (tv)	Faisceau étroit
Perception	Perception
Perforated	Perforé
Perforated film	Bande perforée
Perforated screen (proj)	Ecran perforé

Perforating machine	Perforeuse
Perforation	Perforation
Perforation pitch	Pas de perforation
Perforator	Perforeuse
Performance	Performance, présentation, re-présentation, spectacle
Period	Durée, période
Periodic	Périodique
Periodical	Périodique, revue
Periodicity	Fréquence
Periscope	Périscope
Periscopic lens	Objectif périscopique
Periscopic finder	Viseur orientable
Permanence	Permanence
Permanent magnet	Aimant permanent
Permanent-magnet loud-speaker	Haut-parleur à aimant permanent
Permanent storage	Mémoire permanente
Permit	Licence, permis
Perspective	Perspective
Persistence of vision	Persistance rétinienne
Personnel	Personnel
Perturbation	Perturbation
Phase	Phase
Phase conductor	Fil de phase
Phase control	Mise en phase
Phase difference	Décalage de phase
Phase difference factor	Facteur de déphasage
Phase distorsion	Décalage de phase
Phase lock	Blocage de phase
Phase locking	Accrochage de phase
Phase regulator	Régulateur de phase
Phase reversal	Inversion de phase
Phase shift	Déphasage
Phase-shift oscillator	Oscillateur à déphasage
Phasing	Synchronisation, mise en phase
Phonic	Phonique
Phonograph	Phonographe, phonocapteur, pick-up
Phonometer	Phonomètre

Phonoreproducer	Pick-up
Phosphorescence	Phosphorescence
Photo	Cliché
Photocomposition (imp)	Photocomposition
Photo-conductive cell	Cellule photoconductrice
Photocopy	Photocopie
Photo-copying machine	Photocopieur
Photocurrent	Courant photoélectrique
Photo-diode	Photodiode
Photo-drama	Feuilleton photos
Photoelectric	Photoélectrique
Photo-electric cell (or) photocell	Cellule photoélectrique
Photoelectricity	Photoélectricité
Photo engraver	Photograveur
Photo engraving	Photogravure
Photoflash lamp	Ampoule éclair
Photoflood lamp	Lampe survoltée, photoflood
Photogenic	Photogénique
Photographer	Photographe
Photographic library	Photothèque
Photographic picture	Phototype
Photographic plate	Plaque photographique
Photography	Photographie
Photomagnetic	Photomagnétique
Photometer	Photomètre
Photometry	Photométrie
Photo-montage	Image composite, photo-montage
Photomultiplier	Photomultiplicateur
Photon	Photon
Photoreporter	Reporteur-photographe
Photosensitive	Photosensible, sensible à la lumière
Photosensitive plate	Plaque photosensible
Photo-sensitizer	Sensibilisateur
Photo-sensitometer	Photo-sensitomètre
Phototype	Phototype
Piano-key switch	Commutateur à touches

Pick-up	Capteur, phonocapteur, pick-up, tête de lecture
Pick-up arm	Bras de lecture
Pick-up bush	Douille de phonocapteur
Pick-up distance	Zone d'enregistrement
Pick-up tube	Tube analyseur
Pick-up vertical pressure	Force d'appui vertical (pick-up)
Picture	Image
Picture agency	Agence photographique
Picture area	Champ de l'image
Picture daily print (ciné, tv)	Premier positif image
Picture distortion (tv)	Distorsion d'image
Picture dupe negative	Négatif contretype image
Picture editing (ciné, tv)	Montage de l'image
Picture fading (tv)	Affaiblissement de l'image
Picture failure (tv)	Panne d'image
Picture frame	Photogramme (ciné), trame d'image (tv)
Picture frequency	Fréquence d'image
Picture ghost	Filage d'image
Picture-goer	Spectateur
Picture head (proj)	Tête de projecteur
Picture monitor	Moniteur d'image
Picture negative	Négatif image
Picture print	Positif image
Picture quality	Qualité d'image
Picture release dupe negative	Négatif contretype pour tirage série
Picture signal (tv)	Signal vidéo, signal d'image
Picture size	Format de l'image
Picture tube (tv)	Tube image
Piece	Pièce
Pigment	Pigment
Pigment colour	Couleur pigmentaire
Pile	Entasser ; pile
Pilot	Commander, piloter ; pilote, témoin
Pilot film	Film pilote
Pilot lamp	Lampe témoin

Pilot light	Voyant
Pilot pin	Griffe d'entraînement
Pilot print	Epreuve témoin
Pilot program (tv)	Emission pilote
Pilot tone	Fréquence pilote
Pilot wave	Onde pilote
Piloted	Commandé
Pin	Griffe
Pirate network	Réseau sauvage
Pirate station	Station pirate
Pitch (son)	Diapason
Pitch variation (son)	Variation de hauteur de son
Pitch waver (son)	Variateur de timbre
Placarding (pub)	Affichage
Placement	Placement
Plan	Projeter ; plan, projet
Planning	Programmation, planification
Planning meeting	Réunion de production
Plane glass	Glace optique
Plate	Clicher ; cliché, plaque, platine
Plate curving	Cintrage de clichés
Plate glazing machine (imp)	Laminoir
Plate-making	Clichage
Plate modulation	Modulation de plaque
Plateau (vid)	Palier
Platin	Platine
Play	Interpréter ; jeu (d'acteur), dramatique (tv)
Playback	Lecture, pré-enregistrement, présonorisation, reproduction, restitution, surjeu
Playback deck	Table de lecture
Playback head	Tête de lecture
Playback loss	Perte à la lecture
Playback recorder	Lecteur/enregistreur
Playback signal	Signal de reproduction
Playback sound (track)	Son pré-enregistré pour tournage
Playback system	Chaîne de lecture
Player	Acteur, interprète (comédien)

Player/recorder	Lecteur/enregistreur
Playwright	Auteur
Plot	Intrigue, trame
Plug	Brancher ; broche, connecteur, fiche, prise
Plug in	Mettre en circuit ; enfichable
Plug-in block	Bloc enfichable
Plug-in head	Tête enfichable
Plug-in magnetic reader	Lecteur magnétique enfichable
Plug-in unit	Elément enfichable
Plug out	Mettre hors circuit
Plugging chart	Diagramme de -connexions
Plywood	Contreplaqué
Pointer	Aiguille
Point source (of light)	Source ponctuelle
Polarity	Polarité
Polarity reversal	Inversion des pôles
Polarization	Polarisation
Polarized	Polarisé
Pola screen, polarizer (ciné)	Ecran polarisant
Pole	Perche
Polished	Poli
Polish out	Dérayer
Poll	Sondage
Polychrome	Polychrome
Polychromatic	Polychromatique
Polychromy	Polychromie
Polyester	Polyester
Polyphony (son)	Polyphonie
Polyvision	Polyvision
Porch (vid)	Palier
Portable	Portatif
Portable camera	Caméra portative
Portable equipment	Equipement léger
Portable transmitter	Emetteur (ou) transmetteur portatif
Portable TV set	Téléviseur portatif
Portapack	Vidéo portable
Position	Emplacement
Positive	Positif

Positive anchoring	Fixation par ancrage
Positive light modulation (tv)	Modulation positive
Positive raw stock	Pellicule positive vierge
Poster	Affiche
Posting (of posters)	Affichage
Post-exposure	Postlumination
Post-scoring (ciné)	Post-sonorisation
Post-sync (ciné)	Postsynchronisation
Post-testing (pub)	Post-enquête
Potentiometer, « pot »	Potentiomètre
Power	Alimentation, énergie, puissance, tension électrique
Power amplifier	Amplificateur de puissance
Power consumption	Puissance consommée
Power drop	Chute de tension
Power failure	Panne de courant
Power force	Force magnétique
Power-line	Secteur électrique
Power loudspeaker	Haut-parleur de grande puissance
Power on	Mise en service
Power pack	Bloc d'alimentation,
Power plant	Station électrique
Power station	Centrale électrique
Power supply	Alimentation, source d'alimentation
Power switch	Interrupteur général
Power unit	Groupe électrogène, organe moteur
Pre-adjustment	Prépositionnement
Preamplification	Préamplification
Preamplifier	Préamplificateur
Pre-censorship	Censure préalable, précensure
Precision	Précision
Pre-dubbing (ciné)	Prédoublage
Pre-edited (ciné)	Prémonté
Pre-emphasis	Préamplification, préaccentuation
Pre-exposure	Prélumination
Prefocusing	Mise au point préalable

Premagnetization	Préaimantation
Premiere	Première
Premium rate (pub)	Tarif de forte écoute
Pre-mixing	Pré-mélange
Pre-reading	Prélecture
Pre-recorded	En différé (tv, radio) préenregistré
Pre-recorded broadcast (or) **program**	Emission en différé, émission préenregistrée
Pre-recorded image (tv)	Image préenregistrée
Pre-recorded magnetic tape	Bande magnétique préenregistrée
Pre-recorded music	Musique préenregistrée
Pre-recorded sound	Bruits préenregistrés
Pre-recorded stereo cassette	Cassette stéréo préenregistrée
Pre-scoring (ciné)	Présonorisation musicale
Pre-set parameter	Paramètre prédéterminé
Presetting (photo)	Prépositionnement, préréglage
Press	Presse
Press agency	Agence de presse
Press agent	Attaché de presse
Press card	Carte de presse
Press conference	Conférence de presse
Press department	Service de presse
Press group	Groupe de presse
Press photographer	Photographe de presse
Press proof	Epreuve en bon à tirer
Press-release	Communiqué de presse
Press review	Revue de presse
Press run (imp)	Tirage total
Press show (ciné)	Avant-première
Press-stone (imp)	Marbre
Pressing-machine (imp)	Presse
Pressure gate	Cadre presseur
Pressure plate	Cadre presseur, presseur, plaque de couloir
Pressure point	Point d'appui
Pressure roller	Tambour presseur
Pre-striped magnetic track	Piste (ou) bande magnétique précouchée

Pre-striped raw stock	Pellicule vierge à piste couchée
Pretesting (pub)	Préenquête
Preview	Avant-première, visionnement préalable
Preview trailer (ciné)	Film annonce, bande annonce
Price	Prix
Price list	Tarif
Primary	Primaire
Primary colour	Couleur primaire, couleur fondamentale
Primary source	Source primaire
Primary track	Piste principale
Prime time (tv, radio)	Heure de grande (ou) forte écoute, heure de pointe, période de pointe
Print	Copier, imprimer, tirer, tirer une copie ; copie, imprimé
Print contrast ratio	Intensité d'impression
Print polishing	Dérayage, polissage de copie
Print-through (magnetic)	Effet d'écho
Printed	Imprimé
Printed circuit	Circuit imprimé
Printed matter	Imprimé
Printer	Imprimeur ; tireuse
Printer density factor	Coefficient de tirage
Printer light	Lumière de tirage
Printer scale	Echelle de lumières
Printer step	Lumière de tirage, valeur de tirage
Printer's devil (imp)	Apprenti typographe
Printing	Impression, tirage (d'une copie)
Printing card (lab)	Fiche d'étalonnage
Printing filter	Masque correcteur
Printing laboratory	Laboratoire de tirage
Printing length	Longueur de tirage
Printing light	Lumière de tirage, valeur de tirage
Printing machine	Tireuse
Printing matrix	Matrice de tirage
Printing paper	Papier d'impression

Printing plant	Imprimerie
Printing process	Procédé de tirage
Printing tape (lab)	Bande gamme
Prism	Prisme
Prism lens	Objectif prismatique
Private screening (or) **showing**	Présentation privée, projection privée
Probe	Sonder
Problem	Problème
Procedure	Méthode, procédé, technique
Process	Développer, traiter, transformer ; procédé, traitement
Process camera	Banc de reproduction
Process engraver	Clicheur
Process engraving (imp)	Simili gravure
Processing	Développement, traitement
Processing machine	Machine à développer
Process offset (imp)	Chromolithographie
Process plate	Cliché d'impression couleur
Process shot (ciné)	Prise de vues par transparence, trucage
Processor	Machine à développer, processeur
Processor-controller	Ordinateur-moniteur
Produce	Produire
Producer	Producteur (ciné, tv), réalisateur (tv) (U.S.A.)
Product	Produit
Production	Fabrication, production
Production accountant	Comptable de production
Production assistant	Assistant de production
Production company (or) **house**	Maison de production, société de production
Production contract	Contrat de production
Production costs	Frais de production
Production management (ciné)	Régie
Production manager	Directeur de production
Production meeting	Réunion de production
Production secretary	Secrétaire de production

Production schedule	Plan de production, plan de travail
Production still	Photo de production
Production unit	Equipe de production
Productive time	Temps utile
Professional	Professionnel
Program	Programmer ; émission, programme
Program break (tv, radio)	Interruption de programme
Program committee	Comité des programmes
Program director (radio)	Metteur en ondes
Program editor (tv-news)	Editorialiste, rédacteur
Program exchange	Echange de programmes
Program file (tv)	Dossier d'émission
Program schedule (tv)	Grille horaire, grille de programmes
Program step (inf)	Etape de programme
Program tape reader	Lecteur de bande programme
Programmer	Programmeur, programmateur
Programming	Programmation
Programming director (tv)	Directeur des programmes
Programming grid (tv)	Grille de programmes
Programming language (inf)	Langage de programmation
Programming system	Système de programmation
Progressive	Progressif
Progressive scanning (tv)	Analyse par lignes contiguës
Project	Projet
Projection	Projection
Projection angle	Angle de projection
Projection axis	Axe de projection
Projection booth	Cabine de projection
Projection gate	Fenêtre de projection
Projection head	Bloc optique de projection
Projection jump	Saut de projection
Projection lamp	Lampe de projection
Projection lens	Objectif de projection
Projection release	Autorisation de projection
Projection room	Salle de projection, salle de vision
Projection screen	Ecran de projection

Projection time	Temps de projection
Projectionist	Projectionniste
Projector	Appareil de projection, projecteur
Projector buckle	Boucle de projecteur
Promotion (pub)	Lancement
Promotion trailer (ciné)	Bande annonce de programme
Prompter (theat)	Souffleur
Proof	Preuve
Proof reading	Correction sur épreuves
Proof sheet (imp)	Epreuve
Proofing hand (imp)	Tireur (d'épreuves)
Propaganda film	Film de propagande
Propagation	Propagation
Properties (ciné)	Accessoires (de studio)
Property manager (ciné)	Ensemblier
Property room (ciné)	Magasin d'accessoires
Prop man (ciné)	Accessoiriste
Props (ciné)	Accessoires (de studio)
Propulsion	Propulsion
Protected	Protégé
Protection	Protection
Protection master (ciné)	Copie originale de sécurité
Protective tape	Bande de sécurité
Protective white leader	Amorce blanche
Public	Audience, public
Public access (tv)	Accès public
Public access channel (tv)	Chaîne à accès public
Public showing	Projection publique
Publication	Edition, publication, parution
Publication date (édit)	Date de parution
Publicist (pub)	Publiciste
Publicity	Publicité
Publicity editor	Annoncier
Publicity film	Film publicitaire
Publicity man	Publicitaire
Publicity spot	Spot publicitaire, bande publicitaire
Publicity still	Photographie publicitaire
Public relations	Relations publiques

Public showing (ciné)	Projection publique
Publisher (édit)	Editeur
Publishing	Edition
Pull	Traction
Pull back (ciné)	Travelling arrière
Pull-down claw	Griffe d'entraînement
Pull focus	Faire le point
Pull-up sound advance (proj)	Décalage son-image pour synchronisme
Pulse	Exciter ; impulsion, pulsation, top
Pulse coder	Générateur d'impulsions codées
Pulse frequency	Fréquence d'impulsions
Pulse generator	Générateur d'impulsions
Pulsed	Pulsé
Punch	Perforer ; poinçon
Punched	Perforé
Puncher	Poinçonneuse
Punch line	Phrase de conclusion
Punch program (inf)	Programme de perforation
Puppet film	Film de marionnettes
Push button	Bouton-poussoir
Push in (ciné)	Travelling avant
Push-pull	Symétrique
Push-pull microphone	Microphone double
Push-pull recording	Enregistrement symétrique en opposition
Put in	Mettre en circuit
Put the paper to bed (pres)	Boucler le journal

Quadriphonic (son)	Quadriphonique
Qualifier	Qualificateur
Quality	Qualité
Quantity	Quantité
Quarter	Quart
Quarterly (pres)	Trimestriel
Quarter-track **(magnetic)**	Quart de piste (magnétique)
Quartz	Quartz
Quartz-iodine	Quartz-iode
Quick	Rapide, vif
Quick-acting	Action rapide
Quick-change magazine (ciné)	Magasin à chargement rapide
Quickness	Rapidité
Quickie (ciné)	Film à petit budget
Quick forward action	Marche avant rapide
Quick motion	Accéléré, mouvement accéléré
Quick reverse action	Marche arrière rapide
Quotation	Citation

Rack	Baie, porte-film (ciné)
Rack over (proj)	Basculer, culbuter
Radar (Radio detection and ranging)	Radar
Radiate	Rayonner
Radiation	Rayon, radiation, rayonnement
Radio	Poste récepteur, radio
Radio-acoustics	Acoustique radiophonique
Radio broadcasting (or) **radio-casting**	Radiodiffusion
Radiodistribution	Radiodistribution
Radio-engineer	Ingénieur radio
Radio frequency	Radiofréquence
Radio guide	Câble de haute fréquence
Radio-play	Audiodramatique
Radio relay	Station relais
Radio-station	Station de radiodiffusion
Radio-transmission	Radio-émission
Radio-transmitter	Station émettrice
Rain effect	Rayures (ciné), effet de pluie
Raise	Augmenter ; augmentation
Rake	Inclinaison
Random	Aléatoire, hasard
Random noise	Bruit irrégulier, bruit de fond
Range	Etendue, gamme, portée
Range finder	Télémètre

Range of audibility	Champ d'audibilité
Range of distortion	Zone de distorsion
Rank	Classer ; rang
Rapid	Rapide, vif
Rapidity	Rapidité
Raster (tv)	Analyse de l'image, trame
Rate	Régime, taux, tarif, vitesse
Rate of speed	Degré de vitesse
Rating (radio, tv)	Cote d'écoute, indice, indice d'écoute
Rating card	Fiche d'écoute
Rating service	Service d'indice d'écoute
Ratio	Proportion, rapport, taux
Rattle	Grincement
Raw	Vierge, brut
Raw data (inf)	Données brutes
Raw stock (ciné)	Film vierge, pellicule vierge
Raw tape	Bande vierge
Ray	Radiation, rayon
Reaction	Réaction
Read brush	Balai de lecture
Read-in time (inf)	Temps de lecture
Reader	Lecteur
Reader-interpreter (inf)	Lecteur-interpréteur
Reading	Lecture
Reading head	Tête de lecture
Reading room (pres)	Salle des correcteurs
Reading track	Piste de lecture
Read-write head	Lecteur-scripteur
Ready for print (imp)	Bon à tirer
Real image	Image réelle
Real time	Temps réel
Ream (of paper) (imp)	Rame (de papier)
Rear	Arrière
Rear projection (ciné)	Projection par transparence
Rear-screen projection (ciné)	Rétroprojection
Rebroadcast (tv)	Relayer, retransmettre, rediffuser
Rebroadcasting (tv)	Réémission, retransmission, rediffusion

Receiver	Destinataire, récepteur
Receiving antenna	Antenne de réception
Receiving range	Gamme de réception
Receiving unit	Récepteur
Reception	Réception
Receptive	Réceptif
Recess	Creux
Recharged	Rechargé
Reckon (ciné)	Repérer (des extérieurs)
Reckoning	Repérage
Reciprocity	Réciprocité
Record	Enregistrer, graver, rapporter ; disque (audio)
Record changer	Changeur de disques
Record library	Discothèque, phonothèque
Record-&-playback head	Tête d'enregistrement lecture
Record-player	Electrophone, phonographe, pick-up, tourne-disques
Record-player connector	Prise pick-up
Record turntable	Platine tourne-disques
Recorded program	Programme enregistré (ou) pré-enregistré
Recorded broadcast (or) **transmission** (tv, radio)	Emission en différé, émission préenregistrée
Recorder	Appareil enregistreur, enregistreur
Recorder-player	Enregistreur-lecteur
Recorder-reproducer	Enregistreur-lecteur
Recording	Enregistrement, gravure (disque)
Recording amplifier	Amplificateur d'enregistrement
Recording curve	Caractéristique d'enregistrement
Recording drum	Tambour d'enregistrement
Recording engineer	Ingénieur du son
Recording equipment	Matériel d'enregistrement
Recording head	Tête d'enregistrement
Recording instrument	Appareil enregistreur
Recording lamp	Lampe d'enregistrement
Recording mark	Marque d'enregistrement

Recording of the commentary	Enregistrement du commentaire
Recording room	Salle de mixage, cabine d'enregistrement
Recording speed	Vitesse d'enregistrement
Recording studio	Studio d'enregistrement
Recording system	Chaîne d'enregistrement
Recording tape-deck	Platine d'enregistrement
Recording technician	Recordeur
Recording time	Durée d'enregistrement
Recovery	Rétablissement, récupération
Rectification (of the picture)	Redressement (de l'image)
Rectified current	Courant redressé
Rectifier	Redresseur
Rectifying device	Correcteur
Rectilinear scanning (tv)	Analyse par lignes
Recurrent	Périodique
Red	Rouge
Reddish	Rougeâtre
Rediffusion	Rediffusion
Reduce	Atténuer, réduire
Reduction	Affaiblissement, atténuation, réduction
Reduction print	Copie par réduction optique
Reduction printing	Tirage par réduction
Reduction scale	Echelle de réduction
Re-edit	Rééditer
Reel (ciné)	Bobine, rouleau
Reel end	Fin de bobine
Re-establishment	Restitution
Reference	Référence, témoin
Reference black level	Niveau noir (de référence)
Reference edge (of tape)	Bord de référence (de bande)
Reference film	Film étalon
Reference point	Point de référence
Reference print	Epreuve de référence, copie de référence
Reference strip	Bande étalon
Reference tape	Bande étalon
Reflect	Réfléchir

Reflectance factor	Facteur de réflexion
Reflected	Réfléchi
Reflected image	Image réfléchie
Reflected light	Lumière réfléchie
Reflected sound	Son réfléchi
Reflecting screen	Panneau réflecteur
Reflection	Réflexion
Reflection sounding	Sondage ultrason
Reflector	Réflecteur
Reflex	Réflexe
Reflex camera	Caméra à visée reflex
Reflex finder	Viseur reflex
Reflex mirror system	Système de visée reflex
Reflex shutter	Obturateur à miroir
Refracting prism	Anneau dioptrique
Refraction index	Indice de réfraction
Regenerate	Régénérer
Regenerator	Régénérateur
Region	Région
Regional program	Programme régional
Register	Registre
Register pin	Contre-griffe, griffe de fixité
Registration	Inscription
Registration pin	Contre-griffe, griffe de fixité
Regrouping	Reclassement
Regular	Normal, régulier
Regulate	Commander, régler
Regulation	Réglage, règlement, réglementation, régulation
Rehearsal	Répétition
Rehearsal room	Salle de répétition
Rehearse	Répéter
Re-issue	Réédition, reprise (d'un film)
Relate	Rapporter
Relation	Relation
Relationship	Relations
Relative	Relatif
Relative aperture	Ouverture nominale
Relay	Relayer ; relais
Relay-station	Station-relais

Release	Déclenchement, démarrage, distribution (ciné), relâchement, sortie (d'un film)
Release button	Bouton de déclenchement, déclencheur
Release print (ciné)	Copie d'exploitation, copie de série, copie standard
Release printing (ciné)	Tirage de série
Releaser	Déclencheur, démarreur
Releasing device	Démarreur
Reliability	Fiabilité, sécurité de fonctionnement
Reloaded	Rechargé
Reloading	Rechargement
Remake (ciné)	Deuxième mouture (d'un film)
Remote control	Commande à distance, contrôle à distance, télécommande
Remote-control releaser	Déclencheur à distance
Remote-controlled	Télécommandé
Remote pick-up	Captage éloigné
Remote pick-up point	Point de captage éloigné
Remote tuning	Réglage à distance
Rendition (mus)	Interprétation
Renewal	Rénovation
Renovation	Rénovation
Rental costs	Frais de location
Rental organization	Organisation de distribution
Renter	Distributeur
Renting	Distribution (commerciale), location
Repeat	Répéter
Repeater station (radio, tv)	Emetteur relais, relais
Repertory	Répertoire
Repertory cinema	Cinéma d'art et d'essai
Repetitive opération	Opération répétitive
Replace	Remplacer
Replaceable	Interchangeable
Replenish	Régénérer
Replenisher	Régénérateur

Replenisher solution	Solution d'entretien
Reply	Réponse
Report	Rapporter ; communiqué, rapport
Report sheet (ciné, tv)	Rapport script, fiche de tournage
Reporter (pres)	Journaliste, reporter
Reporter (or) **news camera**	Caméra de reportage
Reporter-cameraman (ciné, tv)	Reporteur-opérateur, reporteur d'image
Reporting (tv, pres)	Reportage (actualités)
Reporting assignment (tv, pres)	Reportage
Reprint	Réimprimer ; réimpression, réédition
Reproduce	Reproduire
Reproducer	Reproducteur
Reprography	Reprographie
Reproducing amplifier	Amplificateur de lecture
Reproducing area	Champ de lecture
Reproducing head	Tête de lecture, tête de reproduction
Reproducing machine (imp)	Tireuse
Reproducing slit	Fente de lecture (du son)
Reproducing system	Chaîne de lecture
Reproduction	Duplication, reproduction
Requirement	Condition
Rerecord	Réenregistrer
Rerecording	Repiquage, réenregistrement
Rerecording console	Pupitre de réenregistrement
Rerecording deck	Baie de repiquage
Rerun (a picture) (proj)	Repasser (un film)
Research	Recherche
Research assistant	Documentaliste
Reshoot (ciné, tv)	Retourner une scène
Residual image	Image résiduelle
Resistance	Résistance
Resistor	Résistance
Resolution (opt)	Définition (d'image), résolution
Resolution chart	Mire de définition
Resolving power (opt)	Pouvoir séparateur

Resolving power (photo)	Pouvoir résolvant
Resonance	Résonance
Resonant	Accordé
Resonant frequency	Fréquence de résonance
Resonator	Résonateur
Response	Réponse
Response frequency	Fréquence de réponse
Response time	Temps de réponse
Responsiveness	Sensibilité
Restore	Restituer
Restraint voltage	Tension de seuil
Restricted	Confidentiel, limité
Restricted permit	Autorisation limitée
Result	Résultat
Retake (ciné, tv)	Deuxième prise, plan refait, raccord (film), reprise (d'un plan) ; retourner un plan
Retard	Retarder
Retardation	Retard
Reticulation	Réticulation
Retina	Rétine
Retouch	Retoucher
Retouching	Retouche
Retrace (tv)	Retour du spot
Retransmission (radio, tv)	Retransmission
Retransmit (radio, tv)	Retransmettre
Retroaction	Réaction, rétroaction
Retroactive	Rétroactif
Retrospect (in)	Rétrospectif
Retrospective	Rétrospective
Return feeder	Conducteur de retour
Returns (pres)	Invendus, « bouillon »
Reverberation	Echo, réverbération
Reverberation period	Temps de réverbération
Reversal emulsion	Emulsion inversible
Reversal film	Film inversible
Reversal finder (opt)	Viseur-redresseur
Reversal positive	Positif inversible
Reversal print	Copie par inversion

Reversal process	Inversion (labo), procédé inversible, procédé négatif-positif
Reversal raw stock	Pellicule inversible vierge
Reverse	Inverser ; inverse
Reverse action	Marche arrière
Reverse angle	Angle opposé, contre-champ
Reverse direction flow	Contre-courant
Reverse mirror	Contre-miroir
Reverse printing (imp)	Tirage indirect
Reverse shot	Contre-champ
Reversed	Inversé
Reversed image	Image inversée
Reversible booster	Générateur-régulateur
Reversible drive	Commande d'inversion
Reversion	Réversion
Revise	Réviser
Revised proof (imp)	Epreuve corrigée
Reviewer (book)	Critique littéraire
Rewind	Réenrouler, réembobiner
Rewinder	Réenrouleuse, réembobineuse, rebobineuse
Rewinding	Rebobinage, réembobinage, réenroulement
Rewinding turntable	Platine d'enroulement
Rewrite	Réécrire
Rewriter (pres)	Rewriter, rédacteur réécrivant la copie
R.F. adapter	Modulateur, sélecteur d'antenne
Rhythm	Cadence, rythme
Ribbon	Ruban
Rig (ciné)	Equiper (un décor)
Rigger (ciné)	Machiniste de plateau
Rights	Droits
Rights for projection in schools	Droits scolaires
Rights per print	Droits à la copie
Ring	Sonner ; anneau, couronne
Ring head	Tête annulaire
Ringing	Cerclage, sonnerie

Rinsing	Rinçage
Ripple frequency	Fréquence d'ondulation
Rise	Augmenter ; augmentation
Rocking lever	Basculeur
Roll	Bobine (de film négatif), rouleau
Roller	Galet, rouleau, tambour
Roller bearing	Roulement à galets
Rolling title (ciné)	Déroulant, titre en déroulant
Rolling titles	Générique déroulant
Roof antenna	Antenne de toit
Room noise	Bruit d'ambiance
Rostrum (ciné, theat)	Praticable
Rostrum camera	Caméra verticale
Rotary	Rotatif, tournant
Rotary converter	Commutatrice
Rotary erase head	Tête d'effacement rotative (ou) tournante
Rotary head	Tête tournante
Rotary head scanning (tv)	Balayage à tête rotative
Rotary mirror	Miroir tournant
Rotary potentiometer	Potentiomètre rotatif
Rotary press (imp)	Rotative
Rotary printer	Tireuse rotative
Rotary shutter	Obturateur à secteur
Rotary speed	Vitesse de rotation
Rotating	Tournant, rotatif
Rotating mirror	Miroir rotatif
Rotogravure (imp)	Héliogravure, rotogravure
Rough	Rugueux, brut
Rough cut (ciné, tv)	Bout à bout, montage en continuité, premier montage
Rough sketch	Croquis
Round slide tray	Carrousel (de diapositives)
Round-table discussion	Table ronde (débat)
Round tone (son)	Son plein
Routing	Itinéraire, parcours
Routing machine (imp)	Rectifieuse
Roving reporter (pres)	Reporter itinérant
Row	Rangée

Royalties	Droits d'auteur
Rubber mounting	Support élastique, support anti-vibratoire
Rule	Loi, règle
Rule (imp)	Filet
Ruling	Règlement
Rumble	Bourdonnement, grognement, ronflement
Run	Tourner (machine) ; défilement, passage, trajectoire
Run (of a film) (ciné)	·Durée d'exploitation
Run-down	Déchargé
Run-off	Débobiné
Run of the claw	Trajectoire de griffe
Run-up time	Temps de démarrage
Runner plate	Couloir de la caméra
Running commentary (tv, radio)	Commentaire sur image
Running costs	Frais d'exploitation
Running-in	Rodage
Running time	Durée du programme (tv), durée de projection (ciné), temps de fonctionnement
Rushes (ciné, tv)	Epreuves (de tournage), rushes
Rust-proof	Inoxydable

Safety	Sécurité
Safety base	Support de sécurité
Safety factor	Coefficient de sécurité
Safety film	Film de sécurité, pellicule de sécurité
Safety light	Lumière de sécurité
Safety regulations	Règlement de sécurité
Safety switch	Interrupteur de sécurité
Salary	Salaire
Sampling	Echantillonnage
Sand paper	Papier de verre
Saphire	Saphir
Satellite	Satellite
Satined	Glacé, satiné
Saturated	Saturé
Saturation	Saturation
Scaffolding	Echafaudage
Scale	Mettre à l'échelle ; balance, échelle, gamme, grandeur, graduation
Scale model	Modèle réduit, maquette
Scan	Analyser, balayer, explorer ; balayage, exploration
Scan period	Phase d'exploration
Scanned area	Surface balayée
Scanner	Analyseur, lecteur

Scanning	Analyse, balayage, exploration
Scanning beam	Faisceau analyseur, faisceau explorateur
Scanning disc	Disque analyseur
Scanning field	Champ d'exploration
Scanning generator	Générateur de balayage
Scanning line	Fente optique (ciné), ligne d'analyse (tv), ligne de balayage
Scanning spot	Spot explorateur
Scanning system	Système d'analyse
Scatter	Diffuser
Scattered	Diffus
Scattering	Dispersion, diffusion (opt, son) ; diffusant
Schedule	Horaire, prévision, programme
Scheme	Projet
Scene	Scène
Scene-to-scene colour grading (ciné)	Etalonnage couleur plan-par-plan
Scenery	Décor(s)
Scientific cinematography	Cinéma scientifique
Scientific film	Film scientifique
Scintillation counter	Scintillomètre
Scoop (pres, tv)	Exclusivité, reportage exclusif
Scoop (écl)	Bol (lumière d'ambiance), petit projecteur
Scope	Etendue
Score (ciné)	Musique de film
Scoring	Sonorisation
Scout	Lecteur (scénario)
Scramble	Brouiller
Scrambler	Démodulateur
Scrape	Gratter ; grincement
Scraper	Grattoir
Scratch	Gratter, rayer ; bruit d'aiguille, grattement, rayure
Scratch filter	Filtre d'aiguille
Scratch print	Positif rayé
Screen	Visionner ; écran, filtre

Screen angle	Angle de projection
Screen brightness	Luminosité de l'écran
Screen credits (ciné, tv)	Générique
Screen frame	Cadre d'écran
Screen luminance	Luminance de l'écran
Screen mask	Cache d'écran
Screenplay	Découpage définitif, scénario
Screenplay-writer	Auteur de scénario
Screen ratio	Rapport d'aspect (image)
Screen ruling (tv)	Lignage de trame
Screen test	Essai filmé
Screened negative (imp)	Négatif tramé
Screened positive (imp)	Positif tramé
Screened wire	Fil blindé
Screening (ciné, tv)	Passage (d'un film), projection, présentation (de film), visionnement
Screening of the dailies	Projection de travail (des rushes)
Screening theatre	Salle de projection
Screening time	Durée de projection
Screw	Vis
Screwdriver	Tournevis
Screw head	Tête de vis
Screw wheel	Roue hélicoïdale
Scrim (ciné)	Ecran diffuseur, tarlatane
Script (ciné, tv)	Découpage, scénario, texte
Script conference (tv)	Conférence de programme
Script editor	Scripteur (Canada)
Script girl (ciné, tv)	Secrétaire de plateau, scripte
Script-writer	Auteur de scénario, scénariste
Seal	Sceau
Secondary	Auxiliaire
Secondary source	Source secondaire
Second feature (ciné)	Film de complément
Section	Section
Section mark	Paragraphe
Sector	Secteur
Security	Sécurité
Segment	Partie

Select	Choisir, sélectionner
Selected	Sélectionné
Selection	Choix, filtrage, sélection
Selection button	Touche
Selectivity	Sélectivité
Selectivity factor	Facteur de sélectivité
Selector	Inverseur, sélecteur
Selector of audible frequencies	Sélecteur de fréquences audibles
Selector switch	Commutateur, sélecteur
Selenium cell	Cellule au sélénium
Self-aligning	Auto-réglable
Self-blimped camera	Caméra autosilencieuse
Self-locking device	Fermeture automatique
Self-operated controller	Régulateur à action directe
Self-powered	A alimentation propre
Self-scattering	A autodiffusion
Self-starter	Démarreur automatique
Self-starting	A auto-démarrage
Self-stopping	A arrêt automatique
Self-synchronizing	A synchronisation automatique
Self-trigging	A autodéclencheur
Semi-automatic station	Station semi-automatique
Semiconductor	Semiconducteur
Semi-glazed paper	Papier satiné
Send-receive switch	Commutateur émission-réception
Sensation	Sensation
Sensibility decrease	Perte de sensibilité
Sensitive	Sensible
Sensitivity	Sensibilité
Sensitize	Sensibiliser
Sensitogram	Sensitogramme
Sensitometer	Sensitomètre
Sensitometric strip	Coin sensitométrique
Sensitometry	Sensitométrie
Sensitivity range	Gamme de sensibilité
Separate	Séparer
Separation (ciné)	Sélection de couleurs

Separation negative	Négatif de sélection
Separation positive	Positif de sélection
Sepia	Sépia
Sequence	Séquence
Sequence-length shot (ciné)	Plan-séquence
Sequence number	Numéro d'ordre
Sequencing	Mise en séquence
Serial (tv)	Film à épisodes, feuilleton, série
Serial novel (or) **story**	Roman feuilleton
Series	Série
Series of slides	Série de diapositives
Servicing	Entretien
Servo-capstan	Cabestan asservi
Servo-control	Asservissement
Servo-system	Système asservi
Servo-track	Piste d'asservissement
Set	Composer, placer, planter (le décor), régler ; appareil, décor, plateau
Set design (ciné, tv)	Décoration
Set designer	Décorateur
Set of matrices (imp)	Frappe
Set-up	Equiper (un décor), monter (une installation) ; installation
Setting	Composition, décor (ciné), réglage
Setting ring	Bague de réglage, bague de diaphragme
Shade	Ombre, teinte
Shaded	Ombré, à l'ombre
Shading control	Réglage du niveau de bruit
Shading signal	Signal compensateur
Shadow	Ombre
Shaft	Axe
Shape	Forme
Share	Partager ; part
Shared channel	Onde commune

Shared time (inf)	Temps partagé
Sharing	Répartition
Sharing contract (ciné)	Contrat de participation
Sharp	Aigu, net, pointu
Sharp focus	Mise au point nette
Sharp image	Image piquée
Sharply focused image	Image piquée
Sharpness	Définition (d'image), finesse, netteté
Sheet	Fiche, feuille
Shielded	Protégé
Shielding	Blindage, gaine, protection
Shift	Décaler, déplacer, transférer ; décalage, glissement, transfert
Shifted	Décalé
Shifter	Embrayeur
Shining	Luisant
Shipment	Expédition
Shock absorber	Amortisseur, support antivibratoire
Shock proof	Antichoc
Shoot	Filmer, tourner (un film)
Shooting (ciné, tv)	Prise de vues, tournage
Shooting angle	Angle de prise de vues
Shooting field	Champ de prises de vues
Shooting lens	Objectif de prise de vues
Shooting range	Limite de champ
Shooting schedule	Plan de tournage, programme de tournage
Shooting script	Scénario définitif, découpage
Short	Brève (pres), court
Short circuit	Court-circuit
Shorten	Raccourcir
Short film (or) **feature**	Court-métrage, film de court-métrage
Short focus lens	Objectif à courte focale
Short paragraph (pres)	Entrefilet
Short-stop bath	Bain d'arrêt

333

Short wave (3 to 30 MHz)	Onde courte, onde décamétrique (10 à 100 m)
Shot (ciné, tv)	Prise de vues, plan
Shot-gun microphone	Microphone canon
Shot list	Découpage technique
Shot number	Numéro de plan
Shoulder pod	Crosse d'épaule
Shrinkage	Retrait, rétrécissement
Shrinking	Contraction
Show	Représentation, spectacle
Show business	Industrie du spectacle
Show print	Copie d'antenne (tv), copie de présentation (ciné)
Showing	Passage (d'un film), présentation
Shunt (son, vid)	Fondu
Shut	Fermer, verrouiller
Shut-off	Arrêt
Shutter	Obturateur
Shutter bar	Barre à volet
Shutter blade	Pale d'obturateur
Shutter dissolve	Fondu à la prise de vues
Shutter opening	Ouverture d'obturateur
Shutter-release	Déclencheur
Shutter setting	Réglage de l'obturateur
Shutter speed	Vitesse d'obturateur
Shuttle pin	Griffe d'escamotage
Side	Côté, face (disque)
Side band	Bande latérale
Side finder (opt)	Viseur latéral
Side light	Lumière secondaire
Side lighting	Eclairage de côté
Side view	Vue de côté
Sign	Signe
Signal	Impulsion, signal
Signal-image ratio	Rapport signal-image
Signal lift	Décollement du signal
Signal sagging	Affaiblissement de signal
Signal strength	Intensité de réception
Signal-to-noise ratio	Rapport signal-bruit

Signature	Signature
Sign on (or) **off** (tv, radio)	Signal de début (ou) fin d'émission
Silencer	Silencieux, sourdine
Silent	Muet
Silent film	Film muet
Silent track	Piste de silence
Silhouette effect (écl)	Silhouettage
Silk-screen	Ecran de soie
Silk-screen process (imp)	Sérigraphie
Silver screen	Ecran argenté
Simplex	Unidirectionnel
Simplified	Simplifié
Simultaneity	Simultanéité
Simultaneous	Simultané
Simultaneous broadcasting (tv)	Emission relayée
Simultaneous operation	Opération simultanée
Sine-shaped (élect)	Sinusoïdal
Single	Unique
Single-crystal	Monocristal
Single-frame (ciné)	Vue par vue, image par image
Single-frame counter	Compteur image par image
Single-frame exposure	Pose image par image
Single-frame shooting	Tournage image par image
Single-frame switch	Commande image par image
Single-layer emulsion	Emulsion monocouche
Single-layer film	Monopack
Single-perforated film	Film à une rangée de perforations
Single perforation	Perforation d'un seul côté
Single-perforation stock	Pellicule à perforation unique
Single-phase	Monophasé
Single-phase current	Courant monophasé
Single-rank reduction printer	Tireuse réduction à une voie
Single showing	Projection unique
Single-system (ciné)	A piste couchée
Single-system sound camera	Caméra sonore à piste couchée synchrone
Single-system sound shooting	Prise de vues sonore sur piste couchée synchrone

Single-system stripe (ciné)	Bande magnétique précouchée
Single track	Piste simple, simple gravure
Sinusoidal	Sinusoïdal
Site preparation (ciné)	Aménagement des lieux
Size	Dimension, format, grandeur, taille
Sketch	Croquis, esquisse, schéma
Skew (tv)	Biais, distorsion d'image, obliquité
Skew-control knob (tv)	Bouton de réglage de biais
Skew-corrector (tv)	Correcteur de biais
Skewing (tv)	Biais
Skill	Habileté professionnelle
Skip-frame printing	Tirage en accéléré
Slack	Jeu (mécanique) ; lâche
Slackening	Relâchement
Slate (ciné, tv)	Ardoise, claquette, clap
Slate number	Numéro de la claquette
Slave	Asservi
Slave-deck	Appareil asservi
Slide	Diapositive, vue fixe
Slide carrier	Châssis passe-vues
Slide-changer	Passe-vues
Slide-film	Film fixe
Slide-magazine	Panier (pour diapositives)
Slide pick-up (tv)	Télédiapo
Slide projector	Diascope
Slide scanner (tv)	Multiplexeur d'image, analyseur de diapositives
Slide show	Diaporama
Slides editing	Montage audiovisuel
Slight scratch	Eraflure
Slip	Déraper ; glissement
Slip ring (vid)	Bague collectrice
Slippage	Glissement
Slit	Refendre ; fente (de lecture de son)
Slit scanning (tv)	Balayage par fente
Slitter	Refendeur
Slogan	Slogan

Slot	Encoche, fente, rainure
Slow	Lent
Slow-burning	Ignifugé
Slow down	Ralentir ; ralentissement
Slow motion shooting	Prise de vues au ralenti
Slow-release relay	Relais à retardement
Small crew	Equipe légère
Smooth	Uni
Smooth finish (photo)	Satinage
Smoothing factor	Taux d'ondulation
Snapshot (photo)	Instantané
Snoot cone	Capuchon conique
Soaking	Imprégnation
Socket	Douille, prise (électrique), socle
Socket adapter	Support adaptateur
Soft binding (imp)	Brochage
Softening	Adoucissement
Soft focus (ciné, photo)	Flou artistique, flou
Soft-focus effect	Effet de flou
Soft-focus image	Image enveloppée
Soft-focus lens	Objectif pour adoucir
Soft print	Copie douce, copie à faible contraste
Software (inf)	Logitiel, programmerie
Solarization	Solarisation
Solid-state	Etat solide, transistorisé
Solid-state circuit	Circuit transistorisé
Soluble	Soluble
Solvent	Dissolvant, solvant
Sonic	Acoustique
Sonic depth-finder	Sondeur acoustique
Sound	Son
Sound absorption	Absorption acoustique
Sound analyzer	Analyseur de sons
Sound barrier	Mur du son
Sound box	Pick-up acoustique
Sound camera	Caméra sonore
Sound carrier	Porteuse son
Sound channel	Canal son

Sound code	Indicatif sonore
Sound column	Colonne acoustique
Sound control knob	Bouton de réglage de volume
Sound cut	Raccord sonore
Sound distortion	Distorsion sonore
Sound editing	Montage du son
Sound effects	Bruitage, effets sonores
Sound effects machine	Machine à bruiter
Sound effects supervisor (ciné, tv)	Illustrateur sonore
Sound engineer	Ingénieur du son
Sound fade	Fondu sonore
Sound failure	Panne de son
Sound fidelity	Fidélité sonore
Sound film	Film sonore
Sound gate	Fente de lecture
Sound groove	Sillon sonore
Sound head	Lecteur de son, tête sonore
Sound identification	Indicatif sonore
Sound illustrator (ciné, tv)	Illustrateur sonore
Sound insulation	Insonorisation, isolation phonique
Sound intensity	Intensité acoustique
Sound interference	Interférence sonore
Sound level	Niveau sonore
Sound level meter	Sonomètre
Sound library	Sonothèque
Sound-and-light show	Spectacle son et lumière
Sound media	Moyens auditifs
Sound mixer	Console (ou) pupitre de mélange, mélangeur du son, table de mixage
Sound mixing	Mixage (ou) mélange des sons
Sound negative	Négatif son
Sound negative raw stock	Pellicule négative son
Sound only	Son seul
Sound pick-up	Capteur phonographique
Sound playback unit	Bloc de lecture sonore
Sound positive	Positif son
Sound pressure	Pression sonore

Sound print	Positif son seul
Sound-proof	Insonore
Sound-proofing	Insonorisation
Sound reader	Lecteur de son
Sound recorder	Magnétophone
Sound recording	Enregistrement du son, prise de son, sonorisation
Sound recording system	Système d'enregistrement sonore
Sound reduction factor	Indice d'affaiblissement sonore
Sound rendition	Rendu sonore
Sound report (ciné)	Feuille de rapport son
Sound reproducer	Haut-parleur, lecteur de son
Sound reproduction	Reproduction sonore, lecture du son
Sound restitution	Reproduction sonore
Sound slide show	Spectacle audio-visuel, audio-visuel (subst)
Sound studio	Auditorium
Sound system	Procédé sonore, système sonore
Sound take	Prise de vues en son direct
Sound technique	Technique du son
Sound test	Essai sonore
Sound-to-image advance (proj)	Décalage son-image
Sound track	Bande son, piste sonore
Sound truck	Camion d'enregistrement
Sound unit (ciné, tv)	Equipe de son
Sound volume	Intensité du son
Sound wave	Onde sonore
Sounding	Sondage
Source	Source
Space	Espace, espacement
Space buyer (pub)	Acheteur d'espace
Space buying (pub)	Achat d'espace
Space out (imp)	Interligner
Spacer (imp)	Intermédiaire
Space-time	Espace-temps
Spacing	Ecartement, espacement, interligne (imp), intervalle
Span	Portée

Spare part	Pièce de rechange
Spark	Etincelle
Spark photography	Stroboscopie par étincelle
Spatial	Spatial
Speaker (tv, radio)	Présentateur (-trice), speaker, speakerine
Special	Spécial
Special correspondent (pres, tv)	Envoyé spécial
Special effect (ciné, tv)	Effet spécial, trucage
Special effects generator	Générateur d'effets spéciaux, truqueur
Special effects man	Truquiste
Special effects mixer	Mélangeur-truqueur
Special purpose computer	Ordinateur spécialisé
Specific	Intrinsèque, spécifique
Spectator	Spectateur
Spectral	Spectral
Spectrum	Spectre
Speed	Sensibilité, vitesse
Speed flutter	Fluctuation de vitesse
Speed indicator	Indicateur de vitesse
Speed of shooting	Cadence de tournage
Speed rating (film)	Indice de sensibilité
Speed regulator	Régulateur de vitesse
Speed selector	Sélecteur de vitesse
Speedometer	Compteur de vitesse
Speed-up	Accélérer
Speed-up device	Système accélérateur
Speeded-up action	Accéléré
Spherical aberration	Aberration sphérique
Spherical lens	Objectif sphérique
Spindle	Axe
Splice	Collure
Splicing (mont)	Collage
Splicing table	Table de collage
Splicer	Colleuse, presse à coller
Split	Dissocier, diviser, éclater ; dissociation
Split-beam camera	Caméra à faisceau divisé
Split-image viewfinder	Viseur d'image divisée

Split-screen	Image composite fixe, multi-images (projection)
Split wire	Fil double
Splitter	Diviseur
Sponsor	Commanditaire
Sponsored	Commandité, patronné
Sponsored film	Film commandité
Sponsored television	Télévision commerciale
Spool	Bobine
Spot	Annonce publicitaire, message publicitaire, endroit, lieu, repère, tache
Spotlight	Projecteur ponctuel, projecteur à faisceau concentré
Spot lighting	Eclairage concentré, lumière concentrée
Spotted	Tacheté
Spotting (photo)	Retouche
Spotting list (ciné)	Liste de sous-titres
Spray processing	Développement par pulvérisation
Spread	Baver (encre), étaler ; étalement, annonce double-page (pres)
Spread beam	Faisceau élargi
Spread light	Lumière diffuse
Spread reflection	Réflexion élargie
Spread out	Déplier, étaler
Spreading	Etalement
Spring	Ressort
Spring-back ground glass	Dépoli monté sur ressort
Spring motor	Moteur à ressort
Spring suspension	Suspension à ressorts
Spring-wound camera	Caméra à ressort
Sprocket	Tambour denté, tambour
Sprocket drive	Entraînement par tambour
Sprocket drive drum	Tambour d'entraînement
Sprocket-hole	Perforation
Sprocket tooth	Dent de tambour
Sprocket wheel	Galet denté, roue dentée

Spun-glass	Laine de verre
Squaring	Quadrillage
Squeegee (lab)	Essoreuse
Squeeze ratio	Coefficient d'anamorphose
Stability	Stabilité
Stabilization	Stabilisation
Stabilizer	Stabilisateur
Stabilizing bath	Bain stabilisateur
Stable	Stable
Staff	Personnel
Stage	Plateau (cinéma), scène (théâtre)
Stage-by-stage	Point par point
Stage coordinator (ciné, tv)	Chef de plateau
Stage hand	Assistant de plateau, machiniste de plateau
Stage left	Côté cour (vu du plateau)
Stage manager	Régisseur (de plateau)
Stage right	Côté jardin (vu du plateau)
Stain	Tacher ; coloration, tache
Stained	Tacheté
Stained glass	Verre teinté
Stainless	Inoxydable
Stamping	Timbrage
Stand	Pied de projecteur
Standard	Etalon, norme ; standard, normal
Standard broadcast band (tv)	Bande d'émission autorisée
Standard film (ciné)	Pellicule format standard
Standard illuminant (écl)	Lampe-étalon
Standard lens	Objectif normal
Standard mount	Monture standard
Standard size	Format standard
Standard speed	Vitesse normalisée
Standard TV signal (tv)	Signal courant de télévision
Standardization	Normalisation, standardisation
Standardize	Normaliser, standardiser
Stand-by	En attente
Stand-by position	Position « attente »
Stand-in (ciné)	Doubler (un acteur) ; doublure

Standing charges	Frais permanents
Stand lights	Eclairage sur pied
Staple	Agrafe
Star (ciné, tv)	Vedette
Star reporter (pres)	Grand reporteur
Star system	Vedettariat
Start	Départ, top de départ
Start leader (ciné)	Amorce de départ
Start mark	Marque de départ
Starter	Démarreur
Starting cue	Marque de départ
Starting (of a motor)	Démarrage, mise en marche
Starting point	Point de départ
Static	Statique
Static computer imaging	Animation par ordinateur image par image
Statics	Effluves, parasites
Station	Station
Station identification	Indicatif
Statistics	Statistique
Steadiness	Permanence, stabilité
Steady	Stable
Step	Etape
Step-by-step	Point par point
Step continuous wedge	Gamme de densités
Step-down transformer	Dévolteur, transformateur dévolteur
Step printer (ciné)	Tireuse optique pour effets spéciaux, tireuse alternative
Step-up transformer	Transformateur survolteur
Step-wedge	Coin sensitométrique
Stereo	Stéréophonie, stéréo
Stereo cassette tape recorder	Magnétophone à cassette stéréo
Stereo headphone	Casque stéréo
Stereo pick-up cartridge	Cellule de lecture de disques stéréo
Stereophonic	Stéréophonique
Stereophonic effect	Effet de relief sonore

Stereophonic sound	Son stéréophonique, relief sonore
Stereophonic sound recording	Enregistrement stéréophonique
Stereoscopic	Stéréoscopique
Stereoscopic effect	Effet de relief optique
Stereoscopic picture	Image en relief
Stereoscopic system	Procédé stéréoscopique
Stereoscopic television	Télévision en relief
Stereoscopy	Stéréoscopie
Sticking	Collage
Still	Photographie, photo de plateau
Still camera	Appareil photographique, appareil de prise de vues
Still frame	Image arrêtée, arrêt sur l'image
Still picture	Image fixe, photographie
Stills man	Photographe
Stimulator	Activateur
Stitch-copy (imp)	Broché
Stock	Film vierge, réserve, stock
Stock music	Musique préenregistrée
Stock shot	Plan d'archives
Stock shots library	Archives cinématographiques
Stop	Arrêter ; arrêt
Stop bath	Bain d'arrêt
Stop button	Bouton d'arrêt
Stop down	Fermer le diaphragme
Stop frame	Arrêt sur l'image, image arrêtée
Stop leader	Amorce d'arrêt
Stop motion	Image par image, vue par vue
Stop motion camera	Caméra pour prises de vues image par image
Stop motion shooting	Prise de vues image par image
Stop scale	Echelle de diaphragmes
Stop watch	Chronomètre
Stopper	Pièce d'arrêt
Storage	Accumulation, conservation, emmagasinage, mémoire, stockage

Storage battery	Accumulateur, batterie
Storage counter (inf)	Compteur à mémoire
Storage layout (inf)	Schéma de mémoire
Storage temperature	Température de stockage
Storage system	Système à mémoire
Store	Conserver, emmagasiner, mémoriser
Stored energy	Energie accumulée
Stored image	Image stockée
Stored program	Programme enregistré
Story	Article, sujet
Story board (ciné, tv, pub)	Conducteur (visuel)
Straight cut (mont)	Coupe sèche
Straight news (pres, tv)	Reportage factuel
Stray	Vagabond
Stray angle	Angle de diffusion
Stray current	Courant parasite, courant vagabond
Stray light	Lumière parasite
Streak	Raie
Streaking (tv)	Filage horizontal, traînage
Street photographer (pres)	Photo-stoppeur
Strengthening	Renforcement
Stretch	Etaler ; étirement
Stretching	Etirage
Strike an arc	Amorcer un arc
Stringer	Journaliste indépendant, pigiste
Strip	Bandelette, bande
Stripe	Bande, couche
Striped film	Film à piste couchée
Striping	Couchage, pistage
Strobe light	Lumière stroboscopique
Stroboscopic effect	Effet stroboscopique
Stroboscopic-pattern wheel	Disque stroboscopique
Stroboscopy	Stroboscopie
Structure	Dispositif, structure
Stuck	Coincé, collé
Studio	Studio
Studio camera (ciné, tv)	Caméra de plateau, caméra de studio

345

Sum

Studio light	Projecteur
Studio lights	Eclairage de studio
Studio management	Régie
Studio manager	Directeur de studio, régisseur de plateau
Studio monitor (tv)	Récepteur de contrôle de plateau
Studio shooting	Tournage en studio
Studio shot	Prise de vues en studio
Study	Etude
Stunt man	Cascadeur
Style	Style
Subcarrier phase shifter	Régulateur de phase sous-porteuse
Subchannel	Sous-canal
Subdued light	Lumière tamisée
Sub-editor (pres)	Secrétaire de rédaction
Subheading (pres)	Intertitre, sous-titre
Subject matter	Sujet
Submarine cable	Câble sous-marin
Subscriber	Abonné, souscripteur
Subsidiary	Auxiliaire, subsidiaire
Subsidy	Subvention
Substandard film	Pellicule format réduit
Substandard size	Format sub-standard, format réduit
Substitute	Remplacer, substituer
Substructure	Infrastructure
Subtitle (ciné)	Sous-titre
Subtitle cue sheet	Liste de sous-titres
Subtitled release print	Copie standard sous-titrée
Sub-titling	Sous-titrage
Subtractive colour process	Procédé de couleurs par synthèse soustractive
Subtractive colour synthesis	Synthèse soustractive trichrome
Subtractive printing	Tirage soustractif
Succession	Succession
Sum	Somme
Summarize	Abréger, résumer, récapituler

Summarized	Résumé, récapitulé
Summary	Abrégé, récapitulation, résumé, sommaire
Summit	Sommet
Sunlight (écl)	Projecteur (studio)
Sun reflector	Ecran réflecteur
Sunshade	Parasoleil
Sunspot	Tache solaire
Supercharged	Surchargé
Superficial	Superficiel
Superflat screen (tv)	Ecran diffuseur extraplat
Super-high frequency (3 to 30 GHz)	Onde centimétrique (1 à 10 cm), fréquence SHF
Superimposed (ciné, tv)	Superposé, surimpressionné
Superimposition	Surimpression
Superior	Supérieur
Supersensitive	Ultra-sensible
Supersonic	Supersonique
Superstructure	Superstructure
Supervisor	Superviseur, contrôleur
Supplier	Fournisseur
Supply	Alimenter ; approvisionnement, arrivée (élect), source d'alimentation
Supply spool	Bobine débitrice
Support	Support
Supporting cast (ciné, tv)	Artistes de complément
Supporting materials	Documents d'accompagnement
Suppress	Eliminer
Suppression	Suppression, élimination
Suppressor	Antiparasite, filtre antiparasites, système antiparasites, suppresseur
Surface	Surface
Surface reflection	Réflexion de surface
Survey	Inspecter, sonder ; étude, surveillance, sondage
Suspend	Suspendre
Suspension	Interruption, suspension

Sweep	Analyser, balayer ; balayage.
Sweeper (tv)	Analyseur panoramique
Swelling	Gonflement
Swinging arm	Bras mobile
Swish pan (ciné, tv)	Arraché, panoramique rapide, panoramique filé
Switch	Commuter, inverser ; bouton de commande, commande, commutateur, déclencheur, disjoncteur, interrupteur
Switch off	Couper, débrancher, fermer, mettre hors-circuit, mettre hors fonction
Switch on	Allumer, brancher, mettre en circuit
Switch over	Culbuter (proj), transférer
Switchboard	Panneau de commande, table d'écoute
Switch desk	Pupitre de commutation
Switch gear	Déclencheur haute tension
Switch key	Clef de contact
Switchman (tv)	Ingénieur de la vision, ingénieur vidéo
Switched off	Hors circuit
Switched on	En circuit
Switcher (tv)	Ingénieur de la vision, ingénieur vidéo, pupitre de mélange vidéo
Switching	Commutation
Switching core	Noyau de commutation
Switching-in	Mise en circuit
Switching network	Réseau de commutation
Switching-off	Mise hors circuit
Switching-on	Mise en circuit
Swivel	Pivoter
Symbol	Symbole
Symmetrical	Symétrique
Symmetry	Symétrie
Sync (ciné, tv)	Synchrone
Sync (in)	Synchronisé

Sync beep	Top de synchronisme
Sync cable	Câble de synchronisme
Sync editing	Montage synchrone
Sync leader	Bande amorce de synchronisme
Sync level	Niveau de synchronisation
Sync marking	Marque de synchronisme
Sync pulse	Impulsion de synchronisation, pilotage de synchronisme, signal de synchronisation, top de synchronisation
Sync pulse generator	Générateur de fréquence pilote, générateur de synchronisme
Sync signal	Signal de synchronisation
Sync signal generator	Générateur de synchronisme, générateur de fréquence pilote
Sync sound shooting (cableless)	Prise de vues synchrone (sans câble de liaison)
Sync stretcher	Stabilisateur de niveau
Sync switch	Commutateur de synchronisme
Syncing	Mise en synchronisme
Synchronism	Synchronisme
Synchronization	Accrochage (tv), synchronisation
Synchronization bay	Baie de synchronisation
Synchronization marks	Repères face à face
Synchronization pulse	Pulsation de synchronisation
Synchronization of rushes	Synchronisation des rushes
Synchronize	Synchroniser
Synchronized	Synchronisé
Synchronizer	Synchroniseuse, synchronisateur
Synchronizing generator	Générateur-synchroniseur
Synchronizing table	Table de détection
Synchronous	Synchrone
Synchronous drive	Entraînement synchrone
Synchronous motor	Moteur synchrone
Synopsis	Résumé, synopsis
Synoptic	Synoptique
System	Dispositif, système

System noise (cab)	Bruit de système
Synthesis	Synthèse
Synthetic	Synthétique
Synthetic reverberation	Echo artificiel
Synthetic reverberation chamber	Chambre d'écho synthétique
Syntonize	Accorder, syntoniser

Table	Console, table
Table of contents	Sommaire
Tachogenerator	Générateur de tachymètre
Tachometer	Compteur de vitesse, tachymètre
Tag	Etiquette
Tail leader (ciné)	Amorce de fin
Take (ciné)	Prise de vues
Take-off spool (or) **reel**	Bobine débitrice
Take-up and feeding	Enroulement et déroulement
Take-up magazine	Magasin récepteur
Take-up reel (or) **spool**	Bobine réceptrice
Take-up sprocket	Débiteur de magasin, tambour d'enroulement
Taking lens (photo, ciné)	Objectif de prise de vues
Talent scout	Prospecteur de talents
Talking level	Niveau de parole
Talking picture	Film parlant
Tally lamp	Lampe de signalisation
Tangential arm	Bras tangentiel
Tank	Bac
Tape	Enregistrer ; bande, ruban
Tape advance	Défilement vidéo, entraînement de la bande
Tape base	Support de bande
Tape counter	Indicateur de défilement

Tape curvature	Courbure de bande
Tape deck	Platine, plateau d'enregistrement
Tape delays (vid)	Bande de retardement
Tape displacement	Déplacement de la bande
Tape dubber	Défileur de bande
Tape eraser	Effaceur de bande
Tape guide	Guide de bande
Tape leader	Amorce de bande
Tape library	Magnétothèque
Tape loading	Chargement de bande
Tape mark	Marque de bande
Tape printer	Téléscripteur, téléimprimeur, télétype
Tape reader	Lecteur de son, tête de lecture
Tape-recorder (audio)	Magnétophone
Tape-recorder head	Tête de magnétophone
Tape recording	Enregistrement magnétique
Tape skew	Déviation de la bande
Tape speed	Défilement vidéo, vitesse de bande, vitesse de défilement de bande
Tape switching	Commutation de bande
Tape threading	Chargement de bande
Tape transport	Entraînement de la bande
Tape width	Largeur de bande
Tarnishing	Ternissement
Task	Tâche
Tax	Redevance, taxe
Teaching film	Film didactique
Team	Equipe
Tear	Cassure, déchirure
Tearing (tv)	Déchirure de l'image
Technical adviser	Conseiller technique
Technical director	Directeur technique
Technical staff	Personnel technique
Technician	Technicien
Technique	Technique
Technology	Technologie

Telecamera (tv)	Caméra de prises de vues (tv)
Telecast (tv)	Programme de télévision ; transmettre sur tube
Telecaster (tv)	Annonceur, journaliste de télé- vision, reporter de tv
Telecine (tv)	Télécinéma
Telecommunication	Télécommunication
Telecommunication satellite	Satellite de télécommunication
Telecontrol	Télécommande
Tele-converter lens	Multiplicateur de focale
Tele-data-processing (inf)	Téléinformatique
Teledynamic	Télédynamique
Telegenic	Télégénique
Telegram	Télégramme
Telegraph	Télégraphe
Telemetering	Télémesure
Telemetric finder	Viseur télémétrique
Telephone	Appareil téléphonique
Telephone exchange	Central téléphonique
Telephoto lens (ciné)	Téléobjectif
Teleprinter	Téléscripteur, télétype
Teleprocessing	Télétraitement
Teleprompter (tv)	Télésouffleur
Telerecording	Téléenregistrement, cinéscope
Telescope	Télescope
Telescopic	Télescopique
Telescopic arm	Bras télescopique
Telescopic finder	Viseur télescopique
Telescopic lens	Objectif télescopique
Teletype	Téléscripteur, télétype
Teleview	Téléviser
Televiewer	Téléspectateur
Televise	Téléviser
Televised	Télévisé
Televised image	Image télévisée
Televised meeting	Téléconférence
Televised show	Spectacle télévisé
Televising of a film	Retransmission de film par la TV
Television	Télévision

Television broadcasting station	Emetteur de télévision
Television camera	Caméra de télévision
Television news	Actualités télévisées
Television print	Copie télévision
Television receiver	Récepteur, poste de télévision
Television recorder	Magnétoscope
Television reporter	Reporteur télévision
Television reporting	Téléreportage
Television rights	Droits de télévision
Television set	Récepteur, poste de télévision
Television station	Station de télévision
Television transmitter	Emetteur de télévision
Televisor	Téléviseur
Televisual image	Image télévisuelle
Televoltmeter	Télévoltmètre
Temperature	Température
Tempering	Adoucissement
Temporary storage (inf)	Mémoire éphémère
Tension	Tension
Tension roller	Presseur, tendeur
Term	Terme
Terminal	Station, terminal
Terminal unit	Poste terminal
Termination	Terminaison
Test	Contrôler, essayer, sonder, vérifier ; essai
Test board	Panneau de contrôle
Test case	Essai type
Test center	Centre d'essais
Test chart (tv, ciné)	Mire d'essai, mire
Test film (ciné)	Bande d'essai, bout d'essai, film d'essai
Test pattern (tv)	Mire de réglage
Test print (photo)	Epreuve
Test program (tv)	Programme d'essai
Test receiver	Récepteur témoin
Test run	Passe d'essai
Test shot (ciné)	Bout d'essai, plan d'essai
Test strip	Bande de réglage
Test tape	Bande test, bande d'essai

Testing bench	Banc d'essai
Tetraphonic	Tétraphonique
Text	Texte
Textless (or) neutral back-ground	Fond neutre pour titre
Texture	Texture
Theater (ciné)	Salle de cinéma
Theater television (tv)	Télévision sur grand écran
Theatrical exhibition (ciné)	Exploitation commerciale
Thermic	Thermique
Thermocopy	Thermocopie
Thermography	Thermographie
Thermostat	Thermostat
Thread	Charger ; fil
Thread counter	Compte-fils
Thread (of a screw)	Spire
Thread-up waste (lab)	Perte
Threading	Chargement (d'une caméra), embobinage, mise en place (bande ou film)
Three-colour process	Procédé trichrome, trichromie
Three-dimensional film	Film en relief
Three-dimensional photography	Photographie en relief
Three-dimensional picture	Image en relief
Three-dimensional shape	Forme tridimensionnelle
Three-dimensional system	Procédé stéréoscopique
Three-dimensional television	Télévision en relief
Three-phase current	Courant triphasé
Threshold	Seuil
Threshold of acoustical perception	Seuil d'audibilité
Threshold of dazzling	Seuil d'éblouissement
Threshold of feeling	Seuil de sensibilité
Threshold of perception	Seuil de perception
Threshold of vision	Seuil de visibilité
Through-the-lens focusing (opt)	Mise au point sur dépoli
Through-the-lens meter	Cellule T.T.L.
Through-the-lens reading	Lecture à travers le viseur
Throw (of projector)	Distance de projection

Thrust	Poussée
Tie	Attacher
Tie-line (cab)	Ligne directe, ligne privée
Tie-trunk (cab)	Ligne privée
Tight	Etanche, hermétique, serré
Tight editing	Montage serré
Tight shot	Plan serré
Tightener	Tendeur
Tightening	Serrage
Tilt (ciné, tv)	Panoramiquer ; mouvement d'appareil vertical, panoramique vertical
Tilt compensation	Compensation d'inclinaison
Tilt control	Réglage d'inclinaison
Tilt down (ciné, tv)	Plongée
Tilt-up (ciné, tv)	Contre-plongée
Tilting	Mouvement basculant, mouvement d'appareil vertical, panoramique vertical
Timbre (son)	Couleur sonore, timbre
Time	Durée, heure, temps
Time base	Base de temps
Time base corrector	Correcteur de base de temps
Time code	Base de temps
Time constant	Constante de temps
Timed dailies (ciné)	Rushes étalonnés
Time-delay	Action différée
Time-delay circuit	Circuit retardateur
Time exposure (photo)	Pose
Time exposure control	Compte-pose
Time lag	Retard
Time-lapse (photo)	Accéléré, intervalle de pose
Time-lapse cinematography	Prises de vues image par image
Time-lapse shooting	Prise de vues à temps échelonné
Time-sharing (inf)	Partage de temps
Time-shot	Pose, prise de vues à temps échelonné
Time-table	Horaire
Timer (ciné)	Etalonneur
Timer (of printer light)	Variateur (sur tireuse)

Timing (cf. grading) (ciné)	Chronométrage, étalonnage, minutage
Timing print	Copie d'étalonnage
Tinted	Teinté
Tinting	Coloration, teintage
Titanium	Titane
Title (ciné)	Titre
Title background	Fond de générique
Title card	Carton de titre
Title negative	Bande titre, négatif du générique, négatif titre
Title-page (pres)	La « une »
Titler (ciné)	Tireuse pour textes, titreuse
Titling (ciné)	Titrage
Toggle	Bras articulé
Toggle switch	Interrupteur basculant
Tolerance	Tolérance
Tonal	Audible, musical, sonore
Tone	Note, timbre, ton, tonalité, son
Tone-arm	Bras de lecture, bras de pick-up
Tone channel	Canal son
Tone colour	Couleur sonore, timbre
Tone control	Correcteur de tonalité, réglage de tonalité
Tone modulator	Modulateur de tonalité
Tone pitch	Hauteur du son
Tone reproduction	Rendement sonore
Tone quality	Qualité musicale
Toning	Teinture, virage
Tool	Outil
Tool kit	Boîte à outil, outillage
Top	Haut, sommet
Top hat (ciné)	Plate-forme de caméra
Topical	Actuel
Torch	Torche
Total cycle	Cycle complet
Touch up (photo)	Retoucher
Tower (élect)	Pylône
Trace	Tracer ; piste, tracé
Tracer	Traceur

Tracing	Traçage, tracé
Tracing distortion	Distorsion de contact (disque)
Tracing off	Décalque
Tracing paper	Calque
Track	Bande, canal, piste, rail, trajet
Track in (ciné, tv)	Travelling avant
Track laying (mont)	Préparation des bandes à mixer
Track mark	Repère de piste
Track out (ciné, tv)	Travelling arrière
Tracking	Mise en place (bande), centrage de piste
Tracking control (vid)	Contrôle de pistage, réglage de lecture (bande)
Tracking shot (ciné, tv)	Prise de vues en mouvement, plan (ou) prise de vues en travelling, travelling
Trade	Marché
Trade mark	Marque de fabrication
Trade paper (pres)	Revue corporative
Trade press (pres)	Presse professionnelle
Trade show (ciné)	Présentation corporative
Trailer (ciné)	Bande de lancement, film annonce
Training	Formation
Training film	Film de formation
Trajectory	Trajectoire
Transceiver	Emetteur-récepteur
Transcode	Transcoder
Transcoder	Transcodeur
Transcribing	Transcription
Transcription	Copie, transcription
Transducer	Transducteur, transformateur d'énergie, transmetteur
Transductor	Transducteur
Transfer	Report, transcription, transfert
Transfer circuit	Circuit intermédiaire
Transfer constant	Constante de transmission
Transfer gear	Pignon de transfert
Transfer unit	Unité de transfert
Transfering	Décalque, transfert

Transform	Convertir, transformer
Transformer	Transformateur
Transistor	Transistor
Transistorized	Transistorisé
Transistorized mixer	Mélangeur transistorisé
Transition	Transition
Transit time	Temps de parcours
Translate	Convertir, traduire, transcoder
Translation	Traduction
Translator	Traducteur
Translucent	Translucide
Transmission	Emission, transmission
Transmission band	Bande passante
Transmission channel	Voie de transmission
Transmission control unit	Unité de télécommande
Transmission line	Voie de transmission
Transmit	Transmettre
Transmittance	Transmission
Transmitter (radio, tv)	Emetteur, poste émetteur, transmetteur, station émettrice
Transmitter car unit	Voiture émettrice
Transmitting microphone	Microphone-émetteur
Transmitting station	Emetteur, station émettrice
Transmitting tube	Tube émetteur
Transparency	Diapositive, transparence
Transparency mounting	Montage de diapositives
Transparent	Transparent
Transparent screen	Ecran transparent
Transport costs	Frais de transport
Transversal recording	Enregistrement transversal
Travel ghost	Filage
Travelling-and-pan-shot (ciné, tv)	Pano-travelling
Travelling-matte (ciné, tv)	Cache animée, image composite animée, travelling matte
Travelling shot (ciné, tv)	Plan (ou) prise de vues en mouvement, plan (ou) prise de vues en travelling, travelling
Travelogue (ciné)	Film de tourisme
Tray	Bac

Treatment	Adaptation, traitement
Treble (son)	Aigu
Trial hearing	Audition
Trial program (tv, radio)	Emission pilote
Trial run	Essai
Trichromatic	Trichromatique
Tri-colour separation	Sélection trichrome
Trigger	Déclencheur, détente, gâchette
Triggering	Déclenchement
Trim	Couper
Trims (mont)	Chutes
Tripod	Pied de caméra, trépied
Tripod head	Tête de trépied
Tripping	Déclenchement
Trucking effect (ciné, tv)	Effet de mouvement
Trunk line	Ligne principale, ligne interurbaine
T-stop (opt)	Ouverture de diaphragme photométrique
Tube	Tube
Tubular	Tubulaire
Tumbler switch	Interrupteur à bascule
Tune	Accorder, régler ; air musical
Tune in	Accorder, brancher
Tune up	Mettre au point, réviser
Tuned	Accordé
Tuned antenna	Antenne accordée
Tuned line	Ligne accordée
Tuner	Syntoniseur, tuner
Tuner amplifier	Tuner-amplificateur
Tungsten halogen lamp	Lampe quartz-iode halogène
Tungsten lamp	Lampe à incandescence
Tungsten light	Lumière artificielle
Tuning	Réglage
Tuning device	Dispositif d'accord, syntoniseur
Tuning fork (son)	Diapason
Tuning indicator	Indicateur d'accord, œil magique
Tuning-up	Mise au point
Turbine	Turbine

Turn off	Couper, mettre hors circuit
Turn-on	Mettre en circuit, brancher
Turned-on-off	En circuit/hors circuit
Turntable	Plaque tournante, plateau (disque), tourne-disques
Turret-front camera	Appareil de prises de vues à tourelle
TV colour receiver	Récepteur TV couleur
TV education	Enseignement télévisé
TV fan	Téléphile
TV film	Téléfilm
TV library	Téléthèque
TV-linked conference	Téléconférence
TV man	Téléaste
TV news	Presse filmée
TV pickup station	Station de captage
TV projector	Téléprojecteur
TV reader	Télélecteur
TV set	Poste de télévision, récepteur, téléviseur
TV studio	Studio de télévision
TV teaching	Téléenseignement
Tweet (son)	Gazouiller
Tweeter	Haut-parleur d'aiguës
Twin lenses	Lentilles jumelées
Two-colour system	Bichromie
Two-phase	Biphasé
Two-phase current	Courant biphasé
Two-position action	Réglage à deux paliers
Two-shot (ciné, tv)	Prise de vues à deux personnages, plan américain
Type	Caractère (imp), type
Type lay-out (imp)	Maquette typographique
Type-setter (imp)	Compositeur, typographe
Type-setting (imp)	Composition
Typist	Dactylographe
Typography	Typographie

Ultra-directional microphone	Microphone canon
Ultra-fast	Ultra-rapide
Ultra-high frequency (300 MHz-3 GHz)	Hyperfréquence, onde décimétrique (1 à 100 cm), fréquence UHF
Ultra-high-speed camera	Caméra ultra-rapide
Ultra-short wave	Onde ultra-courte
Ultrasonic	Supersonique, ultrasonore
Ultrasound	Ultrason
Ultraviolet	Ultraviolet
Unbalanced	Instable
Unchanging	Invariable
Uncoil	Débobiner
Uncoupling	Découplage, débrayage
Undercranking	Prise de vues en accéléré
Underexposed	Sous-exposé
Underexposure	Sous-exposition
Understudy	Doublure (d'un acteur)
Under voltage	Sous tension
Underwater camera	Caméra pour prises de vues sous-marines
Underwater shooting	Prises de vues sous-marines
Undulatory	Ondulatoire
Uneven	Inégal
Unexposed	Non exposé, vierge

Unexposed film	Film vierge
Unfold	Déplier
Unidirectional	Unidirectionnel
Unidirectional antenna	Antenne unidirectionnelle
Uniform	Uniforme
Unilateral	Unilatéral
Unit	Bloc, dispositif, élément, ensemble, organe, unité
Unit manager	Régisseur (de plateau)
Universal	Universel
Universal mount	Monture universelle
Unlink	Débrancher
Unload	Décharger
Unloading	Déchargement
Unlock	Ouvrir
Unmarried film (ciné)	Film double bande
Unmarried print (ciné)	Positif double bande
Unperforated	Non perforé
Unplug	Débrancher
Unpublished	Inédit
Unsensitive	Insensible
Unshrinkable	Irrétrécissable
Unsold copies (pres)	Bouillon, invendus
Unsqueezed image	Image désanomorphosée
Unsqueezed print	Copie désanamorphosée
Unsteadiness	Instabilité, manque de fixité
Unsteady	Instable
Untuned	Désaccordé
Unused	Inutilisé
Unwind	Débobiner, dérouler
Unwinder	Défileur, dérouleur
Unwinding	Déroulement
Unwinding film speed	Vitesse de défilement de film
Unwinding speed	Vitesse de déroulement
Update	Mettre à jour
Upkeep	Entretien (matériel)
Upset	Dérégler
Upward modulation	Surmodulation
Use	Utiliser ; usage, utilisation

Useful	Utile
User	Usager, utilisateur
Usherette (ciné)	Ouvreuse
Utilize	Utiliser

Vacuum	Vide
Vacuum tube	Lampe à vide, tube à vide
Valid	Valable
Validity	Validité
Value	Valeur
Valve	Lampe, soupape, valve
Variable	Variable
Variable angle (ciné)	Champ variable
Variable aperture shutter (ciné)	Obturateur à ouverture variable
Variable area sound recording	Enregistrement à densité fixe
Variable area sound track	Piste sonore à densité fixe
Variable beam floodlights (écl)	Ambiances focalisables
Variable density sound recording	Enregistrement à densité variable
Variable density sound track	Piste sonore à densité variable
Variable focus (ciné, photo)	Focale variable
Variable focus lens	Objectif à focale variable
Variable frequency oscillator	Oscillateur à fréquence variable
Variable resistance	Résistance variable
Variable shutter	Obturateur variable
Varnish	Vernis
Varnished	Verni
Varnishing	Vernissage
Vault	Magasin de stockage
Velocity	Rapidité, vitesse
Velocity compensator	Compensateur de vitesse

Velocity modulation	Modulation de vitesse
Verifier	Vérificateur
Verify	Vérifier
Vertical dissection (tv)	Exploration par ligne verticale
Vertical frequency	Fréquence verticale
Vertical hold (tv)	(Bouton de) commande de synchronisme vertical
Vertical image (tv)	Image verticale
Vertical line hold (tv)	Défilement vertical
Vertical lock (tv)	Contrôle du défilement
Vertical resolution (tv)	Résolution verticale
Vertical synchronization (tv)	Balayage vertical (trame)
Very high frequency (30 to 300 MHz), VHF	Onde métrique (1 à 10 m), très haute fréquence, fréquence VHF, hyperfréquence
Very low frequency (3-30 kHz)	Onde myriamétrique (10-100 km), fréquence très basse
Vibrating	Oscillatoire
Vibrating reed	Lame vibrante
Vibration	Oscillation, vibration
Vibration pick-up	Capteur de vibrations
Video	Vidéo
Video amplifier	Amplificateur vidéo
Video analyzer	Etalonneuse à lecture vidéo
Video art	Art vidéographique
Video-bus	Car vidéo
Video camera wiper	Effaceur caméra vidéo
Video carrier	Porteuse vidéo
Video feedback	Echo visuel
Videocassette	Vidéocassette
Videocasting	Vidéodiffusion
Video colorizer	Colorisateur vidéo
Video colour pack	Ensemble vidéo couleur
Video communication	Vidéo communication
Video disc	Disque vidéo, vidéodisque
Video engineer	Ingénieur de la vision, ingénieur vidéo
Video feed-back circuitry	Circuit de retour vidéo

Video frequency	Vidéo fréquence
Video head assembly	Bloc de têtes vidéo
Video head record & playback	Tête d'enregistrement et lecture vidéo
Video level	Niveau vidéo
Video library	Vidéothèque
Video-maker	Vidéaste
Video mixer	Mélangeur vidéo, panneau de mixage vidéo
Video monitor	Récepteur de contrôle vidéo, moniteur d'image vidéo
Video network channel	Chaîne de réseau vidéo
Video playback-recorder	Lecteur-enregistreur vidéo
Video projector	Projecteur vidéo, télémégascope
Video record & playback	Enregistreur-lecteur vidéo
Video recording	Ampexage, enregistrement vidéo
Video signal	Signal vidéo
Video signal output	Sortie du signal vidéo
Video signal-to-noise ratio	Rapport signal-bruit vidéo
Video style	Ecriture vidéo
Video switching	Commutation vidéo
Video synthetizer	Synthétiseur vidéo
Videotape	Bande magnétoscopique, bande vidéo
Videotape duplication	Copie de bande magnétique, doublage de bande vidéo
Videotape recorder, VTR	Magnétoscope
Videotape recording	Enregistrement magnétoscopique, magnétoscopie
Videotape reproducer	Magnétoscope de lecture
Videotaping	Enregistrement vidéo
Video track	Piste vidéo
Video wave	Onde vidéo
Vidicon tube	Tube vidicon
View	Vue
Viewer	Spectateur, téléspectateur ; visionneuse (mont)
Viewfinder (ciné, photo)	Viseur
Viewfinder parallax	Parallaxe de visée

Viewfinder screen (tv)	Ecran du viseur
Viewing	Visionnement
Viewing angle	Angle de visée, angle de vision, champ de visée
Viewing area	Zone de projection
Viewing lens (ciné)	Viseur
Viewing point	Point de visée
Viewing position	Positionnement de visée
Viewing system	Système de visée
Viewing theatre (ciné)	Salle de vision
Virtual	Virtuel
Virtual image	Image virtuelle
Visible	Visible
Visibility	Visibilité
Vision	Vision, vue
Visual	Visuel
Visual alignment	Alignement à l'oscilloscope
Visual carrier frequency	Fréquence d'onde porteuse visuelle
Visual field	Champ visuel
Visual media	Moyens visuels
Visual scanner (tv)	Lecteur optique
Visual signal level	Niveau de signal visuel
Visual transmitter (tv)	Emetteur de télévision, transmetteur visuel
Visual tuning	Accord visuel
Visual tuning indicator	Indicateur d'accord visuel
Voice articulation	Netteté phonique
Voice code translator (inf)	Synthétiseur de voix
Voice coil	Bobine mobile
Voice frequency	Fréquence vocale
Voice level test	Essai de niveau de voix
Voice recording	Enregistrement du texte
Voice test	Essai de voix
Voice-in (ciné, tv)	Voix dans le champ
Voice-off (ciné, tv)	Voix hors champ
Voice-over (ciné, tv)	Voix sur dialogues
Void	Vide
Volatile storage (inf)	Mémoire éphémère
Volt	Volt

Voltage	Tension, tension électrique
Voltage level	Niveau de tension
Voltage oscillation	Oscillation de tension
Voltage regulator	Régulateur de tension
Voltage stabilizer	Stabilisateur de tension
Voltameter	Wattmètre
Volume	Volume
Volume control	Bouton de réglage de volume, réglage de puissance de son
Volume level	Niveau sonore
Volume range	Gamme de puissance sonore
Volume-unit indicator	Décibelmètre
Voucher	Justificatif
V.T.R. connector (vid)	Connecteur magnétoscope
V.U.	Décibel
V.U.-meter	Vumètre, décibelmètre

Wages	Salaire
Waiting	Attente
Wall	Paroi
Wall-screen	Ecran mural
War correspondent (pres, tv)	Correspondant de guerre
Wardrobe	Costumes, garde-robe
Wardrobe mistress	Habilleuse
Warm	Chaud
Warning	Avertissement
Washing	Lavage, rinçage
Waste percentage	Pourcentage de perte
Watching	Surveillance
Water cooling	Refroidissement par eau
Water level	Niveau d'eau, niveau à bulle
Watt	Watt
Watthour	Watt-heure
Wattmeter	Wattmètre
Wave	Onde
Waveband	Gamme d'ondes
Wave collector	Antenne, collecteur d'ondes
Waveform	Forme d'onde
Waveform monitor	Moniteur de forme d'onde
Wave front	Front d'onde, surface d'ondes
Wave guide	Guide d'onde
Wavelength	Longueur d'onde
Wavemeter	Ondemètre

Wave velocity	Vitesse de propagation
Waviness	Ondulation
Wavy	Ondulatoire
Way station (tv)	Poste intermédiaire
Weak	Faible
Weaken	Atténuer
Wear	Détérioration
Wear-&-tear	Usure
Weather report	Bulletin météorologique
Weather satellite	Satellite météorologique
Wedge	Cale, coin
Weekly (pres)	Hebdomadaire
Welding	Soudure
Western	Western
Wet cell	Elément d'accumulateur
Wet-gate printing (or) **wet printing**	Tirage par immersion, tirage humide
Wetting agent (lab)	Agent mouillant
Wheel	Galet, roue
Whip-pan (ciné, tv)	Arraché (mouvement de caméra), panoramique filé, panoramique rapide
Whistle	Sifflement, sifflet
Whistling	Sifflement
White	Blanc
White frame	Image blanche
White sound	Son de bande
Wide	Large
Wide-angle	Grand angle, grand-angulaire
Wide-angle lens	Objectif grand-angulaire
Wide band	Bande large
Wide screen (ciné)	Ecran large
Wide-screen TV projector (tv)	Télémégascope
Width	Largeur
Width control (tv)	Commande de largeur d'image
Wild	Non-synchrone
Wild motor	Moteur non synchrone
Wild take	Prise de son seul, prise de son asynchrone

Wild track	Piste sonore asynchrone, son seul
Wild wall	Mur mobile, panneau mobile, paroi mobile
Wind	Enrouler ; vent
Wind machine	Machine à faire le vent
Wind shield (microphone)	Bonnette de protection
Wind-up drum	Tambour d'enroulement
Wind-up stand	Pied télescopique
Winder	Bobineuse, enrouleur
Winding	Bobinage, enroulement
Winding machine	Bobineuse
Winding panel	Platine d'enroulement
Wipe	Effacer ; fermeture par volet, volet (effet)
Wiper	Effaceur
Wiping	Effacement
Wiping head	Tête d'effacement
Wire	Connecter ; dépêche, fil
Wire (élect)	Monter (une installation)
Wire broadcasting	Radiodiffusion, télédiffusion
Wire photo (pres)	Téléphoto
Wire service (pres)	Agence de presse
Wired city (cab)	Ville câblée
Wiring	Câblage
Wiring diagram	Schéma de câblage
Wiring panel	Tableau de connexions
Wiring regulations	Règlement d'installation
Witness	Témoin
Woofer	Haut-parleur de graves
Word	Mot
Work of art	Œuvre d'art
Work print (ciné)	Copie de travail (image)
Work storage (inf)	Mémoire de travail
Work track	Copie de travail son
Working	En marche, en fonctionnement
Working speed	Vitesse de manipulation
Working title (ciné)	Titre provisoire
World premiere (ciné)	Première mondiale

Worm wheel	Roue à vis sans fin
Wow	Pleurage
Write head	Tête d'écriture
Writing	Ecriture
Written press (pres)	Presse écrite
Wrong	Incorrect

Xenon	Xenon
Xenon lamp	Lampe au xénon
Xenon projector	Projecteur à lampe xénon
X-ray	Radiographie

Yellow	Jaune
Yellow press (pres)	Presse à sensation
Yellowing	Jaunissement
Yoke (tv)	Bobine de déviation

Zenith	Sommet, zénith
Zonal	Local, régional
Zone	Région, zone
Zero	Zéro
Zero hour	Heure H
Zero re-set	Remise à zéro
Zero re-set knob	Bouton de remise à zéro (compteur)
Zip-pan (ciné, tv)	Arraché (mouvement de caméra), panoramique filé, panoramique rapide
Zoom	Travelling optique
Zoom in	Prise de vues en zoom vers gros plan
Zoom lens	Focale variable, objectif à focale variable, zoom
Zoom out	Prise de vues en zoom vers plan général

Pour recevoir régulièrement, sans aucun engagement de votre part, l'Actualité Littéraire Flammarion, il vous suffit d'envoyer vos nom et adresse à Flammarion, Service ALF, 26, rue Racine, 75278 PARIS Cedex 06.
Vous y trouverez présentées toutes les nouveautés mises en vente chez votre libraire : romans, essais, documents, mémoires, biographies, aventures vécues, livres d'art, livres pour la jeunesse, ouvrages d'utilité pratique, livres universitaires...

L'impression de ce livre
a été réalisée sur les presses
des Imprimeries Aubin
à Poitiers/Ligugé

Achevé d'imprimer le 8 mars 1976
pour les éditions Ernest Flammarion

N° Editeur : 8484
N° Imprimeur : 8904
Dépôt légal : 2ᵉ trimestre 1976

Imprimé en France

DICTIONNAIRE DE L'AUDIO-VISUEL